CORPUS VITREARUM MEDII AEVI

DEUTSCHLAND BAND X,3

DIE GLASMALEREIEN DES MITTELALTERS UND DER FRÜHEN NEUZEIT IN NÜRNBERG LORENZER STADTSEITE

REGESTEN · TAFELN · REGISTER

CORPUS VITREARUM MEDII AEVI

Erscheint unter dem Patronat des Internationalen Kunsthistorikerkomitees
und der Union Académique Internationale

DEUTSCHLAND BAND X, 3: NÜRNBERG: LORENZER STADTSEITE

Im Auftrag der
Akademie der Wissenschaften und der Literatur · Mainz
und des Deutschen Vereins für Kunstwissenschaft · Berlin
herausgegeben von

HARTMUT SCHOLZ

von Rechenberg

Reich

Riegler

Rieter

Rotmund

Rummel

Sauerzapf

von Schlewitz

Schlüsselfelder

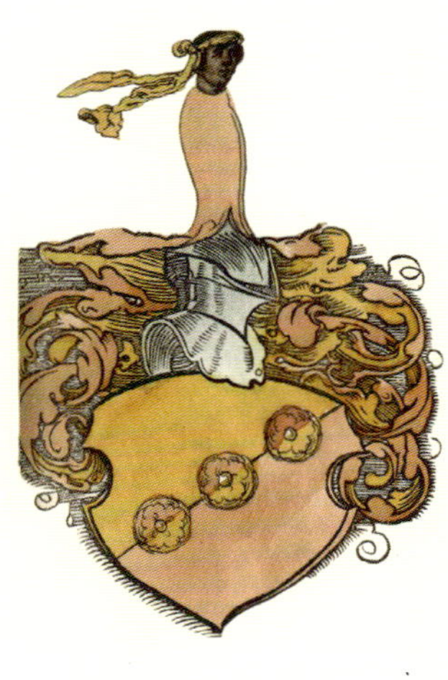

Schmidmayer

Schnöd

Schopper

Schreyer

Schürstab

Schütz

Schwarz

HARTMUT SCHOLZ

DIE GLASMALEREIEN DES MITTELALTERS UND DER FRÜHEN NEUZEIT IN NÜRNBERG

LORENZER STADTSEITE

REGESTEN · TAFELN · REGISTER

DEUTSCHER VERLAG FÜR KUNSTWISSENSCHAFT

BERLIN 2019

Der vorliegende Band wurde im Rahmen der gemeinsamen Forschungsförderung von Bund und Ländern im gemeinsamen Akademienprogramm mit Mitteln des Bundesministeriums für Bildung und Forschung und des Ministeriums für Wissenschaft, Forschung und Kunst Baden-Württemberg erarbeitet.

Akademienprogramm der

Bibliografische Information der Deutschen Nationalbibliothek

Die Deutsche Nationalbibliothek verzeichnet diese Publikation in der Deutschen Nationalbibliografie; detaillierte bibliografische Daten sind im Internet über http://dnb.d-nb.de abrufbar.

ISBN 978-3-87157-252-4

Redaktion, grafische Gestaltung, Bildbearbeitung und Satz: Corpus Vitrearum Deutschland, Freiburg i. Br.
Forschungszentrum für mittelalterliche Glasmalerei
Lugostr. 13, D-79100 Freiburg i. Br. – Internet: www.cvma-freiburg.de

Gesetzt in Stempel Garamond OSF/SC
auf MultiArt Silk halbmatt 135 g/m² von Papyrus

Druck: Memminger MedienCentrum Druckerei und Verlags-AG · Memmingen

Printed in Germany

REGESTEN

In den Regesten sind, nach Standorten geordnet, die wichtigsten schriftlichen Belege zusammengestellt, die sich unmittelbar auf erhaltene und verlorene Farbverglasungen von Bauten der Lorenzer Stadtseite Nürnbergs beziehen. Sie bestehen aus Quellentexten, denen knappe Angaben über Ort, Zeit und Inhalt vorangestellt sind; in seltenen Fällen werden nur kurze Zusammenfassungen gegeben. Angefügt sind Hinweise auf den derzeitigen Aufbewahrungsort der Schriftquellen sowie auf gegebenenfalls vorliegende Editionen.

Im Rahmen des CVMA können die hier teils nur in Ausschnitten veröffentlichten Archivalien nicht in historisch-kritischer Form, sondern nur als Lesetexte geboten werden. Daher beschränken sich die für ein zureichendes Verständnis der Texte notwendigen Erläuterungen auf ein Mindestmaß.

Bei der Auffindung der Archivalien konnte sich der Verfasser auch auf Exzerpte stützen, die ihm in großzügiger Weise von Kollegen überlassen wurden. So stellte Prof. Dr. Gerhard Weilandt, Greifswald, seine unpublizierten Quellen zu St. Lorenz und den Kirchen und Kapellen der Lorenzer Stadtseite, hier vor allem jene über frühe Reparaturmaßnahmen an den Fenstern im 16. und 17. Jahrhundert, zur Verfügung. Bertold Freiherr von Haller hat die Aufzeichnungen zur Stiftungs- und Restaurierungsgeschichte der familiären Fensterstiftungen in den Nürnberger Kirchen im Freiherrlich von Haller'schen Familienarchiv in Großgründlach ausgewertet. Ihnen sei an dieser Stelle ein ganz besonders herzlicher Dank gesagt. Soweit möglich, wurden alle Archivalien nochmals am Original überprüft. Die umfangreichen Bestände zur Restaurierung der Fenster von St. Lorenz ab Mitte des 20. Jahrhunderts konnten in dem aufgrund von Baumaßnahmen seit Jahren deponierten Lorenzer Pfarrarchiv nur eingeschränkt eingesehen werden. Hier sei Dr. Marco Popp, Frankfurt, und der zuständigen Archivarin, Frau Caroline Pottiez, Nürnberg, sehr herzlich für die geleistete Hilfe beim Auffinden der in Kartons verpackten Archivalien gedankt.

PFARRKIRCHE ST. LORENZ

1   REGENSBURG 1453 AUG./SEPT.
Die Stadt Regensburg bittet den Nürnberger Rat, dem Maler Meister Conrad bei seiner Arbeit in St. Lorenz förderlich zu sein:
Item Ein fürderbr(ief) von Regens(purg) von Meister Conr(at) Malers wegen, In zu der Arbeit zu S. Laurentz(en), den Chor zuv(er)glasen, zu fürd(er)n.
Desgleichen ein fürderbr(ief) von Erhart(e)n Reichen /
StAN, Rst. Nürnberg, Rep. 52b, Amts- und Standbücher Nr. 31/alte Sign. Nr. 814 (Einlaufregister 1449–1457), fol. 205.
Zitiert u.a. in: GÜMBEL 1917, S. 179, und RÜBSAMEN 1997, S. 288, Nr. 4676.

2   NÜRNBERG 1457 FEBR. 14
Pfleger und Kirchenmeister von St. Lorenz bekennen, von den Testamentsvollstreckern des 1454 verstorbenen Berthold III. Tucher 50 Gulden zur Vollendung des zu seinem Gedächtnis gestifteten oberen Fensters im Chor (NORD V), empfangen zu haben:
Ich Hanns Volckmeyr pfleger und ich Niclas Köler kirchmeister die zeit des gotshaws sandt Lorentzen pfarrkirchen bekennen öffentlich für uns und all unnser nachkommen an derselben pfleg des benanten gotzhaws, das wir eingenomen und empfanngen haben von den ersamen Andresen Tucher und Ulrichen Haller, vormunden Bertolden Tuchers des eltern seligen geschefts, mit nomen ffünfftzigk güldein landszwerung, die wir vor des benanten gotzhaws wegen innen haben söllen auff sölch künfftig tag und zeit so die höch des gepews des kors der

benanten sandt Lorentzen pfarrkirchen volbracht würdet, und auch allso besünderlichen, das die benant summ güldein dienen und wartten sol zu dem obern glaßfensterwerck obe dem gange ob des benanten Berchtolds Tuchers seligen yetzgemachten fenster und glaßwerck, das dann die benanten sein vormunden im czu seliger, ewiger gedechtnüsse gemacht lassen haben. Und so sölch gepew volbracht würdet in vorgeschribner mäß, wenn dann die benanten vormunden oder wer den brief mit irem guten willen innen hat sölch ffünfftzigk güldein an uns und unnsern nachkommen begern und fordern zu sölchm glaßwerck, so söllen und wöllen wir und unnser nachkommen in die benanten ffünfftzigk güldein wider antworten und geben ön all widerrede und ir scheden; [...].
StadtAN, E 29,I (Tucher-Archiv), Nr. 937, Familiensachen, Lehnbriefe d. a. 1341–1630 (als Brandurkunde aus dem Kassengewölbe nicht einsehbar).
Im Wortlaut abgedruckt in: CHRONIKEN, IV, 1872, S. 37f.

3   NÜRNBERG 1464 MÄRZ 18–24
Zahlungen für die Fenster in der oberen Sakristei an den Glaser Hans Hertenberger (farblose Butzenverglasung):
Dem glasser. Item Meister Hanns Herttenwerger, dem glaßer, hab ich czalt fur fenster, gehören oben auf den newen sagerer, darzu sein kummen 1414 scheyben, vnd im geben fur die scheyben vnd machlon vnd tringkgelt 13 gulden an gold, die machen an Müncz in summa, den gulden gerechent vmb 7 lb 11 dn: lb 95 dn. 23.
StAN, S.I.L. 130, Nr. 11, fol. 17.
Mitgeteilt in: GÜMBEL 1910, S. 454.

4 NÜRNBERG 1465 MÄRZ 24–30
Zahlungen für den Kauf von Butzenscheiben und für Glaser-
lohn:
Vmb glaß vnd dem glaßer zu lon. Item 1500 venedisch glaßschey-
ben, ydes 100 zu 4 lb, Michel Güt, dem Kaüffman. Item 400 Myn-
ner 1 firtel hat dargeben Meister Hanns Herttenwerger, darfur
geben 15 lb. Item mer 55 lb 15 dn. zu machlon, von ydem 100 3 lb,
das vbrich hat er nachgelassen.
StAN, S.I.L. 130, Nr. 10, fol. 13.
Mitgeteilt in: GÜMBEL 1911, S. 35.

5 NÜRNBERG 1477 JULI/AUG.
In einem Ratsdekret wird die Anfertigung des Fensters mit
Reichs- und Stadtwappen oberhalb des Kaiserfensters behan-
delt (Chor H I), das demzufolge Mitte 1477 bereits vorhanden
gewesen sein muss:
Item es ist verlaßen das von Gmainer State wegen das venster
ob unnsers Allergnädigsten Hern des Ro: Kaisers vensters zu S.
Lorentzen Im Chor gemacht werden sol mit des Raichs auch der
Statt Secret und gmainem Stattwappen. Bawmeister.
StAN, Rst. Nürnberg, Rep. 60b, Ratsbücher Nr. 2, fol. 160r
(zwischen dem 30. Juli und dem 28. August); ebenso Rep. 60a,
Ratsverlässe Nr. 80, 1477, Quinta post Jakobi, fol. 2r.
Abgedruckt in: GÜMBEL 1910, S. 49, Anm. 66; FRENZEL 1970,
S. 45, Anm. 25; ULRICH 1979, S. 14.

6 NÜRNBERG 1477
Ein Ratsverlass desselben Jahres bezieht sich möglicherweise
auf die Bezahlung des Kaiserfensters (Chor I):
Item Jobst Haller des paws halber ein verzeichnuß ze machen,
was bey dem keyser zu erlangen sey.
StAN, Rst. Nürnberg, Rep. 60a, Ratsverlässe Nr. 104, 1477, fol.
16.
Abgedruckt in: ULRICH 1979, S. 14.

7 NÜRNBERG 1510 (1571, 1628)
Im Verzeichnis der Stiftungen der Famlie Ayrer sind die Fens-
terstiftung Hans Ayrers von 1510 und deren Verneuungen bzw.
Ergänzungen von 1571 und 1628 durch spätere Mitglieder der
Familie aufgeführt:
In St. Laurenzer Kirch in Nürnberg.
Ein Fenster in der Höhe, neben der alten Orgel, anfänglich
gestiftet Ao. 1510. von Hannß Ayrer, so eine Weißenburgerin,
Scheufflerin und Müllerin zur Ehe gehabt, Hernach Ao. 1571,
den 14. Oktob(er) mit Bewilligung H. Hieronymus Baumgärt-
ners, Kirchenpflegers, hat Egidius Ayrer, deßen Ehewirthin eine
Praunin, und Steffan Praun, deßen Ehewirthin eine Ayrerin ge-
west, dieß fenster auff beeder Uncosten Verneuen laßen, gehört
also beeden zugleich.
Anno 1628 ist Johann Egidy Airers und Magdalena Hallerin
Wappen uf Bewilligung H. Christoff Fürers Kirchenpflegers, in
dieß Fenster gemacht worden.
StadtAN, E 1/48, Nr. 7/1 (Ayrerische Gedächtnuß und Stiftungen), S. 2.

8 NÜRNBERG 1515
Ausgaben Jakob III. Muffels für Jahrtage und Gedächtnisse,
darin u.a. für die Reparaturen und Neuanfertigung von Rundwappen für das neue Muffel-Fenster im Langhaus von St. Lorenz (nord IX) durch die Werkstatt Veit Hirsvogels:
Item Maister Veytten zallt fur das New Muffel fenster zw Sant
lorenczen 20 guld(en) 5 lb 20 d am donerstag nach Sant Jorgen
tag das 1515 Jar, vnd sol haben 2100 Scheuben fur eine 2 d.
So hab ich Im fur der rund(en) Scheüben eine mit den wappen
geben 6 lb vnd von den andern 2 allte(n) stücken 4 h das ander
fur die Eysen stenglein etc ist verrechet vnd abgezogen.
StAN, Rep. 80 (Muffel-Archiv), Akten Nr. 184, o. Pag.

9 NÜRNBERG 1517
Ausgaben Jakob III. Muffels für Jahrtage und Gedächtnisse,
darin u.a. für Reparaturen und Neuanfertigung von Rundwappen für das alte Muffel-Fenster im Langhaus von St. Lorenz
(nord XIII) durch die Werkstatt Veit Hirsvogels:
Item Mayster Veytte(n) angedingt dass ander fenster zw sant
lorenczen sol Im fur ein newe schewben geben 2 d fur die Newen
geschmelczte rïnden schewben sa(m)pt meinen wappen wie im
andern fenster für eine 6 lb.
Vnd fur der allte(n) muffel wappen zw vntterst im fenster von
einem fenster 4 lb die soll er pessern vnd in newß pley fassen.
vnd sol ferttig wird(en) auf laurenti negst das 1517 Jar.
Item Im dar an zallt auf rechnung sant Seboltz abent 15 gulden.
aper Im geben 4 gulden 7 d vnd ist alß deß fensterß wezalt
vnd sol daß fenster haben zwaythausent vnd 6 schewben etc.
StAN, Rep. 80 (Muffel-Archiv), Akten Nr. 184, o. Pag.

10 NÜRNBERG 1526
Im Geschlechterbuch des Konrad IV. Haller wird das Haller-
Fenster in St. Lorenz (Chor nord III) als Gemeinschaftsstif-
tung des Geschlechts und ein weiteres als Stiftung des 1499
verstorbenen Kirchenmeisters Lorenz Haller (Chor NORD
III) verzeichnet:
Item das gemain geschlecht der Haller haben vor vil jaren ein
herlich gros, weit venster in dem chor zu sand Lorentzen got zu
lob oben bey dem heiligen sacrament machen lassen, darin eytel
gemain Haller und auch zweyr ritter helm unnd schilten stenen.
[...]
Item so hat Lorenntz Haller got zu lob für sich selbst, daweil er
kirchenmeister zu sannd Lorentzen gewesen ist, auch ein gros
herlich venster daselbsthin hat machen lassen, darin stet sein
und seiner hausfrauen der Haller unnd Alathauer wappenn ge-
macht.
Großgründlach, Haller-Archiv, CCH-I, fol. 259v und 260.
Abgedruckt in: FRENZEL 1977, S. 111, 129.

11 NÜRNBERG 1555
Eintrag Sebald Tuchers über Reparaturmaßnahmen an den beiden Tucher-Fenstern im Chor von St. Lorenz (nord V, NORD
V):
In den Kirchen do Sie [die Tucher] *Ire Wappenn und fenster*
habenn lossen machen unnd pessern. Zum ersten pay Sct. Lo-
rennzen gegen dem koer über hab ich dem moller zalt vonn etli-
chen fenstern zu mollen und Ein newes tucher boppen [Wappen]
gemacht auch pey dem sagerer Ein fenster gepessert dar füer
dem moller bezalt laut Eins Zettels   *5 fl. – –*
Mer inn Sct. Lorennzen Kirchen ob 27 fennster außgehebt und
gepessert mit glaß von farbenn davonn   *8 fl. 1 orth 2 kr.*
Hierzu Angaben des Glasmalers Andreas Krafft (1539–1566
nachgewiesen) unter den Einzelbelegen:
Item der tucher fenster pey Sant Lorentzen außgepessert und
gemacht dafür 8 fl.
Item mer in dem andern Fenster ein stuck außgehoben, gepes-
sert und wider eingesetzt darfür   *Endres Krafft*
StadtAN E 29/III (Tucher-Archiv), Nr. 156 (Rechnungen der
Tucher-Stiftung); vgl. ebenda auch E 29/III, Nr. 14, S. 149.

12 NÜRNBERG 1557

Reparaturen am Staudigel-Nützel-Fenster (Lhs. süd IX):
Hernach volgtt die vncosten die ich von den venstern der Nüt-
zel geschlecht u gehorig zu sant Sebald zu sant Lorentzen und
im Spital zu pessern bezalt.
[...]
Mer zu sant Lorentzen 6 fenster aus gehoben gepessert gewa-
schen gemolt und wider ein gesetzt fur neue scheuben und haff-
ten fur als fl 1 lb 7 d 14.
StAN, D 13, Depositorium Stromer-Archiv, A 2801.

13 NÜRNBERG 1557/58

Zahlungsnotiz über umfangreichere Reparaturen am Haller-
Fenster (Chor nord III), die auch inschriftlich in der Wappenzeile des Fensters vermerkt sind:
Nachdem man aber das vennster des Geschlechts der Haller
bey Sannt Laurentien mit den thürlein, der Haller wappens,
so alles zerprochen, vernewen auch die andern fenster thürlein,
so gleicher weis vast vil zerworffen gewest auspessern, vnnd
vmb zukünfftige verhuetung für das ganntz fenster ein eisere
drate gitter machen muesen, welches 90 fl 7 lb 19 d gecostet ist
zu uerrichtung desselben, diser thail [an der Nutznießung der
Stiftung] *vmb drey gulden angelegt worden, wiewol etliche der*
andern hiesigen vnnd Nyderlendisch hausgeseßne Haller vil ein
merers daran gegeben.
StadtAN, A 26/I, Abgabe aus StAN, Rep. 80 B, Nr. 138 (Salbuch
der Georg-Haller-Stiftung von 1558, hier Abrechnung für die
Zeit von Walburgis 1557 bis dahin 1558), fol. 19; ziemlich genau
derselbe Text auf fol. 32v und 66v (dort nochmals 2 bzw. 3 fl
verrechnet).
Auszugsweise abgedruckt in: FRENZEL 1977, S. 112.

14 NÜRNBERG 1563 MÄRZ 24

Zahlungen an den Glaser Hans Ludwig Welter für Reparaturen
der Fenster auf der Imhoff-Empore:
Item aüff 24 marzo 1563 zalt dem hans Lüdwig Welder glaser,
von wegen der zway fenster aüff dem korlein zu sand Lorenzen,
die selben zu pessern, und wieder ein zü setzen thüt lb 4 d 6.
GNM, Imhoff-Archiv, Teil I, Fasc. 36, Nr. 5, Rechnungsbuch
des Endres Imhoff, 1564, fol. 4r.

15 NÜRNBERG 1567

Umfassende Reinigung und Reparatur der Fenster auf der Imhoff-Empore:
Item nach den das ganz fenster aüff dem korlein in sand Lo-
renzen kirchen gegen dem predigstül uber gar schadhafft gewest
ist, hat man das selbig gar ab heben und wieder säubern und
pessern müsen und wieder ein zu setzen, dar zü hot man 8 neue
Fenster eissen gemacht für solchs alls zalt 4 fl, [es folgen weitere
Ausgaben für Fensterreparaturen in St. Rochus].
GNM, Imhoff-Archiv, Teil I, Fasc. 36, Nr. 6, Rechnungsbuch
des Endres Imhoff, 1567, fol. 11r.

16 NÜRNBERG 1569

Arbeiten des Glasers Hans Bostel an den Tucher-Fenstern im
Chor betreffend:
A.d. 29. May zalt dem hans bostel almusen glaser dz er etliche
Tucherische fenster In St. Lorentzen Kirch(en) pessert hatt laut
eins Zettels 1 fl. 4 kr 3 d
Dieser Zettel unter den Einzelbelegen verzeichnet:
Ausbeßrung eines Tucher-Fensters in St. Lorenz mit 55 Schei-
ben eine für 3 x.

Mehr ein Stück In newes bley gefaßt darfür 3 kr. 22 d
Mehr ettliche stück u. bünde aufgesetz thut summa 1 fl. 4 kr. 3 d
1 fl 3 kr. 28 d
an Hans Bostel almußen glaser.
StadtAN, E 29/III (Tucher-Archiv), Nr. 156 (Rechnungen der
Tucher-Stiftung), und E 29/II, Nr. 1643 (Einzelbelege).

17 NÜRNBERG 1571 OKT. 8

Neuanfertigung der beiden großen Imhoff-Wappen für die
Fenster der Imhoff-Empore:
Auff 8. october von solchem gelt ein glaser zalt für das er ein
neüs hoffisch wappen mit schilt und helm aüff das korlein der
Im hoff fenster zu S. Lorenzen gemacht hot kost fl 14 lb 6 d 4.
GNM, Imhoff-Archiv, Teil I, Fasc. 36, Nr. 8, Rechnungsbuch
des Endres Imhoff, 1571, fol. 3v.

18 NÜRNBERG 1571 OKT. 14

Hinweis auf eine Verneuung des vormaligen Hans-Ayrer-Fens-
ters in St. Lorenz mit Wappen Ayrer und Praun:
In St. Lorenzen Kirch ist ein fenster mit der Jahreszahl ao. 1510,
von meinem Ahnherrn Hans Ayrer Herkomen, hernach haben
sich der Gilg Ayrer und mein Vatter Anno 1571, den 14. Ok-
tober desselben angenommen und mit Vorwissen herrn Hie-
ronymus Paumgartners, damals Kirchenpflegern, uff gleichen
Uncosten Ihre Wappen darein machen lassen. Ist also gemeltes
Fenster des Gilch Ayrers Erben und den Praunen zuständig.
StadtAN, E 28/II (Praun-Archiv), Nr. 1707, und E 28/II, Nr.
1709 (Verzeichnus der Gedächtnußen so die Praun inn und außerhalb Nürnberg in Kirchen haben, S. 9f.).

19 NÜRNBERG 1571

Die Reparatur des Nützel-Fensters in St. Lorenz (Lhs. süd IX)
durch den Glasmaler Hans Bostel betreffend:
Item was ich denen Erbaren vnd Erenfesten heren nützel In Ir
Kyrchen Fenster gemacht hab beye sant Lorentzen.
Erstlich hab ich außgehebt 18 scheyben stükg vnd, gewaschen
vnd wyder eingemacht für Eins 24 kr duut dye 18 stük zu gelt
1 f. 6 lb. –
Mer hab ich Ine eingesetz 130 scheyben eine für 3 kr duut zu gelt
1 f. 4 lb. 18
Mer hab ich außgeheb 12 waben [Wappen] *stückg vnd aber ab-*
gebesert vnd gewaschen vnd wyder eingemacht für eins 42 h
duut dye 12 stük zu gelt f. 2. –
Mer hab ich auf gesetz 360 bend für eins 1 h f. 1. 3 lb., 18.
Dut dye summa dys(es) Kyrchen fenster zu gelt f. 6. lb 5. h 24.
Hans postel almus glaßer In der underen Laufer gaßen.
StAN, D 13, Depositorium Stromer-Archiv, Akten 2801.

20 NÜRNBERG 1575 APRIL 7

Reparaturen an einem der Tucher-Fenster:
A.d. 7 April dem Maister Hans Stain glaser und glaßmoller von
dem fenster zu Sant Lorentzen Kirchen außzubessern so der
windt und gewiter verderbt und zerbrochen hat 1/2 fl und sein
geselen 12 ß thut – 11. –
Dazu der Einzelbeleg:
Conto von Hans Stain glaser was er gemacht hat In dem Kir-
chen fenster In sant Lorentzen a.d. 7. April bezahlt.
Ausbesserung für einen halben Taler.
StadtAN, E 29/III (Tucher-Archiv), Nr. 157 (Rechnungen der
Tucher-Stiftung), pag. 21, und Nr. 14 (Tucherische Monumenta.
Ordentliche undt ausführliche Beschreibung aus den Stiftungs
Rechnungen gezogen undt zu besserer nachricht zusamm getra-

gen, was wegen der Tucherischen Kirchenfenster, Kirchenstühl, Altäre, Bilder, Lampen, Deppiche, Begräbnussen, Todten Taffel, Epitaphien, Messgewänder und anderen Kirchen Ornat [...] von Jahren zu Jahren aufgewendet undt aus der Stiftung gereicht worden [...], 1652 mit Nachträgen bis ins 18. Jh.), S. 149ff., und E 29/II, Nr. 1643 (Einzelbelege).

21   ZÜRICH VOR 1590

Angebot des Glasmalers Christoph Murer aus Zürich, das Tucher-Fenster betreffend (Extract):

So es aber den herren Tucherischen wollte gefallen, unnd den Kosten anzuwenden, ein sollich fenstern machen zu lassen, wollte ich das selbige woll unterstehen hir zu machen, so mir die größe des ganzen fensters geschickt werde, alles durch den herren oder werckschuch abgemeßen, ein jedes stück insonder in seiner praite unnd höhe, auch wie prait die steinernen Pfeyler, so durch das Fenster hinauff gehend, auch die eysern stäb, die über Zwerch gehend, alles bey dem Zoll abgemeßen, unnd alles dann auf einem Regalbogen durch den veriüngten Maßstab oder werckschuch veriüngt, das ganze Fenstern auffgereißen, unnd hierzu auch verzeichneter seite den rechten werckschuch mit seiner lange, wie auch den veriüngten unnd klaynen maßstab oder werckschuch, unnd eine gemalte Visierung, oder veriüngtes fensters größe zu schreiben, so will ich dz ganze Fenster auff einem Reißboden auff reißen, und ein Visierung stellen oder zwo unnd die hinaußschreiben, sampt dem überschlag, was es ungeferlich kosten möchte. Jedoch mit dem Bescheid, das so die herren anders bedacht würden, dz doch mir die Visierung bezahlet würde[1].

Unnd so die herren Tucherischen begerten das ganze Fenster mit geferbtem glaß einzu nehmen, wäre eine schöne Perspectiva von durchsichtigen scheiben, wie ein Tempell zu machen, darinnen die Historia wo Christus auff die erden schreibet, oder wo Christus die verkäuffer mit der geysell außtreibet, oder die Beschneidung, alles mit großen und zierlichen bildern, oder aber auff diese formb wie hie bey gesagt, unnd dz Jenige so weiß darinnen erscheynet mit scheiben zu verglaßen. [...].

Ebenda auch das Exzerpt einer Notiz von Jakob Sprüngli. StadtAN, E 29/II (Tucher-Archiv), Nr. 1643 (Einzelbelege).

22   NÜRNBERG 1590–1591/92

Belege in den Stiftungsrechnungen der Dr.-Lorenz-Tucher-Stiftung von 1573/74–1601/02, die Verneuung des Berthold-Tucher-Fensters in St. Lorenz durch den Nürnberger Glasmaler Hans Stain nach Visierung von Jost Amman betreffend:

Mer so ist vorgemeltes Tucherisch Fenster, in der Kirchen Sant Lorentz, verneuert worden, das hat kost, wie unterschitlich volgt:

Erstlich den 19. october 1590 dem Jobst Amon moller, Zalt für 14 stück viessierung abzureissen, und anders, so er darzu gemacht, für alles   *fl 10. –. –*

Mer Hannß Stain, glasmaller hie auf dem Lorenzer Platz, Erstlich unden in den mitten des fenster, Zwai grosse Tucherwapen in Zwai thürlein, under das ein drei Weiber schiltlein, under das ander ein possement darfür   *15.- fl. – –*

Mer zu oberst die dryfaltigkeit, für 3 thürlein, darunter zu beden seitenn zwey Engel für 2 thürlein, und ein geheng von laubwerck in mitten und anders darbey, alles zusamen fürs$^1/_3$ thürlein und zu beden seite herunder 12 thürlein, thut alles 22$^1/_2$ thürlein

1 Die Visierung Murers ist erhalten (vgl. Fig. 58).

zu 6 fl. eins   <u>*fl. 134. –. –*</u>
mer davon außzupessern –   *- 4. Kr. 6.*
und noch darüber seinem Sun trinckgelt   *1 fl. –. –*
Ist gemeltem seinem Sun Endres Stain alles bezalt worden. Erstlich den 11. Juni 1590 fl. 40, mer den 14. Jenner 1591 fl. 40, mer den 5. sept fl. 70. 4. 6. thut alles zusammen   *fl. 150. – 4. – 6.*
Mer den 20 Febrer 1590 kaufft darzu vom Tobias Hundergesunt hie, ein glastruhen, darinen 2500 Scheuben der klainen gatung wie zu Kirchenfenster gepreuchig kost   *f 11. 6. 9.*
Mer dem Mertha Kestner glasser, in der niern lauffer gassen, Zalt den 20 november 1590, von 26 thürlein mit neuen, darzu hat er von den seinen 256 Scheuben geben, und wie bemelt, ander 2500 darzu kauft, von allen in neu blei einzufassen, und von 41 thürlein ausgeprochen, und widerumb eingesetzt, thut alles nach inhalt seines zettels nemlich   *f 29. 7. 16.*
Mer ime zalt den 19 aprill 1591 von 12 neu gemalte stück, oder geschmeltzte thürlein einzusetzen, und zuvor 12 alte heraus zu thun zu 6 pro eins vom thürlein thut   *f 1. 1. 20.*
Tut alles so dissem glasser bezalt, nemlich   *fl 27. –*
[Es folgen die Zahlungen für Gerüstbauer und Schlosser.]
Summa von wegen disses fenster zusam ausgeben 207 fl. 2 # 15 d.
Die 22$^1/_3$ Felder wurden von dem Glaser Martin Kestner eingesetzt.
StadtAN, E 29/III (Tucher-Archiv), Nr. 157 (Rechnungen der Tucher-Stiftung), pag. 126, und Nr. 14, S. 151f.
Abgedruckt in: PILZ 1940, S. 216; vgl. ebenso FRENZEL 1989, Anm. 6.

23   NÜRNBERG 1592, AUG. 25

Reparatur und Reinigung eines der beiden Tucher-Fenster der Nordseite durch den Glaser Hans Bostel:

Hannß Postell, allmus glaßer hie, von dem obersten Tucherfenster gegen dem halsbrunner hoff auszubrechen, zu waschen mit neuen scheiben auszubeßern und wiederumb einzusezen, für alles nach inhalt eines zetels mit 15 ß drinckgelt   *f. 11. 2. 27.*

StadtAN, E 29/III (Tucher-Archiv), Nr. 14, S. 152.

24   NÜRNBERG 1600 FEBR. 1

Abschlagszahlung für das Lorenz-Tucher-Fenster (Chor süd VI):

Bekantnus von Jacob Sprüngli, Amalist und glasmaler zu Zürich umb 60 fl. so er auf Rechnung des Lorenz Tucherischen Fensters empfangen hat.

StadtAN, E 29/II (Tucher-Archiv), Nr. 1643 (Einzelbelege).

25   NÜRNBERG 1601 MÄRZ/APRIL

Einzelblatt mit Abschriften von zwei Briefen Herdegen Tuchers an den Zürcher Glasmaler Jakob Sprüngli, worin u.a. der Wunsch nach einer Inschrift artikuliert ist, die in der Scheibe mit dem Bild des Propstes Dr. Lorenz Tucher angebracht werden sollte, und der Reaktion auf die zwischenzeitlich eingetroffene Nachricht Sprünglis, dass dieser Wunsch zu spät komme, da das betreffende Feld bereits ausgeführt worden sei:

Ersamer und fürnemer lieber h. Jacob Sprüngli, mein grus und gutt willig dienst seien Euch bevor, Euer schreiben datiert vom 8. Martyi in Zürich ist mir worden, darinnen gern vernomen, dz ir im werck ward von den Tuchern Buch angedingt zu verfertigen, daran ich dan keinen Zweiffel hab [...].

Ferner wolt ich gern, dass ir noch mir allein gehörig, auch in ein and(er) kirchenfenster auf das Land gehörig, ein Tucher schilt und helm geschmeltzt und gemacht [es folgen die Maßangaben] darunter disse schrifft auff eine ~~oder Zwo Zeil~~, wie es sich am

pesten schreiben wurd HERTEGEN TÜCHER 1601 Jar, dero-
wegen solt ir von mir besunder bezalt werden.
Under des Probsten, so vor einem altar kniet fenster, habt ir
disse in ligende schrifften auch zu machen, des Ritter Tucher
fenster ist schilt und helm nicht g(ü)ld(en), sondern allein aller
gestalt, und massen, wie die andern zu machen, doch die ne-
ben Zaichen der orter dah er gewest, darbei wie irs abgerissen
auch das Schwert mit dem Zettel unbeschriben [das Zeichen des
zyprischen Schwertordens], das hab ich Euch zur antwort ver-
melden wollen [...].
Datum Nürmberg den letzten Marzi 1601   Herdegen Tucher
Dem Ersamen und fürnemen Jacob Sprüngli, Amalist und
Glasmaler zu Zürich.
StadtAN, E 29/II (Tucher-Archiv), Nr. 1663.

26   NÜRNBERG 1601 APRIL 22
Ankündigung des Zürcher Glasmalers Jakob Sprüngli, dass
die halbe Arbeit am Lorenz-Tucher-Fenster getan sei und er
hoffe, so ihm Gott die Gesundheit erhalte, es bis zum kommenden Pfingstfest liefern zu können. Das Schreiben enthält
auch den Hinweis, dass eine von Herdegen Tucher in seinem
letzten Brief (März 1601) mitgeschickte Anweisung für eine
Inschrift, die unter dem Bildnis des Propstes Dr. Lorenz Tucher anzubringen sei, leider nicht mehr umgesetzt werden
könne, da das betreffende Feld bereits ausgeführt sei.
StadtAN, E 29/II (Tucher-Archiv), Nr. 1643 (Einzelbelege).

27   NÜRNBERG 1601
Belege in den Stiftungsrechnungen der Dr.-Lorenz-Tucher-
Stiftung von 1574–1602, die Verneuung des Lorenz-Tucher-
Fensters in St. Lorenz durch den Zürcher Glasmaler Jakob
Sprüngli betreffend:
Mer so ist in dissen jar, auf gut achtung und bewilligung
der eltern Tucher hie das Tucherfenster in sant Lorenzen-
kierchen, neben der Sacristei gegen dem Pfarrhoff über gar
verneuert worden, und hat kost, wie underschitlich volgt:
Erstlich zalt dem Jacob Springli Amalist und glasmaler von
Zürich von 22 stück oder Thürlein durch aus geschmeltz,
nemlich in der understen fünff Tucherschild und helm, wie
solche zuvor in den alten gewest, und auf beden seiten darob
possiert von Collonen, mit Laubwergk und anderm, und zu
oberst auff beden seiten Engel, und ein grossen Tucherschilt,
in der miten. Mer herunder im mitel in neun thürlein, alzeit
drei neben einander, in jeder ein grosse runde scheuben, der
zeit lebendigen verheirateten Nürnberger Tucher, auch deren
Weiber schilt, neben ein ander in jeder runden scheuben. Sol-
ches alles hat er uns von Zürich bis her, auf sein kosten und
gefahr geliffert und wir ime dafür zallen müssen, von den 22
stück für ieder 10 guldin und für drei klaine in der höch ½
guldin, nach für die neun grosse runde scheuben der Tucher
und irer weiber schilt, für alle zu samen 10 guldin, und de-
nen, so solche von Zürich hergetragen zu trinckgelt, ein gul-
din, thut alles zusammen   f 231. – 4. – 6.
Mer zalt den 25 aprillis einem galler poten von einem brieff an
Jacob Springli nach Zürich 3 ½ patzen thut   f 1. – 29. –
Mer dem M Mertha Kestner glaser hie, für ein puch gros Regal
papier, 6 patzen für papen und plei weis drei kreuzer für sein
mühe, das alte glaswergk gemalte abzumessen 10 patzen thut
*   alles f 1. 1.*
[Es folgen die Kosten für den Gerüstbauer.]
Mer zalt dem M Mertha Kestner glaser hie, erstlich vor 20
stück Fenster mit scheuben verglast, die hatten zusamen 2090

scheuben, vom hundert in plei ein zu fassen   f 6. 20. –
thut nemlich   fl 16. 4. 20.
Mer auf solche und die geschmelzten fenster in alles 954 hafften
zu   fl 3. 7. 10.
Mer von den alten Fenstern 43 stück heraus zu thun und von
den newen 43 stück ein zusetzen zu 8 kreuzer vom stück thut
*   fl 5. 6. 5.*
Summa des glasser arbait thut   fl 26. 1. 27.
[...]
Summa in alles von wegen dieses Fenster ausgeben worden
*   fl 275. 6.*
StadtAN, E 29/III (Tucher-Archiv), Nr. 157, pag. 269f.
Abgedruckt in: FRENZEL 1989, Anm. 5.

28   NÜRNBERG 1614 FEBR. 12
Reparaturen am Berthold-Tucher-Fenster (Chor NORD V):
Den 12 febr. zahlt dem Jonas Reder, Allmuß S. 155: glaßer, das
Tucher fenster auf dem gang an der Lorenzer Kirchen, gegen
halsbrunnerhoff zuzurichten, oder auszubessern. Laut seines
Zettels   f. 1. – 1. – 12.
StadtAN, E 29/III (Tucher-Archiv), Nr. 14, S. 154f.

29   NÜRNBERG 1614 AUG. 12
Erwähnung von Reparaturmaßnahmen am Koler-Fenster im
Chorobergaden von St. Lorenz (SÜD VII):
Uncosten so ich fur Wolff Cöler außgelegt. Erstlich adj 12 au-
gusty ao 1614 Jahr [...] Deß gleichen [...] auch eines [ein Fenster]
bey S. Lorenzen außbeßern laßen.
GNM, Hs. 2910a, Benedikt Koler (1585–1632), Stiftungsbuch
(Rechnung im Anhang).

30   NÜRNBERG 1626
Eintrag in den Rechnungen der Tucher-Stiftung:
Mer ao. 1626 sind die drei Tucherischen Fenster i. St. Lorentzer
Kirchen widerumb verneut und gepessert worden.
Ein diesbezüglicher Beleg des Glasers Bernhardt Schwartz vom
18. November 1626 notiert für Reinigung und größere Reparaturarbeiten den extrem hohen Betrag von insgesamt 112 Gulden
und 13 Kreuzer.
Demnach die Tucherischen drey fenster in der Lorenzer Kir-
chen alhie als eines gegen dem Pfarrhoff an der Sacristey [süd
VI], das ander gegen dem Hailsbronner Hoff [nord V], und
das dritte daselbst oben drauf [NORD V] auf dem gang sehr
bußfertig unsauber gewest, viel zerbrochene scheiben ge-
habt, das bley daran sehr ledig gewest, und sonderlich auch das
drätgitter an dem gegen dem Pfarrhoffs sehr ledig, die kail in
der mauer darinn die hackhn aller faul, undt in deme gegen
dem halsbrunner hoff etlich form stein oben gar ledig gewest,
darabfallen zubesorgen gewest, darumb mit noch mehrers ein-
gehn hab ichs im monat octob. wiederumb ausbutzn, beßern,
undt verneuen laßen, bezahlt derowegen
Erstlich dem Meyster Endres Reckh düncher, umb drey gerüst in
der kirchen und eines außerhalb wegen der dräten gitters zuma-
chen .   6 --
Mehr dem meeyster Balthasar Stainmetz dz zu den formstein
gesen und ein gesellen verneuert   – 3. – 10. –
Undt seinem gesellen   f. 1. – 1. – 20.
Mehr dem Bernhard Schwarz allmusglaser   f. 106. – –
und sein zween söhnen für drinckgelt   – 6. – 22.
Mehr dem Lorenz Lang glaßmahler umb 2 stück in das fenster
gegen dem Pfarrhoff so ausgefallen und brochen wieder zu re-
pariren
*   1 --*

*Mehr dem meyster Paulus kraut schlosser etlich hackhen zum
gitter und stänlein zjm fenster zu machen* f. 5. – 5. – 1.
Und dem Meßner daselbst – 5. –.
StadtAN, E 29/III (Tucher-Archiv), Nr. 154, pag. 23, bzw. Nr.
14, S. 155f., und E 29/II, Nr. 1643 (Einzelbelege).

31 NÜRNBERG 1628
Neuanfertigungen von Wappenscheiben in das Praun-
Ayrer'sche Fenster im Langhausobergaden (SÜD XIII):
*Anno 1628 Ist Johan Egidy Airers und Magdalena Hallerin
Wappen, uf Bewilligung H. Christoph Fürers Krichenpflegers,
in dieß Fenster gemacht worden.*
StadtAN, E 1, 48 (Ayrer), Nr. 7.

32 NÜRNBERG 1638, 1659
Rechnungsbeleg für in situ durchgeführte Reparaturen des
Praun'schen Fensters in St. Lorenz durch den Glaser Gallus
Waldt im Rahmen des Glaser-Auffahrens:
*Das Fenster bey St. Laurentzen hat man zu machen bezalt wie
folgt.*
Für den Korn, Sail und Flaschen kr 24
denen so den Glaser ab und auff gezogen, dem Meister kr 30
zweyen Gesellen, jedem 24 kr thut kr 48
die Sail, Korb und die Flaschen hin und wieder zu führen 40
dem Glaser *fl. 3 –*
a.d. 1638 *5 fl. 22 kr*
Ebenda die Rechnung des Glasers Gallus Waldt:
*Verzeichnis waß ich den löblichen geschlecht der Präunischen und
Ayreischen ihn ihr fenster in der Kirchen bey St. Lorenzen gemacht
hab wie folgt: Erstlich das fenster außbesert eingesetzt 28 scheiben
eins für 1 kr thut 28 kr. Mehr 4 stück neu gemacht halten mit ekel
und gassten 320 scheiben eine fur 1 kr thut 5 fl 20 kr. Dz fenster
abgebutzt und alle stück wieder verstrichen ist dafür 48 kr.*
1659 folgen weitere Reparaturen durch den Glaser Gallus Waldt
für die Summe von 6 Gulden und 36 Kreuzern.
Stadt AN, E 28/II (Praun-Archiv), Nr. 1707.

33 NÜRNBERG 1639
Reparaturen am Lorenz-Tucher-Fenster in St. Lorenz und
ebenda Neuanfertigung von weiteren sechs Rundwappen durch
den Glasmaler Franz Stengel (Steigel, Steugel):
*Demnach das Tucherische Fenster bey St. Lorenzen neben der
Sacristey* [süd VI] *an etlichen thürlein schadhafft geweßen, ist
solches wieder gebeßert, auch etliche mehr Tucherschildlein zu
den vorigen darein gesezt undt deswegen unkosten ausgeben
worden wie folgt:*
*den 23. Aug dem Meyster Sebaldt Hoffman düncher bezahlt für
das gerüst in der Kirchen St. Laurenti vor dem Tucherischen
fenster neben der Sacristey aufzumachen, umb solch fenster
weil es an theil orthn schadhafft gewest, durch den Glaßmahler
wider umb zubeßern und auch die thürlein so gar heraus gethan
müßen werdten, dem glaßmahler wieder helffn zu verstreichen,
für alles überhaubt* fl. 2. – 12. –
*den 27. dito dem frantz Stengel Glaßmahler
bezahlt von obgemelten fenster auszubeßern und zuzurichten,
für alles überhaubt* fl. 10. –. –
*Mehr ihm bezalt von einem ganz rundem glaß mit drey schild-
lein* *f 3*
*den 15 octob. obgemeltem Glaßmahler wiederumb bezahlt für
noch fünff ganz neue runde gläßer gemahlt mit so viel Tucher
und andern unterschiedlichcen schildtlein, für iedes glaß 3 fl:*
15 fl.

*dießer 6 neue gläßer hat er alle in so viel fensterthürlein an dem
Tucherischen fenster bey St. Lorenzen neben der Sacristey ein-
gesetzt, davon ein zu setzen ihme bezahlt von iedem 9 patzen,
thut für alle 6 zu sammen* f. 3. – 36. –
Derowegen den zweyen meßnern. – 52. –
Mehr des glaßmahlers gesindlein trinckgelt – 10. –
*Vnd dem meyster Sebald düncher, als obgemelte schildlein sindt
eingesetzt worden* – 48. –
StadtAN, E 29/III (Tucher-Archiv), Nr. 14, S. 157–159, und Nr.
154, pag. 23v.

34 NÜRNBERG 1644 OKT. 26
Ausbesserung der Scheiben in den drei Kirchenfenstern der
Tucher, die vom Wetter beschädigt und ausgeschlagen wurden,
durch den Glaser Franz Stengel (Steigel, Steugel):
*1644 den 26 Octob. franz Stengel Glaßmahler undt Glaßer, von
den scheiben so von dem wetter in unterschiedlichen Kirchenfenstern ausgeschlagen, wiederzumachen laut zettels zahlt worden fl. 41 kr 10 A. f. der antheyl dieser fenster*
Item den Gesellen zum drinckgelt – 10 –
*Item meyster Niclas düncher vor des gerüst bey den fenstern
aufzurichten* f. 2. –. –
StadtAN, E 29/III (Tucher-Archiv), Nr. 14, S. 159.

35 NÜRNBERG 1655 OKT. 2
Zahlungsnotiz über Reparaturen an den Haller-Fenstern durch
den Glasmaler Johann Schaper (1621–167c)[2].
[...] bezahlt ich [Hans Andreas Haller von Hallerstein] *Johann
Schapper, Claßmahlern, die Hallerische Fenster bey S. Lorenz
außzubößern lauth zetels Lit: O* 11 fl 5 lb 18d.
[und am selben Tag] *Wolff Widamann Glaßern lauth zetels Lit:
P* 3 fl 5 lb 27 d.
Großgründlach, Haller-Archiv (Ulrich Haller'sche Stiftungsrechnungen, 1655/56) (Transkription Bertold Frhr. von Haller).

36 NÜRNBERG 1659 APRIL 1
Reparaturen am Behaim-Fenster im Langhaus von St. Lorenz
(nord VIII):
*Verzeichnis was Ich dem wol Adelichen und Gestrengen ge-
schlecht der Böheim In Ihr Fenster In der Lorenzer Kirchen
gemacht als folget.*
Nemlich eigesetzt 21 Scheiben, eine 1 Kr. fl. 2 kr. 1
Zalt anno 1659, 1. April Gallus Waldt glaser
StadtAN, E 11/22 (Behaim-Archiv), Nr. 3284.

37 NÜRNBERG 1658–1723
Auszüge aus den Stiftungsrechnungen zu Reparaturen an den
Tucher-Fenstern in St. Lorenz:
1658: *den 4 Aug. für 14 scheiben, einzusetzen –* 14 –
1659: *den 26 dito* [März] *Gallus waldt glaßer für 92 scheiben einzusetzen vermög auszugs* 1 fl. 32. kr.
1676: *den 19. Marty Georg Guttenbergern, Glaßmahlern, für ausbesserung der gemahlten Stiftungsfenster zu St. Laurenzen und
St. Egidien zahlt* f 3. 30. –
1685: *Nach dem das Tucherl. Fenster auf der Steinern Borkirchen
[NORD V] durch die ungestüme wind ziemlich ledig gemacht
worden zahlt dem glaser für solche reparation laut auszügl. f 2. 21. –*

<hr>

2 Zur Person Schapers vgl. GRIEB 2007, III, S. 1306f. Der Glasmaler
kommt wiederholt in Rechnungsbelegen der Familien Haller (Heilig-
kreuz) und Tucher (Heiliggeist) vor; vgl. SCHOLZ 2013, S. 505, 535.

dem Tüncher das fenster auf und abzurüsten zahlt   f 1. 30. –
1688: *dem glaser die Tucherl. fenster mit scheiben auszubessern,*
zahlt laut auszügl.   *- 49. –*
1706: *den 18. Marty für zwey fenster, mit gemahlte Tucher. Wap-*
pen und andern stücken, in der Laurenzer Kirchen, linker hand
des Chors [nord V und NORD V] auszubessern, den Meister Ab-
raham Helmhack glasmahler, und glaßer zahlt   *f 2. –*
1722: *den 5. Dezember M. Abraham Helmhack, glasern für ein*
eingebrochenes Fenster oberhalb deß Steinern Gangs im Chor,
neu zu machen. Laut Scheins zahlt   *f 2. 8. –*
1723: *den 29. (Novem)ber M. Abraham Helmhack glasern für*
das obere fenster im Chor oberhalb deß Steinern Gangs mitn
neuen Bleyn scheiben zu machen. Laut scheins zahlt   f 41. 5. –
StadtAN, E 29/III (Tucher-Archiv), Nr. 14, S. 159f., und E 29/
II, Nr. 1643 (Einzelbelege).

38   NÜRNBERG 1679–1727
Auszüge aus den Stiftungsrechnungen zu Reparaturen am
Haller-Fenster:
1679 Sept. 30: *dem Glaßer für die haller: Wappenfenster in der*
Kirch zu S. Laurentzen außzubeßern zalt 4 fl 4 lb 4d. [u. o. D.]
dem Tüncher für das Gerüst zu machen und die Fenster zu ver-
streichen zalt   *1 fl 5 lb 18 d.*
1687 März 10 [lt. Journal und Quittung, richtig: Mai 2]: *Johann*
Ludwig Faber Glaßmahler, vor die, bey St: Sebald und Lau-
renzen außgebesserte gemahlte Fenster laut Auszuegs Lit: A be-
zahlt   *2 fl 2 lb.*
1687 Mai 12: *vor 2 neue Fenster, und unterschiedliche Scheiben,*
in die Haller: Fenster in der Sebalder und Laurenzer Kirch,
einzusezen, dem Glaser Ernst Ambschler, laut Auszügl. Lit: b
bezahlt thut   *5 fl 3 lb 9 d.*
[o. D.] *dem Schlosser laut Auszügl. Lit. c vor unterschiedl: in der*
Kirch zu St: Sebald und Laurenzi gemachte Eisen, zum Fens-
tern zahlt   *6 lb 16 d.*

Nachstehend die ausnahmsweise erhaltenen Rechnungsbelege:
Lit: a. 1687.
Ihro wohladeliche Gestreng Juncker N. Haller von
Hallerstein soll vor die, bey St. Sebald und Lorenzen,
außgebesserte gemahlte Fenster bezahlen 2 fl 15 kr.
Ao. 1687. D. 1. Maji:
d. 2. Maj: Mit Dank bezahlt.
                    Johannes Ludwig Faber Glaßmahler.
Lit: b. 1687.
Anno 1687 adi 12 May in Nürnberg.   Fl.   Kr   d
Der Wohl Edel und Gestreng Herr Johann Joachim Haller von
Hallerstein. Soll vor Fenster: Als folgt
Erstlich in die Lorenzer Kirch ein Neues Fenster gemacht dafür
                                      1   53   –
Mehr die gemahlten Fenster ausgebessert dafür
                                      –   30   –
Mehr 43 Sch[eiben] eingesezt dafür   32   1
Mehr 19 Stück Glas eingemacht eins 3 Kr. dafür
                                      –   57   –
Es folgen die Aufwendungen für St. Sebald:
Bezalt mit Danck
Ihr Wohladeliche Gestreng Williger Diener
                              Ernst Ambschler mpp
Lit: c. 1687.
Verzeugtnus was ich dem Wol Edle Gestreng gemacht hab
In der Kirgten, das giter eingemacht hacken zu fen[s]t[er]
gemacht   *15*

Oben 4 Eisen, gemacht zun fen[s]ter fir eines 6 kr 24
In der Kirgten, den stull gemacht   *10*
                          Dut   49 kr
Zu Danck bezahlt
1723/24: *Gabriel Stengeln, Glasern alhier [...] mehr ihme für*
neue Kirchen-Fenster bey St. Sebald, St. Lorenzen, und im
Neuen Spithal laut Auszugs bezahlt 26 fl 34 kr. [...] ferner wurde
diese Fenster an denen 3en Orthen herunter zuthun und wieder
einzumachen auch selbige zu verkütten zalt   *6 fl.*
1727 Nov. 24: *Johann Helmhack, Glasern alhier die Haller:*
Fenster in der Kirche bey St. Lorenzen zu machen zahlt
                                                  73 fl 14 kr.
Großgründlach, Haller-Archiv (Ulrich Haller'sche Stiftungsrechnungen 1679/80, 1686/87, 1723/24 und 1727/28; die Belege
von 1687 in Akten Monumenta, St. Sebald und St. Lorenz 1687).
Transkription Bertold Frhr. von Haller.
Erwähnt bei FRENZEL 1977, S. 112f.

39   NÜRNBERG 1727
»Ao. 1727. liessen die Herren Tucher ihre Fenster repariren«.
WÜRFEL 1766, S. 87.

40   NÜRNBERG 1730
»Ao. 1730. im Sept. wurde das Volkamerische Fenster ausge-
bessert«.
WÜRFEL 1766, S. 87.

41   NÜRNBERG 1732
»Ao. 1732. im Aug. hat man die Rieterischen Fenster repariret«.
WÜRFEL 1766, S. 88.

42   NÜRNBERG 1734
»Ao. 1734. im Aug. und Sept. alle obere Fenster im Chor ver-
neuert«.
WÜRFEL 1766, S. 88.

43   NÜRNBERG 1734 DEZ. 9
Zahlungen für neu angefertigte Felder in den Chorfenstern der
Haller an den Glaser Johann Helmhack:
dem Glaser Helmhack, ein haller: Stock neuer Fenster in dem
Chor der Kirche zu St. Lorenzen zu verfertigen, accordirterma-
ßen, laut Zett: 20 fl.
Großgründlach, Haller-Archiv (Ulrich Haller'sche Stiftungs-
rechnungen 1734/35).
Transkription Bertold Frhr. von Haller.

44   NÜRNBERG 1774 JUNI 13
Reparaturen am Löffelholz-Fenster (Lhs. süd XIII) durch den
Almusglaser Joseph Wirth (Würth)[3]:
Verzeugnus was in daß hoch adliche Löffel Höltzische Familien
Wappen fenster in der Lorentzer Kirch an glasser arbeit ge-
macht worden wie folgt:
Erstlich ein groß fenster so der windt oben ein gerüsten mit
schlechten scheiben neu verglast halten sammt den zwü del 75
schlechten scheiben a 2 d sammt dem bley.   *2 fl 30*
ferner 3 Wappen fenster mit gemahltem glaß auß gebessert 18
stück gemalts glaß dar zu geben thut   *1 fl 30*
ferner 40 halatten darauf gesetz a 1 d thut   *- 10*
ferner den dach decker vor mörttr und die 4 fenster in den stein
ein zu streichen bezahlt   *- 20*

[3] GRIEB 2007, III, 2007, S. 1690.

Summa thut 4 fl 30. dinst Müller, Joseph Würth, allmos glaser.
StadtAN, E 17/I (2), Nr. 845 (Materialsammlung zu den Löffel-
holzischen Monumenten, angelegt im 19. Jh.).

45   NÜRNBERG 1818
Reinigung des Volckamer-Fensters durch den Glaser Wipper-
müller:
*Im Jahre 1818 wurde das v. Volkamerische herrliche Glasfenster
über dem so genannten Brautthürlein südöstlich vom Schmutz
gereinigt. Dies geschah von dem hiesigen Glasermeister Johann
Andreas Wippermüller.*
LAELKB, PfA St. Lorenz, Nr. 252.

46   NÜRNBERG 1827
Den Wiedereinbau wiederhergestellter Glasmalereien aus
einem nicht näher bezeichneten Kirchenfenster durch den Glaser Wippermüller betreffend:
*Es hat keinen Anstand, daß der Glasermeister Johann Wipper-
müller die Glasmalereyen aus einem beschädigten Fenster herausgenommen, nun solche nach Herstellung des Fensters wieder gehörig ein zu bitten.*
LAELKB, PfA St. Lorenz, Nr. 254.

47   NÜRNBERG 1831
Reinigung und Reparatur der Westrosenverglasung. Stellungnahmen der Glaser Wippermüller und Adamer sowie des Malers Joseph Sauterleute (Fehlstellen aller Seiten am rechten
Rand durch Wasserschaden):
Nürnberg, 15. 7. 1831.
*[...] da mündlicher Anzeige nach der Glaser (Wipper)müller
die gemalten Gläser im Stern der (Lorenzer) Kirche um 18
fl. reinigen will, so [...] Maler Herr Sauterleute hierüber mit
Ge[unleserlich] zu vernehmen.*
*Dem auf Vorladen erschienenen Maler Sauterleute dahier hat
man vorstehenden [...] Sitzungs Beschluß bekannt gemacht [...]
worauf Herr Sauterleute folgendes Gu(tachten) abgiebt.*
*1) wenn der Glaser Wippermüller die Gläser [...] gut verbleit,
solche mit eisernen Stängchen festiget, weil der Druk der Luft
außerordentlich stark ist, und sie nur abkehrt, dann*
*2) die fehlenden Gläser hineinsezt, so mögen ihm hierfür 18 fl.
gezalt werden, doch müßte das schleunigst geschehen, weil im
Stern der Lorenzer Kirche ein Gerüst aufgemacht ist, welches
zur Vollziehung dieser Arbeit sehr dienlich sey, geschieht dies
nicht während das fragliche Gerüst aufgemacht ist, so wäre diese Arbeit mit weit größeren Kosten verknüpft.*
*Übrigens haben diese Gläser gar keinen Werth und sind nur als
alterthümliches Kunstwerk zu schätzen.*
laut Unterschrift   Joseph Sauterleute, Maler
Am Rand ist eine Anmerkung des Glasermeisters Wippermüller notiert, dass *die Gläser fast gänzlich neu werden müssen,*
dies folglich nicht, wie in 2) gefordert, um 18 fl. geschehen könne. Im Nachgang vom 12. August 1831 fordert der Glaser daher
für Reinigung und Festigung des Bleinetzes einen Aufschlag
auf ungefähr 33 Gulden:
*Die forderung von 33 fl. wird nicht genehmigt (es) sollen noch
andere Glasermeister vernommen (werden)*
Am 13. September folgt ein Angebot des Glasermeisters
Adamer zur Reinigung und Festigung der schadhaften Verbleiu-
ung um 22 fl.:
*[...] jedoch könnte ich um den Betrag dieselben [Felder] nicht
herausnehmen, sondern solches an Orth und Stelle thun, glaube
auch nicht, daß solches unumgänglich nothwendig ist.*

Beschluss vom 16. Sept. dieses Angebot wird angenommen.
Am 4. November wird Adamer erklären, dass er die Reinigung um 22 fl. nur von der Innenseite vornehmen konnte, eine
Reinigung von außen ein bedeutendes Gerüst erfordere, auch
müssten die eisernen Gitter dafür entfernt werden, was mit sehr
viel höheren Kosten verbunden sei, die ihm nicht zugemutet
werden könnten. Auch halte er die Reinigung von außen nicht
für notwendig, da der Regen dies ebensogut bewerkstelligen
würde. Darauf der Beschluss vom 11. November 1831:
*Da Adamer die Reinigung der Gläser nur halb durchgeführt
habe, könne ihm auch nur die Hälfte des akkordierten Lohnes
= 11 fl. bezalt werden.*
LAELKB, KV, Fach 61, L 2 I, fol. 16–20 (Stellungnahmen und
Beschlüsse vom 15.7. bis 4.11.1831).
Erwähnt bei FRENZEL/ULRICH 1977, Anm. 4 (mit falschem
Nachweis: L 61, 17 II).

48   NÜRNBERG 1834
In den Akten des Protestantischen Kirchenvermögens der Stadt
Nürnberg die anstehenden Reparaturen in der Lorenzer Kirche
betr. von 1822–1840 findet sich in einer Auflistung der vorgeschlagenen Reparaturen vom 24. Februar 1834 unter Punkt 3
aufgeführt:
*S. 32: Die Reinigung der 3 gemalten Hauptfenster, welche seit
1826 vielen Jahren nicht mehr vom Schmutz gereinigt wurden.*
                                   HW. R. Schmidt
*S. 55: Ist die Reinigung der aufgeführten Fenster und zwar von
verständiger Hand, eine allerdings angemessene Sache.*
*S. 64: Da früher schon zwei Fenster hergestellt wurden, so sind,
wie im Berichte der Commission angegeben, nur 3. Fenster zu
reinigen.*
*Weil die Fächer der gemalten Gläser heraus genommen, diesel-
ben theils neu verbleit, theils im Blei gebessert, theils mit neuen
Haften versehen, die fehlenden Theile ersetzt, die Gläser selbst
aber geputzt und wieder eingemacht werden müssen und allerdings Manipulation erfordern, so dürfte die Herstellung eines
dergleichen großen Kirchen Fensters nicht wohl unter 30 f. be-
werkstelligt werden können; Es würden also 3. solche Fenster
prptr. Kosten = 90 f.   Auf Reinigung der Fenster*
LAELKB, KV, Fach 61, L 2 I, S. 32, 55 und 63f. (mit Kostenvoranschlag vom 8. Sept. 1834); teilweise abgedruckt in: POPP
2014, S. 737f.

49   NÜRNBERG 1835 MAI 5
Registratur bzw. Einzelblatt mit Kosten-Anschlägen des Gla-
sers Hans Bollet für die Reinigung der Tucher-Fenster in St.
Lorenz und detaillierter Begründung der Notwendigkeit des
Ausbaus, der Ausbesserung des Bleinetzes und der Anbrin-
gung neuer Haften. Darunter folgt die Bereitschaftserklärung
der Familie Tucher, den Betrag der Kirchenverwaltung anzu-
weisen, sie will dies jedoch nicht als Verpflichtung, sondern als
Geschenk verstanden wissen:
Für das Fenster der linken Chorseite.

1. 16 ganze Gemälde Stück à 54	*14,24*
13 halbe Gemälde Stück à 30 k	*6,30*
22 weiße Glas Stücke à 15 k	*4,30*
	25,24

2. Für das Fenster rechts an der Sakristei	
17 ganze Gemälde Stück à 54	*15,18*
21 halbe Gemälde Stück à 30	*10,30*
4 Putzenscheiben à 15 k	*1.*
	26,48

in Summa 52,12
der runde Betrag 50 f.

Durch Zusatzleistungen für Gerüst etc. werden für beide Fenster weitere 14 Gulden veranschlagt, d.h. im Ganzen eine Gesamtsumme von 64 Gulden.
Indem zwar die Tucher… Familie aus schuldiger Achtung gegen die Stiftungen ihrer Ahnen den hierobigen Betrag gerne zum Opfer bringt, so hat sie doch für nothwendig gefunden, sich der Besorgung der Fenster-Reinigung nicht unmittelbar zu unterziehen, sondern um kein Praejudiz zu geben, der Kirchenverwaltung hierzu als Geschenk 64 fl. zu offerieren.
StadtAN, E 29/II (Tucher-Archiv), Nr. 1648.

50 NÜRNBERG 1835 JULI 22
Die protestantische Kirchenverwaltung Nürnberg bestimmt, dass:
die behutsame Reinigung der gemalten 3 Hauptfenster nur in dem Fall zu gleicher Zeit erfolgen soll, wenn für dieselben kein nachtheiliger Einfluß durch den entstehenden Staub der weiteren Reparaturen [etwa beim Abbruch des Hochaltars] zu befürchten seyn dürfte.
LAELKB, KV, Fach 61, L 2 I, S. 71.

51 NÜRNBERG 1835 SEPT. 29
Kostenvoranschlag des Glasermeisters Johann Michael Bollet für die Reinigung von insgesamt fünf Chorfenstern:
Aus 5 gemahlte Fensterstöcke im Chor sämtliche Fach- und Formstück heraus zu nehmen theils neu zu Verbleyen theils im Bley zu bessern, frisch aufhaften und mit alten gefärbtem Glas auszubeßern, dan zu putzen und wieder ein zu machen.
Jeder Stock hält 36 Stück à 48 x = 28 f. 48 x
und 9 Formstück à 36 x = 5 f. 24 x
LAELKB, KV, Fach 61, L 2 I, S. 91 (auf S. 100 findet sich die Genehmigung der Kirchenverwaltung).

52 NÜRNBERG 1835 DEZ. 1
Anzeige von Pfarrer Osterhausen an den Magistrat, dass ein Teilfeld mit dem Brustbild einer Seitenfigur aus dem Volckamer-Fenster entwendet worden sei:
[…] am vergangenen Freitag, den 27. November vormittags, aus dem schönen Volkamerischen Fenster in der S-Lorentz Kirche ein circa 2″ … Stück von Glasmalerei, das Brustbild einer Seitenfigur vorstellend, heraus gelöset und entwendet worden ist. Darf man wohl kaum Hoffnung nähren, diesen Verlust wieder ersetzt zu sehen, so sind doch die kräftigsten Vorsichtsmaßregeln erforderlich, den weiteren ähnlichen Freveln vorzubeugen
Hochachtungsvoll Osterhausen
LAELKB, PfA St. Lorenz, Nr. 398.

53 NÜRNBERG 1836 MÄRZ 31
Brief des Pfarramts St. Lorenz an die protestantische Kirchenverwaltung mit der Bitte, Vorkehrungen für eine Reparatur der schadhaften Kirchenfenster zu treffen, insbesondere das gewaltsam beschädigte Volckamer-Fenster baldmöglich wiederherzustellen:
b) daß mit den schadhaften Kirchenfenstern eine gründliche Reparatur vorgenommen & besonders dem am 27. November v. Js. auf gewaltsame Weise verletzten köstlichen Volkamerischen Fenster auch eine baldige Wiederherstellung zu Theil werden möchte.
LAELKB, PfA St. Lorenz, Nr. 398, u. KV, Fach 61, L 2 I, S. 111.

54 NÜRNBERG 1836 APRIL 7
Kostenvoranschlag des Glasers Johann Michael Bollet für ein Chorfenster:
einen Fensterstock neu zu verglasen und bleyen mit 36 Fach per Fach 3′ 5″ hoch 1′ 10″ breit à 1 f. 2 = 31 f. 12 x
dann 11 Formstück ebenso verglasen à 27 x = 4 f. 5 x
summa f. 36, 9
Joh. Mich. Bollet.
Ein alternativer Kostenvoranschlag des Glasermeisters Johann Sebastian Heim vom 2. April fiel mit einem Gesamtbetrag von 50 Gulden und 24 Kreuzern pro Fenster deutlich teurer aus.
LAELKB, KV, Fach 61, L 2 I, S. 105, 107.

55 NÜRNBERG 1836 MAI 2
Ansuchen der protestantischen Kirchenverwaltung an den Magistrat, die Restaurierung am Rieter-Fenster (Chor nord IV) aus Mitteln der vom Rat der Stadt verwalteten Rieter-Stiftung des bereits 1753 erloschenen Geschlechts finanziell zu unterstützen:
[…] Nachdem bereits mehrere Familien sich bereitwillig gezeigt haben, die von ihren Vorfahren zeugenden Monumente restauriren zu lassen, so ist wohl nicht zu zweifeln, daß ein Magistrat das Andenken der Rieterl. Familie durch deren Vermächtnisse die Wohlthätigkeitsstiftungen einen sehr bedeutenden Zuwachs erhalten haben, dadurch dankbar ehren werde, daß sowohl gedachtes Fenster als auch die Rieterischen Gedächtnistafeln, deren 10 sich in der Kirche befinden, auf Kosten gedachter Stiftung hergestellt werde. *Hilpert.*
LAELKB, KV, Fach 61, L 2 I, S. 134f.

56 NÜRNBERG 1836 MAI 2
Schreiben der protestantischen Kirchenverwaltung an die Familie Löffelholz mit der Bitte, sich an der Reinigung und Restaurierung ihrer Totenschilde und ihres Fensters anzuschließen, d.h. wenigstens etwas dazu beizusteuern. Entsprechende, meist gleichlautende Schreiben an die Geschlechter Imhoff, Fürer, Stromer und Tucher sind an gleicher Stelle verzeichnet. Zu Letzteren der folgende Auszug:
[…] Nun befinden sich in dieser Kirche 2 theilweise mit Glasgemälden versehene schöne Fenster im Chor, die von dem Frhrl. v. Tucherischen Geschlecht gestiftet sind und der Reinigung bedürften [im Folgenden wird auch der Englische Gruß des Veit Stoß angeführt]. *Die protestant. Kirchenverwaltung, gegen welche die Frhrl. v. Volckamerische Familie freywillig ihre Bereitwilligkeit, die alten Monumente dieser Familie restaurieren zu lassen, erklärt hat, hält es für Pflicht, von der vorzunehmenden Säuberung der Lorenzer Kirche Eine Frhrl. v. Tucherl. Familie in Kenntniß zu setzen, und überläßt es ganz Wahl deren Ermessen, in wie weit die fraglichen Denkmäler einer frommen Vorzeit wollen renoviert werden.*
Hochachtungsvoll Hilpert.
Auf dem Originalschreiben im Tucher-Archiv findet sich unter der Bleistift-Vermerk, dass die Familie die Maßnahmen mit einem Betrag in Höhe von 64 Gulden zu fördern beabsichtigt (vgl. hierzu das folgende Regest). Am 25. Juni quittiert die protestantische Kirchenverwaltung den Empfang von 100 Gulden seitens der Tucher (neben den 64 Gulden für die Fenster hatte die Familie noch 36 Gulden für die Renovierung ihres Leuchters *als freiwilliges Geschenk* zugesagt).
LAELKB, KV, Fach 61, L 2 I, S. 135–137; ebenso StadtAN, E 29/II (Tucher-Archiv), Nr. 1612, fol. 6–10.

57 NÜRNBERG 1836 MAI 5
Im Auftrag der Registratur der Frhrl. von Tucher'schen Familie
gibt der Glasmaler Bollet eine Aufstellung aller erforderlichen
Maßnahmen zur Reinigung und Restaurierung der beiden Tucher-Fenster in St. Lorenz: Diese umfassen das Herausnehmen
aller Fensterstöcke, das Stabilisieren der Bleie, das Anbringen
neuer Haften und das Wiedereinsetzen der Felder. Hiernach
berechnet sich der Kostenbetrag für das Fenster der linken
Chorseite auf 25,24 Gulden, der für das rechte Fenster auf 26,48
Gulden. Zusammen mit den veranschlagten Gerüstkosten ergibt sich so ein Betrag von 64 Gulden.
StadtAN, E29/II (Tucher-Archiv), Nr. 1648.

58 NÜRNBERG 1836 JUNI 3
Antwortschreiben der Schlüsselfelder-Stiftungskonten-Ver-
waltung mit dem Beschluss, dass der Verausgabung von 32 Gulden für die Reinigung der Glasgemälde zugestimmt worden sei.
Die Kirchenverwaltung wird aufgefordert, die Reinigung an-
zuordnen.
LAELKB, KV, Fach 61, L 2 I, S. 137.

59 NÜRNBERG 1836 JUNI 25
Auf Anfrage von Pfarrer Hilpert um finanzielle Förderung der
Restaurierung des Rieter-Fensters (Reg. Nr. 55) antwortet der
Magistrat, dass er:
[…] *die Herstellung und Reinigung der fraglichen Gemälde unter Aufsicht und Leitung des Architekten Heideloff, nach dem
vorgelegten, unüberschreitbaren Kostenvoranschlag von 84 fl.
für diesmal genehmigt, hie(r)durch aber durchaus keine dies-
fallsige Verbindlichkeit pro futuro anerkannt – vielmehr hingegen andurch* […] [sich] *ausdrücklich verwehrt haben* wolle.
LAELKB, KV Fach 61 L 2 I, S. 153; abgedruckt in: POPP 2014,
S. 116.

60 NÜRNBERG 1836 JULI 15
Auf das positive Antwortschreiben der Tucher an die protestantische Kirchenverwaltung, den durch Sachverständige als
höchst möglichen Aufwand für die Restaurierung ihrer beiden
Fenster in St. Lorenz veranschlagten Betrag von 64 Gulden zu
tragen, diesen Beitrag allerdings als freiwilliges Geschenk betrachten, bedankt sich die Kirchenverwaltung umgehend mit
der Nachricht, dass bereits eines der beiden Fenster gereinigt
worden sei und das andere in kommender Woche folgen solle.
LAELKB, KV Fach 61 L 2 I, S. 155–157, 165.

61 NÜRNBERG 1836 JULI/AUGUST
Kostenvoranschlag der Werkstatt Kellner zur Restaurierung
eines nicht bezeichneten Chorfensters (Kaiserfenster?):
S. 172f.: Anhand einer Schemazeichnung wird detailliert aufge-
listet, welche Teile zu ergänzen und neu zu brennen seien. Die
Gesamtkosten werden mit 622 Gulden veranschlagt.
S. 175: Bemerkung von Pfarrer Dr. Lösch,
*daß Kellner bereits mehrere Felder eines Fensters in Händen hat
und daß daher baldige Untersuchung höchst wünschenswert ist.*
Beschluss der protestantischen Kirchenverwaltung vom 15.
August 1836,
*daß dieses Fenster vollständig durch Kellner zu restaurieren sei,
jedoch nur succesive, da die Kosten sich so bedeutend zeigen.*
LAELKB, KV Fach 61 L 2 I, S. 172f., 175f.; Schemazeichnung
abgedruckt in: POPP 2014, S. 739.

62 NÜRNBERG 1836 AUGUST
Kellner stellt drei alternative Kostenvoranschläge für die Renovierung des Kaiserfensters(?) (vgl. Reg. Nr. 61) zur Disposition:
*1ter Anschlag, alles was nöthig ist ergänzt, die Malerei betref-
fend unnd eingebrannt, ohne Glaser Arbeit   622f.
2ter Anschlag, das nöthigste eingebrannt, das übrige mit Oelfarbe ergänzt   500 f.
3ter Anschlag, alles mit Oelfarbe ergänzt   150 f.
Joh. Jacob Kellner*
LAELKB, KV, Fach 61, L 2 I, S. 181.

63 NÜRNBERG 1836 SEPT. 14
Kostenvoranschlag von Glaser Bollet für sämtliche Fenster im
Kirchenschiff:
*Aus 13 Fenster Stöcke sämmtliche Fach und Formstück heraus-
nehmen, zu putzen, in Bley und Glas zu beßern, mit frischen
Haften zu versehen und wieder einzumachen per Stock*
12 f. 15 k
14.9.1836   Joh. Mich. Bollet.
Einer Notiz von Pfarrer Lösch auf dem Angebot zufolge betraf
dies die Obergadenfenster des Langhauses, die mit der Zeit fast
undurchsichtig geworden waren.
LAELKB, KV, Fach 61, L 2 I, S. 189.

64 NÜRNBERG 1836 OKT.
Ein Beifalls-Schreiben des bayerischen Königs Ludwig I. die
Restaurierung von St. Lorenz betreffend wird in Abschrift von
der Kirchenverwaltung an die beteiligten Familien weiterge-
reicht.
LAELKB, KV, Fach 61, L 2 I, S. 205.

65 NÜRNBERG 1836
Jahresbericht aus der Pfarrei St. Lorenz zu 1836:
*Von den herrlichen farbigen Glasfenstern im Chore sind bereits
3 geputzt worden, auch wurde das an ihnen Mangelhafte re-
parirt.*
LAELKB, PfA St. Lorenz, Nr. 254.

66 NÜRNBERG 1836–1839
Auszüge aus dem Briefwechsel zwischen dem Senior der
Haller'schen Familie und der Protestantischen Kirchenverwaltung zur Restaurierung des Haller-Fensters (Chor nord III):
1836 Mai 2: Schreiben von Pfarrer Hilpert an die Freiherrlich
v. Hallersche Familie: […] *Sehr wünschenswerth wäre es, wenn
bey der jezt vorgenommenen Reinigung der Kirche im Innern,
dieses Fenster, eines der vorzüglichsten, von dem daran haf-
tenden vieljährigen Schmutz und Staub gesäubert würde.* […]
*weil diese Veranlaßung, eine Stiftung ehrenwerther Vorfahren
im erneuerten Glanze der Nachwelt zu überliefern nicht un-
willkommen erscheinen dürfte.*
1836 Juni 14: […] *Dieses Fenster zu reinigen und auszubeßern
soll kosten und zwar jedes Feld 54 x. somit 36 fl. –*
1837 Sept. 28: Schreiben des Hallerischen Familien Seniorats
an die Protestantische Kirchenverwaltung mit der Frage, wem
die Restaurierung übertragen werden solle und wie hoch die
Kosten sich belaufen möchten. Die neueren Kosten-Anschläge
werden am 7. November an die Haller verschickt.
1837 Nov. 18: Schreiben des Seniors der Freiherrlich v. Hal-
lerschen Familie an die Protestantische Kirchenverwaltung,
in dem er sein Befremden über die sprunghafte Explosion der
Kosten für die Restaurierung des Haller-Fensters zum Ausdruck bringt:

[...] erlaube ich mir [...] zu erwiedern, daß ich schon im Jahr 1836 mich bereit erklärt habe, zur Reinigung des Fensters einen freiwilligen Beitrag zu leisten, [...] die Reinigung dieses Fensters, welches aus 40 Feldern bestehet, [...] das Feld circa 54 x. höchstens 1 fl, somit einen Kostenaufwand von 36 bis 40 fl.- betragen könne.

Es mußte mich daher sehr befremden, daß im Verlauf eines Jahres ein und das nemliche Fenster, welches bei der damaligen Besichtigung unbedeutend schadhaft war, nach den hieher mitgetheilten und wieder zurückfolgenden Anschlägen nunmehr die bedeutende Summe für den Glasmaler 550 fl.-, für den Glaser 150 fl.-, somit im ganzen 700 fl.- betragen solle.

Ohnlängst wurde in dem Anzeigeblatt bekannt gemacht, daß ein Fenster in der Laurenzer Kirche durch muthwillige Gassenjungen bedeutend beschädigt worden seye, ich hoffe nicht, daß diese Beschädigung bei dem v. Hallerischen Fenster stattgefunden hat, wäre jedoch dieses der Fall, so müßte ich mich deshalb verwahren, und bestimmt erklären, daß, da das von meiner Familie gestiftete Kirchenfenster der Obhuth des Staats, resp. der Polizey anvertraut und übergeben worden ist, derselbe auch für die Erhaltung zu sorgen habe.

Diesem zu Folge habe ich nur einen freiwilligen Beitrag zur Reinigung und nicht zur Reparatur zu leisten [...].

1837 Nov. 22: Schreiben der Verwaltung des vereinigten protestantischen Kirchen-Vermögens der Stadt Nürnberg, unterzeichnet von Pfarrer Hilpert, an das Freiherrlich v. Hallerische Familien-Seniorat:

[...] Im vorigen Jahr hatte die diesseitige Verwaltung die Absicht, die herrlichen Glasmalereien in dem Chor der Sct. Lorenz Kirche, bloß vom Staub und Schmutz reinigen zu laßen und einige Fenster wurden auch in dieser Weise behandelt. Der Aufwand hierfür betrug nicht mehr als 36 – 40 fl.-

Allein bald zeigte sich, daß die Glasgemälde theilweise mit unpaßenden Stücken ausgeflickt, oder daß einzelne Stücke blos mit Lackfarben bemalt worden seyen.

Um nun diese ganz vorzüglichen Fenster in ihrer vollen Pracht herstellen zu lassen, beschloß die Verwaltung, alles Fehlerhafte herauszunehmen und die Gemälde durch den geschickten Glasmaler Kellner mit eingebrannten, den alten gleichen oder ähnlichen Gläsern ergänzen zu lassen. Der Kosten Aufwand wurde dadurch freylich ein ganz anderer; eines der Fenster kam über 1000 fl.-; ein zweites auf 700 fl., an den dritten wird gegenwärtig gearbeitet, es dürfte gleichfalls auf 700 fl. kommen. Dagegen aber nehmen sich nun auch diese Fenster vortrefflich aus, daher der jetzige vermehrte Kostenbetrag.

Was das neulich durch Muthwillen beschädigte Fenster betrift, so ist das nicht das v. Hallerische, sondern eines der eben bezeichneten. Auch ist der angerichtete Schaden mit circa 50 fl. zu repariren.

1839 Okt. 22: Mitteilung der Kirchenverwaltung, dass das Haller-Fenster *nunmehr vollstaendig restaurirt ist.*

1839 Nov. 30: Der Administrator Christoph Joachim Baron Haller von Hallerstein lässt der protestantischen Kirchenverwaltung den zugesagten Betrag von 40 Gulden *übermachen* und bittet um eine Quittung (diese liegt unter dem Datum 1839 Dez. 2 vor als Beleg 4 zur Rechnung der Georg-Haller-Stiftung 1839/40).

Großgründlach, Haller-Archiv (Akten Monumenta, St. Sebald und St. Lorenz 1836–1839), und LAELKB, KV, Fach 61, L 2 I, S. 241f., 309.

Auszugsweise abgedruckt in FRENZEL 1977, S. 113f.

67 NÜRNBERG 1837 APRIL 10

Schreiben Kellners an die Protestantische Kirchenverwaltung, die Restaurierung des zweiten, besser erhaltenen Chorfensters (des Konhofer-Fensters?) betreffend. Dabei werden Kosten von wenigstens 450 bis 500 Gulden veranschlagt:

Hochlöbliche KirchenVerwaltung

Hinsichtlich der Herstellung des zweiten Kirchenfensters beehrt sich der Unterzeichnete folgende Erklärung abzugeben. Obwohl sich dieses Fenster besser erhalten hat, als das erste, so bedarf dasselbe dennoch einer bedeutenden Ausbesserung, muß dasselbe auch mit verhältnißmäßig größerem [...] behandelt werden, da die Malerei im Allgemeinen zwar besser ist als bei dem ersten. Nach dem äußeren Anschein zu urtheilen, glaube ich indessen die vollständige Ergänzung dieses Fensters gegen eine Summe von f. 450 übernehmen zu können, muß mir jedoch eine ganz bestimmte Erklärung bis zu erfolgter Reinigung des Fensters vorbehalten, weil dann erst noch so mancher nicht unbedeutende Defekt sichtbar werden dürfte, in welchem Falle ich freilich nicht im Stande seyn würde, die Ergänzung für die obige Summe zu übernehmen.

Um jedoch Weitläufigkeiten zu umgehen, würde ich bereit seyn, gegen 500 f. alles Risiko auf mich zu nehmen und die vollständige Ergänzung dieses Fensters mit eingebrannter Malerei dafür zu bewerkstelligen. gez. Joh. Jacob Kellner

Beschluss der Kirchen-Verwaltung:

an der vorläufigen Forderung von 450 fl. vorerst festzuhalten und nöthigenfalls eine Mehrausgabe d. Z. zu genehmigen.

LAELKB, KV, Fach 61, L 2 I, S. 227f.

68 NÜRNBERG 1837 AUG. 15

Im Kontext der Restaurierung des Haller-Fensters ist davon die Rede, dass *die übrigen Fenster im Chor gegenwärtig bis auf das fragliche und ein weiteres hergestellt sind.*

LAELKB, KV, Fach 61, L 2 I, S. 228.

69 NÜRNBERG 1837 SEPT. 2

Bereiterklärung Kellners, die Restaurierung, Ergänzung und Ausbesserung des dritten Fensters der St.-Lorenzkirche (des Knorr-Fensters?) mit eingebrannter Glasmalerei zu übernehmen für die Summe von fl. 700.

Beschluss der Kirchenverwaltung vom 25. September: *vorausgesetzt keine andere Arbeit von Bedeutung & Nothwendigkeit deshalb unterbleiben müßte, wurde der Ausführung zugestimmt.*

LAELKB, KV, Fach 61, L 2 I, S. 233.

70 NÜRNBERG 1837 SEPT. 25

Kronprinz Maximilian von Bayern ergötzt sich in Nürnberg beim Besuch von St. Lorenz:

Am 25. September Vormittags besuchte der K. bayerische Kronprinz Maximilian die St. Lorenzer Kirche. [...] Die herrlichen Säulen im Chor und die meisten farbigen Fenster gefielen ihm sehr wohl.

Im Bericht über einen ähnlichen Besuch der Königin im Jahr darauf werden die Fenster ebenfalls lobend erwähnt und ferner eine Bemerkung des Gastes zitiert, dass auch die Dome in Bamberg und Regensburg derzeit neue Fenster erhielten, da in Bayern *zu diesem Gegenstand* geeignete Künstler vorhanden seien.

LAELKB, PfA St. Lorenz, Nr. 252.

71   NÜRNBERG 1837 OKT. 30
Kellner übernimmt die Restaurierung des Haller-Fensters für
die Gesamtsumme von 550 Gulden ohne Glaserarbeit.
Der Voranschlag des Glasers Bollet beläuft sich auf 150 Gulden
in der üblichen Weise.
LAELKB, KV, Fach 61, L 2 I, S. 251, 253.

72   NÜRNBERG 1837
Im Jahresbericht aus der Pfarrei St. Lorenz zu 1837 wird der
bisherige geleistete Aufwand für die Restaurierung der Chorfenster bereits auf rund 3.000 Gulden beziffert:
1. Zu den äußeren Verhältnissen und zwar hinsichtlich
b. der Kirchen- und Pfarrgebäude
a. die Restauration der schönen Glasgemälde in den Fenstern
des Kirchen-Chors wurde fortgesetzt. diese ist bisher sehr gelun-
gen; kostet aber bereits bey 3.000 fl.
LAELKB, PfA St. Lorenz, Nr. 254.

73   NÜRNBERG 1838 JULI 23
Glasmalereien in den Fenstern der Fürer-Empore betr.:
Heideloff(?) *wiederholt die gefällige Erklärung wegen der Em-*
por in der St. Lorenz Kirche mit der Bemerkung, daß es rathsam
seyn dürfte, vor ihrer Hinwegnahme die Glasmalereien in dor-
tigen Fenstern zum künftigen zu [entfernen].
LAELKB, KV, Fach 61, L 2 I, S. 292.

74   NÜRNBERG 1839 JULI 3
Die Restaurierung des Schlüsselfelder-Fensters im Chor betr.:
Anzeige von Vollendung des Schlüsselfelderischen Fensters in
der St. Lorenz Kirche durch die Glasmaler Kellner & Sohn
und daß solche zugleich an demselben Fenster 2 Tafeln mit
tref(flichen) Zeichnungen der 4 Evangelisten nach A. Dürern
gestiftet haben.
Die Kirchenverwaltung beschließt daraufhin:
[...] *dem Kellner und Söhnen schriftlich Dank für die Stiftung*
zu bezeugen, nicht minder aber auch ihre Stiftung rühmend im
städtischen Intelligenzblatt anzuzeigen.
LAELKB, KV, Fach 61, L 2 I, S. 303f.

75   NÜRNBERG 1839 JULI 3
Betr. die im Jahr veranschlagte Reinigung des Schlüsselfelder-
Fensters um den Betrag von ca. 32 Gulden:
Das fragliche Fenster ist nunmehr mit einem Kosten Aufwand
von fast 1.200 fl. (sage Eintausend zweihundert Gulden) herge-
stellt worden und können die Rechnungen hierüber vorgelegt
werden. Dagegen ist dieses Fenster nun auch werth, neben dem
Volkamerl., dessen Vorzüglichkeit längst anerkannt ist, zu ste-
hen.
LAELKB, KV, Fach 61, L 2 I, S. 305.

76   NÜRNBERG 1839 JULI?
Hierzu folgendes Schreiben:
Die J. C. von Schlüsselfelderische Stiftungs-Konten-Verwaltung
an die Hochverehrliche protestant. Kirchen-Verwaltung dahier
Die diesseitige Stiftungs-Konten-Verwaltung hat das uner-
freuliche jenseitige Schreiben a. d. 3. Juli d. Jr. Exp. No. 647,
die Restauration des von Schlüsselfelderischen Kirchenfensters
betreffend, der J. C. von Schlüsselfelderischen Stiftungs-Admi-
nistration mit gutachtlichem Berichte vorgelegt, dieselbe hat
aber hierauf zur Entschließung ertheilt, daß sie sich nicht für
ermächtigt halte, den unterm 1. Juny 1836 zum Zweck der Rei-
nigung dieses Fensters zugesicherten Betrag von 32 fl. etc. zu

erhöhen, oder die noch leeren Bilder mit Glasmalereien ausfül-
len zu lassen, umso weniger als das früher verehrliche Schreiben
vom 2. May 1836 klar die Reinigung, nicht aber eigentliche Re-
paraturen gedenkt.
Hierauf kann die diesseitige Stiftungs-Konten-Verwaltung klar
den früher bestimmten Betrag von 32 fl., welchen hier anhin
übersenden, um dessen gefällige Bescheinigung sie hiermit bit-
tet.
Verehrungsvoll unterzeichnet der Stiftungs-Konten-Verwalter
Eckert
Am 10. April 1840 wird die Bescheinigung seitens der Schlüs-
selfelder-Stiftung nochmals angemahnt.
LAELKB, KV, Fach 61, L 2 I, S. 307, 313.

77   NÜRNBERG 1839
Lob der Glasmaler-Sippe Kellner für ihre Restaurierungsarbeit
und für die Stiftung zweier neu geschaffener Glasmalereien
nach Dürers vier Aposteln:
1. b. a.
[...] *die Restauration der Glasgemälde in den Chorfenstern*
wurde von dem hiesigen Glasmaler [Joh. Conrad] +*Kellner*
und seinen Söhnen vollendet. Diese Künstler errichteten sich
ein schönes Denkmal noch dadurch, daß sie zwey Glasgemäl-
de stifteten, welche die Apostel von Albrecht Dürer gemahlt,
darstellen.
LAELKB, PfA St. Lorenz, Nr. 254.

78   NÜRNBERG 1844
Ein Hinweis auf die Restaurierung der Imhoff-Empore und
v.a. der dort befindlichen *Mahlereyen* auf Kosten der Familie,
könnte auch die Glasgemälde im Fenster betroffen haben.
LAELKB, PfA St. Lorenz, Nr. 254.

79   NÜRNBERG 1846 NOV. 4
Sukzessive Restaurierung des Volckamer-Fensters *durch den*
geschickten Glasmaler Stephan Kellner:
Verwaltung des vereinigten protestant. Kirchen-Vermögens der
Stadt Nürnberg an das Kgl. Pfarramt St. Lorenz.
Der Glasmaler Steph. Kellner wird das Volkamerische Fenster
nach und nach aus der Kirche nehmen, um es zu putzen und
hie und da zu ergänzen. die offenen Felder sollen jederzeit zu-
gemacht werden, damit kein Zug entsteht. Ein Kgl. Pfarramt
wird damit einverstanden seyn, daß dieses allein noch nicht
renovierte Fenster der St. Lorenz Kirche gleichfalls restauriert
werde.
                              Hochachtungsvoll Hilpert
Am 26. November folgt ein Gesuch der Kirchenverwaltung um
gefällige Beantwortung dieser Anfrage. Noch am selben Tag
kommt die positive Antwort aus dem Pfarramt. Man sei sehr
erfreut, *daß sich auch für dieses Fenster eine Wohllöbliche Kir-*
chenverwaltung geneigt zeigt, seine Sorgfalt im gleichen Maaße
wie gegen die übrigen mit Glasmalereyen versehenen Kirchen-
fenster zu beweisen.
LAELKB, PfA St. Lorenz, Nr. 398.

80   NÜRNBERG 1847 MAI 22
Das Pfarramt von St. Lorenz, vertreten durch Pfarrer Osterhausen, drängt die Kirchenverwaltung, die durch Kellner ausgebauten Kirchenfenster (gemeint ist das Volckamer-Fenster)
baldmöglichst wieder einsetzen zu lassen.
LAELKB, PfA St. Lorenz, Nr. 398.

81   NÜRNBERG 1864 APRIL 2
Kellner berichtet der Kirchenverwaltung dass er nunmehr
knapp zwei Drittel der Rosenverglasung vollendet habe und
bittet um eine Besichtigung. Dabei bemerkt er:
*[...] daß das bisher Gemachte ganz neu, aber genau nach den
alten Mustern copirt wurde, so daß ich mich sicher des Beifalls
der sehr verehrten Kirchenverwaltung versichert halten kann.
Bei dem letzten Drittheil kann ich auch nur weniges von dem
Alten verwenden, es sind diese Gläser zu sehr ruinirt und in
früherer Zeit zwar restaurirt [worden], aber schlecht. Ich fand
die Jahreszahl 1648 in welchem Jahre schon diese Malereien so
beschädigt waren, daß es nothwendig geworden [sei] nachzu-
helfen. Eine zweite mit der Jahreszahl 1831.*
LAELKB, KV, Fach 61, L 17 II.
Abgedruckt in: POPP 2014, S. 204.

82   NÜRNBERG 1864 MAI 2
Der Glasmaler Hermann Kellner erbittet eine Abschlagszahlung für die umfassende Renovierung der Westrosen-Vergla-
sung, die schon weit gediehen sei:
*Nachdem meine Arbeit an Glasmalerei für die Rosette der St.
Lorenzkirche so weit gediehen ist, [...] kann ich jetzt annähernd
die vollständige Summe angeben, die diese Arbeit, inclusive
Glas und Glaserarbeit, in Anspruch nehmen wird, und wird
nun Weniges mehr als sechshundert Gulden kommen. Bei dieser
Summe ist zu erinnern, daß beinahe gar nichts von dem außerordentlich schadhaften Alten verwendet werden konnte und
neu wird. [...][4].*
Es folgt die Bitte um Abschlagszahlung auch für den Glaser,
den er auf eigene Rechnung beschäftigt, in Höhe von 150 Gulden.   *gez. Hermann Kellner*
Am 5. September 1864 folgt ein weiteres Schreiben mit der Ankündigung, dass die Arbeit an der Rosette nun bis Ende Januar
1865 beendet sein werde und der erneuten Bitte um einen weiteren Vorschuss in Höhe von 60 Gulden.
LAELKB, KV, Fach 61, L 17 I.

83   HEROLDSBERG 1878 OKT. 18.
In einem Schreiben der Familie Geuder von Heroldsberg an die
Kirchenverwaltung wird Beschwerde darüber geführt, dass an
dem von der Familie gestifteten Fenster im Chor von St. Lorenz Veränderungen vorgenommen werden wollen. Die Familie
wünscht, dass die Malereien dort erhalten bleiben und überhaupt zu erfahren, was eigentlich beabsichtigt sei[5].
LAELKB, KV, Fach 61, L 17 I.

84   MÜNCHEN/NÜRNBERG 1897
Schriftwechsel zwischen der Kgl. Bayerischen Hofglasmalerei
F. X. Zettler, München, und der Kirchenverwaltung von St. Lorenz, Nürnberg:
12. Nov.: Erwiderung der Fa. Zettler auf den abschlägigen Bescheid, die Chorfenster von St. Lorenz zu untersuchen bzw.
Kopien, d.h. kolorierte Zeichnungen anzufertigen.
13. Dez.: Die Kirchenverwaltung gestattet keine Gerüste, verlangt pro Fenster 5 M. pro Aufnahme nach vorheriger Anzeige.

Im Fall der Vervielfältigung wird ein Pflichtexemplar erbeten.
Beigelegt ist eine von Zettler gelieferte Preisliste für Leistungen
verschiedener Art (A. Verbleiungen, B. Teppichfenster, etc. C,
D, E, und F. Restaurierungen alter Glasgemälde), die belegen
soll, dass er nicht teurer ist als die Konkurrenz.
LAELKB, PfA St. Lorenz, Nr. 398.

85   NÜRNBERG 1921 AUG. 25
Schreiben des Pfarrers von St. Lorenz an das Bayerische Landesamt für Denkmalpflege (BLfD), die akute Gefährdung des
Lorenz-Tucher-Fensters (Chor süd VI) durch das verwitterte
Steinwerk betreffend und die Absicht, das gefährdete Schwarzlot nach dem Überglasungsverfahren in der Werkstatt Zettler
sichern, ansonsten aber keine Ergänzungen vornehmen zu lassen:
*Es hat sich herausgestellt, daß bei einem seitlichen Fenster im
Chor der Lorenzkirche die senkrechten Steinrippen so verwittert sind, daß sie mitsamt dem Glasfenster in die Kirche zu
stürzen drohen. Der Zustand ist so gefahrdrohend, daß unver-
züglich der Auftrag gegeben werden mußte, die verwitterten
Steinrippen zu entfernen und vorher das Glasfenster herauszunehmen. Die Steinrippen werden erneuert.
Das prächtige barocke Glasfenster stammt aus dem Jahre 1601.
[...] Das Schwarzloth haftet an vielen Stellen nicht mehr dauer-
haft, sondern ist an manchen Stellen abgefallen. Die Verbleiung
ist schlecht.
Es ist beabsichtigt, bei den Scheiben, bei denen das Schwarzloth
gefährdet ist, eine Konservierung im Sinne der Ausführungen
über Instandsetzung von Glasmalereien in der »Denkmalpflege« 1919, S. 27 und 105 vorzunehmen und diese Scheiben durch
die Glasmalerei Zettler überglasen zu lassen; im übrigen soll
von Restaurierungen wie Nachmalungen, Ergänzung durch
neugemalte Stücke und dergl. vollständig abgesehen werden.
Eine Neuverbleiung soll z T. in München, z.T. durch den lang-
jährig geschulten Glaser der Bauhütte stattfinden.
Wir fragen nun an, ob das verehrl. Landesamt bezügl. der Vor-
nahme dieser Arbeiten ein Bedenken äußern will und bitten
zugleich um gef. tunlichst umgehende Vorbescheidung, da die
mächtige Oeffnung nur provisorisch geschlossen wird und die
Instandsetzung deshalb und aus anderen Gründen in den nächsten Wochen vollendet sein sollte.
Dombaumeister Schmitz, der Leiter der Wiederherstellung, ist
in dieser Woche verreist, vom 30. August ab wieder in Nürnberg. Derselbe bittet jedoch, da er mehrfach verreisen muß, vor
einem event. Besuch um eine gef. Mitteilung.
Schließlich fragen wir an, ob das Landesamt für Denkmalpflege
zu den Kosten der Instandsetzung einen Zuschuß in Aussicht zu
stellen in der Lage ist.
Ev.-Luth. Kirchenverwaltung St. Lorenz gez. Pfarrer Dr.*
LoAN, Schriftwechsel Nr. 91–94 (ausgewählte Kopien Glasfenster).

86   MÜNCHEN 1936 NOV. 20
Untersuchungsergebnis zum Phänomen der Grünfärbung bzw.
-ausblühung des originalen Schwarzlots im Falle der über-
glasten Partien von Rieter- und Konhofer-Fenster (Chor nord
IV und süd II). Schreiben des Mineralogisch-Geologischen
Instituts der Technischen Hochschule München, Steinschutz-
abteilung:
*Betr: Stifterfenster von St. Lorenz, Nürnberg.
Bei der durch das Landesamt veranlassten gegenwärtigen Wie-
derherstellung der alten Kirchenfenster von St. Lorenz durch*

---

4 Eine aquarellierte Zeichnung von Georg Christoph Wilder überliefert dagegen keinen derart ruinösen Zustand des Rosenfensters (1833);
POPP 2014, Abb. S. 198.
5 Geplant war, das überwiegend leere, d.h. blank verglaste Fenster
mit einer Neuschöpfung zu Ehren des Kaisers zu füllen; POPP 2014,
S. 231–238, und Marco POPP, in: POPP/SCHOLZ 2016, S. 14–17.

die Glasmalerei G.m.b.H. Zettler, München, trat beim Wiederbrennen der alten bemalten Buntglasscheiben ein grünliches Auslaufen der dunklen Schwarzlotzeichnung auf. Die dadurch veranlasste Untersuchung durch die Steinschutzabteilung hatte nachstehendes Ergebnis:

Untersuchung eines Schwarzlotes vom sog. Rieterfenster von 1479:

In der salzsauren Lösung des aufgeschlossenen Glaspulvers waren nachweisbar: Kalium und Natrium (stark), Calcium (schwach), Eisen (stark), Kupfer (sehr schwach).

Schwarzlot vom sog. Kunhoferfenster (um 1490):

Neben Kieselsäure waren nachweisbar:

Kalium und Natrium (stark), Calcium (reichlich), eisen (stark), Kupfer (sehr schwach).

Bei den untersuchten Schwarzloten handelt es sich also um stark alkalihaltige, verhältnismässig basische, kieselsäurearme, leicht schmelzende Gläser, deren färbender Bestandteil hauptsächlich aus Eisen, weniger aus Kupferverbindungen besteht.

Die Zerstörung der Bemalung wie der Gläser selbst ist offensichtlich durch eine infolge Einwirkung von Regen- und Schwitzwasserbildung hervorgerufene Entglasung der Glasmasse veranlasst, die gleichzeitig zur Aufhebung der Bindung zwischen Glasgrund und dem aufgeschmolzenen Schwarzlot führte.

Die grünliche Verfärbung beim neuerlichen Wiederbrennen der Scheiben ist der Zusammensetzung des alten Schwarzlotes entsprechend wohl hauptsächlich auf den Gehalt an Eisen, weniger an Kupfer, zurückzuführen, wobei zu berücksichtigen ist, dass die angewendeten Schmelztemperaturen für die alten Schwarzlote zu hoch sind.

Auf Grund der bisherigen Befunde erscheint es zweckmäßig, die Schmelztemperaturen bei der Wiederinstandsetzung der Fenster so niedrig wie möglich zu halten. Da diese Forderung jedoch unter Umständen aus anderen Gründen nicht einzuhalten ist, so wird weiterhin empfohlen, dem Schmelzgut versuchsweise geringe Mengen von Oxydationsmitteln (Braunstein bezw. Manganoxyd oder Salpeter in Mengen unter 0,05%) zuzusetzen, um die Bildung des grünen Eisenoxydsilikates möglichst zu verhindern oder zu kompensieren.

LoAN, Schriftwechsel Nr. 91–94 (ausgewählte Kopien Glasfenster).

87   München 1939 Juni 3, Sept. 29, Okt. 9

Am Rande der Übersendung einer Mappe mit dem Verzeichnis der in den Kirchen St. Lorenz, St. Sebald und St. Jakob geborgenen und im Luftschutzraum – dem Felsenkeller unterhalb der Burg – deponierten Glasmalereien ist auch die Rede davon, dass 36 Felder und 9 Maßwerkfelder des Haller-Fensters in drei Sendungen am 3. Juni 1939 *(2 Kisten mit Feld No. 25–36)*, am 29. September 1939 *(3 Kisten mit Feld No. 1–24)* und am 9. Oktober *(1 Kiste mit 9 Masswerkfeldern)* an die Glasmalerei Zettler nach München übersandt worden waren.

LoAN, Schriftwechsel Nr. 91–94 (ausgewählte Kopien Glasfenster).

88   München 1940 Febr. 2

Konservierung des Haller-Fensters (Chor nord III) durch die Werkstatt Zettler, München. Schreiben von Oscar Zettler Junior an den Direktor des Bayerischen Landesamtes für Denkmalpflege (BLfD), Prof. Dr. Georg Lill:

Sehr geehrter Herr Direktor!

Nach Rücksprache mit Herrn Professor Schmuderer möchten wir Sie heute ersuchen, am nächsten Dienstag, den 5. März, Vormittags, zu uns zu kommen, um die bisherigen Arbeiten am Haller-Fenster zu prüfen, insbesondere die zuletzt von Herrn Höss als Nachfolger von Herrn Schmetzer behandelten Felder. […] Mit deutschem Gruss!   gez. Oscar Zettler J.

LoAN, Schriftwechsel Nr. 91–94 (ausgewählte Kopien Glasfenster).

89   München 1940 Juli 23

Gutachten zur Haftfestigkeit des in Schwachbrandtechnik (bei niedriger Temperatur) aufgebrachten Glasflusses zum Trägerglas. Schreiben des Mineralogisch-Geologischen Instituts der Technischen Hochschule München, Steinschutzabteilung:

Betr.: Konservierungsprobe am Hallerfenster in St. Lorenz zu Nürnberg. – Sachbearbeiter: Prof. J. Schmuderer, Abt.Direktor.

Ihrem Antrag entsprechend untersuchten wir die uns übergebenen acht Probstücke von mit Glasfluß konservierten mittelalterlichen Glasfenstern auf die Physikalische Verbindung der alten Glasoberfläche mit dem neu aufgebrachten Glasfluß.

Der Auftrag des neuen Glasflusses geschah durch Fixierung der Fenster mittels einer Paste aus Bindemittel und Glaspulver und nachfolgendem Neubrennen. Die Brenntemperaturen waren bei den vorliegenden Proben so niedrig wie möglich gehalten. Während der Auftrag auf der Mehrzahl der Proben nur ganz dünn erfolgt war, zeigte eine der Scheiben einen wesentlich dickeren Auftrag. Auffallend war bei fast allen Scheiben eine stellenweise vorhandene schlackenartige Aufblähung des Schwarzlotes infolge Gasentwicklung und zwar sowohl auf den behandelten, wie auf den nicht behandelten Teilen. Es war jedoch nicht festzustellen, ob diese Schlackenbildung schon vor der Behandlung vorhanden war, jedoch ist sie allem Anschein nach nicht auf die Einwirkung des neuen Glasflusses zurückzuführen, da sowohl behandelte als unbehandelte Schwarzlotteile solche Blähungen zeigten.

Die von den Proben quer durch die Scheiben hergestellten Dünnschliffe liessen keinerlei Spannungserscheinungen (Doppelbrechungen) der neuen oder alten Glasschichten erkennen, die Verbindung erschien vielmehr vollkommen homogen.

Untersucht wurden ferner eine Anzahl weiterer Probstücke, welche nach dem gleichen Verfahren wie oben und zwar schon bei einer Restaurierung vor ca 25 Jahren behandelt waren, aber unter Anwendung wesentlich höherer Temperaturen. Auch hier zeigte die mikroskopische Untersuchung der Dünnschliffe keine Spannungsdifferenzen zwischen altem und neuem Material. Dagegen war bei diesen Proben bei Draufsicht eine deutliche Vergrünung der Schwarzlotbeläge erkennbar, die auf Reaktion zwischen den Eisenverbindungen des Schwarzlotes und der Glasunterlage zurückzuführen ist. Stellenweise hat sich diese Vergrünung auch den umgebenden Glaspartien mitgeteilt (Auslaufen). Solche grüne Verfärbungen sind nach den uns vorliegenden Proben auch auf den eingangs erwähnten schwach gebrannten Gläsern nicht ganz zu vermeiden, aber dort nur in weit schwächerer Weise auftretend und erkennbar. Ein Auslaufen des Grüntones ist hier nicht mehr festzustellen. Es scheint dies daran zu liegen, dass in letzterem Fall die neue Glasschichte lediglich mit den äussersten Anteilen des alten Glases reagiert, während bei den höher gebrannten eine tiefgehende Aufschmelzung erfolgt ist. Bezüglich der Haftfestigkeit und physikalischen Verbindung steht die neuangewendete Schwachbrandtechnik der früheren (bei höherer Temperatur) nicht nach.

LoAN, Schriftwechsel Nr. 91–94 (ausgewählte Kopien Glasfenster).

90 MÜNCHEN 1940 AUG. 10
Stellungnahme von Prof. Schmuderer (BLfD) zugunsten einer neuen, aktuell von Prof. Oberberger und Dr. Jacobi am Doerner-Institut entwickelten Konservierungsmethode im Bereich Glasmalerei durch Doublieren originaler Gläser mittels Kunstglas und Deckgläsern[6]:
Betreff: Konservierung alter Glasmalereien.
Z. Zuschr. v. 6. 8. 40. Sachbearb.: Prof. Schmuderer, Abteilungsdirektor.
Von obigem Schreiben haben wir mit Interesse Kenntnis genommen. Nach eingehender Überprüfung des Für und Wider am neuen Konservierungsverfahren, das wir im Doernerinstitut kennen lernten, kamen wir zu der sicheren Überzeugung, daß demselben gegenüber dem bisherigen entschieden der Vorzug zu geben ist. Vor allem scheidet beim neuen Verfahren das mit größtem Risiko verbundene Brennen, dem wir ja nur notgedrungen von Fall zu Fall zustimmten, von vornherein aus.
Anbei auch die Notiz von Prof. Dr. Georg Lill, *daß wir auch für die noch restigen Konservierungsarbeiten am Hallerfenster für das neue Konservierungsverfahren eintreten werden.*
LoAN, Schriftwechsel Nr. 91–94 (ausgewählte Kopien Glasfenster).

91 MÜNCHEN 1940 AUG. 12
Resümee von Prof. Dr. Georg Lill (BLfD) über die verschiedenen, an den Nürnberger Fenstern auftretenden Schadensphänomene und die praktizierten Konservierungs- und Restaurierungsverfahren des 19. und 20. Jh., zusammengefasst anlässlich eines Treffens zur Besichtigung und Beurteilung der aktuellen von Prof. Oberberger und Dr. Jacobi am Doerner-Institut entwickelten Methode des Doublierens originaler Gläser mittels Kunstglas und Deckgläsern, niedergelegt in einem Schreiben an den geschäftsführenden Präsidenten der Kameradschaft der Künstler München e.V., Robert Scherer:
I. Das bisherige »kalte« und das bisherige Brandverfahren.
Die Fenster in Nürnberg waren 1836 von Kellner einer weitgehenden Restaurierung und Ergänzung unterzogen worden[7]. Es war dies die Zeit der wiedererwachenden Glasmalereikunst im romantischen Sinne. Die techn. Erfahrungen wie die denkmalpflegerische Ehrfurcht vor dem Originalzustande waren gering. Das Verfahren von Kellner bestand darin, daß er die nach seiner Meinung schadhaften Scheiben durch neue von ihm gemalte ersetzte. Selbst schon bei einer nicht sehr scharfen Einstellung auf diese Dinge kann ein Laie diese Stücke nach Farbe, Glasmaterial, dann aber auch nach der Zeichnung als nicht glückliche Ergänzungen erkennen.
Viele der alten Scheiben besonders mit gelben und violetten Tönen zeigen nun eigenartige Beschädigungen, nämlich kleine Risse und Sprünge nicht am Rande, sondern in der Mitte der Fläche, die nicht durch gewaltsame Eingriffe (Steinwurf, Hagel, Windstabdruck usw.) entstanden sein können. Prof. Oberberger meint, daß schon Kellner diese Scheiben neu gebrannt habe

und dadurch der Zersetzungsprozeß im Laufe der Jahrzehnte befördert worden sei.
Er begründet mit dieser Annahme die Hypothese, daß jeder neue Brand die Fenster schwer schädige, weil immer eine neue Kristallisation eintrete. Wir können uns dieser Annahme wie der darauf aufgebauten Hypothese nicht anschließen; aufgrund unserer Erfahrungen an den Fenstern zu St. Lorenz sind wir vielmehr zu der Ansicht gekommen, daß Kellner sich gar nicht die Mühe machte, die schwierige Prozedur eines 2. Brandes, die größte Geduld erfordert, auf sich zu nehmen. Zur Genüge ist das damit bewiesen, weil Kellner die wertvollsten Stücke (Köpfe und überhaupt Figürliches) neu malte und übrige Ergänzungen auf kaltem Wege vornahm. Die wirkliche Ursache der an den alten Scheiben vorhandenen Sprungbildungen wird sich wohl nie endgültig feststellen lassen.
Man kann sich allenfalls vorstellen, daß sie auf eine irgend mangelhafte Zusammensetzung der nicht genügend gereinigten Rohstoffe zurückzuführen ist, die im Laufe der Zeit zu inneren Spannungen und damit zur Sprungbildung führt. Dafür spricht einmal die Feststellung, daß die Sprungbildung vorzüglich auf bestimmten Gläsern (gelb, violett und dunkelrot) auftritt und weiterhin auch die Erfahrung, daß bei Hohlgläsern aus gewissen Hütten (z. B. Potsdam) dieselbe Erscheinung auftritt und zwar ohne jede Einwirkung von außen her (sog. Glaspest).
Zettler machte seine ersten Versuche an Fenstern der St. Sebaldkirche in Nürnberg im Jahre 1904. Hier hatten sich im Laufe des 19. Jhs. die Schwarzlotzeichnungen gelockert. Damals wurde unter Mitwirkung von Prof. Hauberrisser, Prof. Dr. Josef Schmitz und von Hauptkonservator am Landesamt für Denkmalpflege Prof. Hans Haggenmiller von Prof. Zettler und seinen Mitarbeitern nach einem Konservierungsverfahren gesucht, um diese Kostbarkeiten zu retten. Man trug zu diesem Zwecke einen Überzug von Harzen und Lacken auf die Innenseite der Fenster auf, um die Zeichnung wieder mit dem Glase zu verbinden. Auch der Wetterstein auf der Außenseite wurde mittels Gebläse-Aparates entfernt. Beide Seiten wurden mit obiger Schutzschicht überzogen.
Der scheinbare Erfolg war befriedigend, die Durchsicht des zuerst kaum mehr farbig scheinenden Fensters wieder leuchtend, die Malerei war stark gebunden. Aber schon nach zwei Jahren stellten sich die Nachteile ein. Die leuchtende Farbe war wieder durch das Wiederanwachsen des Wettersteines verschwunden, die Befestigung der Innenseite schien zwar vorerst noch intakt, aber die rauh aufgeblasene Fläche kein Zustand, der auf die Dauer hätte seinem Zweck entsprechen können. Die Schutzschicht schien den starken Witterungseinflüssen, denen Kirchenfenster ausgesetzt sind, auf lange Zeit nicht standzuhalten« (Zettler).
Das »kalte Verfahren« war deshalb für die Konservierung als erledigt zu betrachten.
Darauf griff Prof. Haggenmiller die Idee der »Überglasung« auf. Zettler stellte zahlreiche Versuche an, wie in einem neuen Brandverfahren diese Aufgabe zu lösen sei. Dies geschah durch ein Schmelzverfahren, das ein Werkstattgeheimnis der Fa. Zettler blieb. Im Jahre 1917 wurde das Volckamer-F, im Jahre 1918/19 das Pfinzing-F von St. Sebald so behandelt (vgl. die beiden Aufsätze von Dombaumeister Schmitz in »Denkmalpflege« 21, 1919, S. 97ff. und 105). An einer Scheibe, die bei der Besichtigung vorlag, konnte man dieses Verfahren überprüfen, [...] allen Schmutz der Fenster mit einbrannte und deshalb zu starken Trübungen führte. Doch verbesserte sich das Verfahren während der Arbeit. Später immer wiederholte Überprüfungen

---

[6] Vgl. hierzu auch das ausführliche Resümee von Prof. Georg Lill, BLfD, vom 12. August 1940 (Reg. Nr. 91).
[7] Tatsächlich wurden von Kellner 1836–39 nur die Fenster in St. Lorenz restauriert (LAELKB, KV, 382a; Rechnungen über das prot. Kirchenvermögen der St. Nbg. 1836/37ff.).

dieses konservierten Fensters an Ort und Stelle ergaben, daß sich technisch dieses Verfahren insofern bewährt hat, als sich keine Veränderungen, Zersetzungen des Glases, Ablösen der Schwarzlotzeichnungen während der folgenden 30 Jahre ergeben haben. Dagegen traten nicht unerhebliche künstlerische Beschädigungen auf. Manche Farben hatten sich durch den starken Brand nicht unwesentlich verändert, was die Farbenharmonie schwer störte. Das unangenehmste aber war, daß eine Vergrünung der Schwarzlotbeläge eintrat, die auf die Reaktion zwischen Eisenverbindungen des Schwarzlotes und der Glasunterlage zurückzuführen ist. Stellenweise hat sich durch Auslaufen diese Vergrünung den umgebenden Glaspartien mitgeteilt, was natürlich erst recht künstlerisch höchst bedenklich war.

Nun trat im Jahre 1935 von neuem die Frage der Konservierung an uns heran. Diesmal waren es die Fenster von St. Lorenz, die noch größere Beschädigungen aufwiesen, vor allem, daß die Schwarzlotzeichnung sich noch weitgehender gelöst hatte und zum Teil schon abgefallen war. Wir mußten, um die Fenster nicht innerhalb kürzester Zeit zugrunde gehen zu lassen, umgehend einschreiten. Der Standpunkt: »in Schönheit sterben lassen« ist der leichteste und unproblematischste für den Denkmalpfleger. Nach unserer Meinung hat aber der Denkmalpfleger die verantwortungsvolle Aufgabe, es wenigstens zu versuchen, die Lebenszeit eines Kunstwerkes mit allen verfügbaren Mitteln zu verlängern. Über die Durchführung des Verfahrens wurde in der »Denkmalpflege« 1939 Heft 3 und im Jahresber. von 1936/37 im Jahrbuch 1937 des bayer. Landesvereins für Heimatschutz ausführlich berichtet.

Nachdem das erste Fenster (Kunhofer) fertiggestellt war, wurde unter Auswertung der dabei gewonnenen Erfahrungen als zweites Fenster das der Familie Rieter konserviert. Ein drittes Fenster, das sog. Haller-F, ist in 1939/40 in Arbeit genommen worden.

Wir bestanden darauf, daß das Brennen immer mehr reduziert und dasselbe nur dann angewandt wurde, wenn es das Sichern der Schwarzlotzeichnung unumgänglich notwendig machte. Die kranken, durch Rissebildung nahezu zersetzten Scheiben sind zu ihrer Erhaltung und Sicherung doubliert worden. Für alle Scheiben, die nicht gebrannt wurden, haben wir verlangt, daß der Wetterstein belassen bleibt. Denn das Beseitigen desselben hat nach unserer Erfahrung Nachteile: 1. setzt sich der Wetterstein auf der rauh gewordenen Oberfläche sehr bald wieder fest und zwar schneller und vielfach dichter als vorher – und 2. ist dadurch die Durchsichtigkeit, d.h. die farbige Erscheinung der Gläser unnötigen Änderungen unterworfen.

So haben wir auch hier wie bei allen ähnlich gelagerten Fällen in der Denkmalpflege uns zur Aufgabe gemacht, an die Kunstwerke des Landes nicht ohne zwingenden Grund zu rühren.

Eine Untersuchung des Herrn Dr. Steins vom mineralogisch-geolog. Institut der TH München vom 13. Juli 1940 stellte folgendes über das verbesserte Zettlersche Verfahren fest: »Ihrem Antrag entsprechend untersuchten wir die uns übergebenen 8 Probestücke von mit Glasfluß konservierten mittelalterlichen Glasfenstern auf die physikalische Verbindung der alten Glasoberfläche mit dem neu aufgebrachten Glasfluß.

Der Auftrag des neuen Glasflusses geschah durch Fixierung der Fenster mittels Paste aus Bindemittel und Glaspulver und nachfolgendem Neubrennen. Die Brenntemperaturen wurden bei den vorliegenden Proben so niedrig wie möglich gehalten. Während der Auftrag auf der Mehrzahl der Proben nur ganz dünn erfolgt war, zeigte eine der Scheiben einen wesentlich dickeren Auftrag. Auffallend war bei fast allen Scheiben eine stellenweise

vorhandene schlackenartige Aufblähung des Schwarzlotes infolge Gasentwicklung, und zwar sowohl auf den behandelten, wie auf den nicht behandelten Teilen. Es war jedoch nicht festzustellen, ob diese Schlackenbildung schon vor der Behandlung vorhanden war, jedoch ist sie allem Anschein nach nicht auf die Einwirkung des neuen Glasflusses zurückzuführen, da sowohl behandelte als unbehandelte Schwarzlotteile solche Blähungen zeigten.

Die von den Proben aber durch die Scheiben hergestellten Dünnschliffe ließen keinerlei Spannungserscheinungen (Doppelbrechung) der neuen oder alten Glasschichten erkennen, die Verbindung erschien vielmehr vollkommen homogen.

Untersucht wurden ferner eine Anzahl weiterer Probestücke, welche nach dem gleichen Verfahren wie oben und zwar schon bei einer Restaurierung vor ca. 25 Jahren behandelt waren, aber unter Anwendung wesentlich höherer Temperaturen. Auch hier zeigte die mikroskop. Untersuchung der Dünnschliffe keine Spannungsdifferenzen zwischen altem und neuem Material. Dagegen war bei diesen Proben bei Draufsicht eine deutlich erkennbare Vergrünung der Schwarzlotbeläge erkennbar, die auf Reaktion zwischen den Eisenverbindungen des Schwarzlotes und der Glasunterlage zurückzuführen ist. Stellenweise hat sich diese Vergrünung auch den umgebenden Glaspartien mitgeteilt (Auslaufen). Solche grünen Verfärbungen sind nach den uns vorliegenden Proben auch auf die eingangs erwähnten schwach gebrannten Gläsern nicht ganz zu vermeiden, aber dort nur in weit schwächerer Weise auftretend erkennbar. Ein Auslaufen des Grüntones ist hier nicht mehr festzustellen. Es scheint dies daran zu liegen, daß in letzterem Fall die neue Glasschicht lediglich mit den äußersten Anteilen des alten Glases reagiert, während bei den höher gebrannten eine tiefgehende Aufschmelzung erfolgt ist.

Bezüglich der Haftfestigkeit und physikalischen Verbindung steht die neuangewendete Schwachbrandtechnik der früheren (bei höherer Teperatur) nicht nach«.

Aus alle dem Angeführten ergibt sich, daß das von der Fa. Zettler technisch erfundene und unter Mitwirkung des LfD nach künstlerisch-denkmalpflegerischen Gesichtspunkten in jahrelanger Arbeit verbesserte Konservierungsverfahren für alte Glasfenster das bestmögliche auf diesem Wege war. Eine andere Möglichkeit gab es bisher für die Rettung der aufs stärkste gefährdeten Glasfenster nicht. Infolgedessen war der verantwortungsbewußte Denkmalpfleger nicht nur berechtigt, sondern sogar verpflichtet, dieses Verfahren anzuwenden, umsomehr, als das Volckamer- und das Pfinzing-Fenster, deren Konservierung nun schon an die 30 Jahre zurückliegt, die sichere Gewähr gaben, daß dieses Verfahren die Fenster sichere und für Generationen bestand habe.

II. _Das neue Verfahren mit Kunstglas._

Einen ganz neuen Weg hat Glasmaler Prof. Josef Oberberger in Verbindung mit dem Dörnerinstitut München und einer Kunstglasfabrik beschritten. Er benutzt einen Kunststoff (Kunstglas), der seit einigen Jahrzehnten bekannt sein soll. Es wurde von den Vertretern des neuen Verfahrens versichert, daß der als Bindemittel Verwendung findende Werkstoff nach den bisherigen Erfahrungen und Laboratoriumsversuchen als vollkommen und für alle Zeit unveränderlich zu betrachten sei. Wir sind natürlich nicht in der Lage, die Richtigkeit dieser Feststellung nachzuprüfen. Auch Prof. Oberberger versicherte, daß er hierfür keine Verantwortung übernehmen könne, denn dies sei Sache der Firma, die den neuen Werkstoff herstellt. Das Bedenken, daß trotz der bisherigen Erfahrungen auf langen Zeitraum *hinaus eine Veränderung (Vergilbung und dergl.) des Kunstglases stattfinden und damit zur künstlerischen Zerstörung des Fensters führen könne, wurde durch die Versicherung behoben, daß es jeder Zeit möglich sei, die Verkittung der Scheiben ohne jede Beschädigung des Originales wieder zu lösen.*

Da es für uns schwer vorstellbar ist, daß auch bei Scheiben, bei denen das Schwarzlot mit dem Glas keinerlei Verbindung mehr hat, wie das in Nürnberg vielfach der Fall ist, die nachträgliche Trennung der beiden Gläser ohne Schaden für die Zeichnung möglich ist, so muß in dieser Hinsicht ein Versuch die zunächst noch bestehenden Bedenken ausschalten.

Gegenüber dem bisher gebräuchlichen Doublierungsverfahren bietet das neue zweifellos den Vorteil, daß das allenfallsige Eindringen von Schwitzwasser und Luft völlig ausgeschlossen ist und eine engere Verbindung der beiden Glasarten hergestellt wird. Dagegen bleibt noch ein anderer Nachteil des Doublierungsverfahrens bestehen, der dieses Verfahren bisher nicht wünschenswert erscheinen ließ, nämlich das Verdecken der originalen Oberfläche, die bekanntlich bei alten Glasfenstern einen hohen künstlerischen Reiz darstellt, während bei dem neuen Verfahren das Verdecken der originalen Oberfläche unter allen Umständen in Kauf genommen werden muß. Deshalb müßte unseres Erachtens die Spiegelung durch Auswahl eines entsprechenden Deckglases ausgeschaltet werden, wenn das Verfahren in großem Umfange angewendet werden soll. Wie störend schon die Spiegelung einer kleineren doublierten Scheibe wirken kann, ist an den Nürnberger Fenstern an Ort und Stelle mehrfach festgestellt und beanstandet worden. Dies war auch deutlich an den beiden Proben der ganzen konservierten Flügel der Glasfenster aus dem Naumburger Dom *zu beobachten, von denen eine dadurch sogar wie eine imitierte Scheibe wirkte und wird voraussichtlich im Kirchenraum noch mehr zum Ausdruck kommen. Diesem Mangel muß abgeholfen werden, was nach der Aussage des Glasfachmannes ohne technische Schwierigkeiten möglich sein soll. Die Innenseite müßte eben die lebendige Unregelmäßigkeit einer alten Glasscheibe erhalten. Schließlich bleibt noch festzustellen, daß die künstlerisch-technische Behandlung der alten Malereien, dieselbe ist wie bei dem Zettlerischen Verfahren. Auch hier muß vor dem Auftragen des neuen Werkstoffes ein sorgfältiges Reinigen und Fixieren der losen Schwarzlotzeichnung an Ort und Stelle, also vom Gerüst aus vorausgehen. Auch das Herstellen von Fotografien als späteres Belegmaterial ist selbstverständlich notwendig.*

III. Schlußfolgerung*.*

Trotz alledem ist unseres Erachtens ohne Zweifel dem neuen Verfahren mit Kunstglas trotz der noch zu überwindenden Schwierigkeiten gegenüber dem alten Verfahren mit zweitem Brand der Vorzug zu geben.

Unter diesen Umständen spricht sich auch das Bayer. LfD bei künftigen Konservierungen von alten Glasfenstern für das Verfahren mit Kunstglas aus und betrachtet das bisherige Verfahren im 2. Brand durch die bessere Neuerfindung als überholt.

Das LfD wird mit dem Besitzer der Nürnberger Fenster und Auftraggeber in Verbindung treten, um die weiteren bzw. restlichen Konservierungsmaßnahmen am Haller-F nach dem neuen Verfahren im Benehmen mit dem Staatsministerium, Prof. Oberberger oder dem Dörnerinstitut durchzuführen. gez. Lill BLfD München, Ortsakt Nürnberg, St. Sebald, Fenster 1905–1954.

92   MÜNCHEN 1941 APRIL 19

Schreiben des Bayerischen Landesamtes für Denkmalpflege an das Städtische Hochbauamt in Nürnberg, in dem anlässlich

der Kriegsbergung der Nürnberger Glasmalereien die wissenschaftliche und fotografische Erschließung der Bestände vorgesehen wird. Mit der Aufgabe wird Dr. Hans Wentzel vom Kunsthistorischen Institut der Technischen Hochschule in Stuttgart betraut:

Vom deutschen Verein für Kunstwissenschaft ist mit Unterstützung des Herrn Reichsministers für kirchliche Angelegenheiten geplant, die einzigartige Gelegenheit der Kriegssicherungen an alten deutschen Glasgemälden wissenschaftlich auszuwerten, d.h. alle ausgebauten Glasfenster wissenschaftlich erfassen und photographieren zu lassen. Mit der Aufgabe ist Herr Dr. Wentzel von der Technischen Hochschule Stuttgart betraut. Die Kosten werden von den eingangs genannten Stellen getragen. Es ist beabsichtigt, das Photographieren in Schwarz-Weiss sowie farbig von geeigneten Kräften während des Krieges durchführen zu lassen. Wieweit das tatsächlich möglich sein wird, dürfte von den verschiedenen lokalen Verhältnissen der Unterbringung der ausgebauten Scheiben abhängen.

Herr Dr. Wentzel wird demnächst nach Nürnberg kommen, um über diese schwebenden Fragen mit den einschlägigen Stellen zu verhandeln. Wir haben ihn an Herrn Baurat Linke vom Stadtbauamt und an die evang.-luth. und die kath. Gesamtkirchenverwaltungen in Nürnberg verwiesen und bitten ihn, bei den wichtigen und erstrebenswerten Bemühungen nach Möglichkeit unterstützen zu wollen. …

Es folgt noch die Empfehlung, zum Ausbau der Scheiben den Kunstglaser van der Speck zu verpflichten, der u.a. die Scheiben in St. Jakob ausgebaut hatte. Der Schriftwechsel zwischen Hans Wentzel und Oberbaurat Lincke bzgl. Aufnahmen befindet sich im gleichen Konvolut.

LoAN, A.10.11/2 (Mappe Glaserarbeiten).

93   MÜNCHEN 1947 MAI 27, SEPT. 23

Die Mayer'sche Glasmalerei in München (als Nachfolgerin der Werkstatt F. X. Zettler) schlägt vor, an einem der Maßwerkteile aus dem Haller-Fenster, die sich noch in den Münchner Werkstätten befinden, das neue Doublierungsverfahren nach Dr. Jacobi zu erproben. Schreiben an das BLfD München, 27. Mai:

Betr.: Sicherungsmaßnahmen an Glasmalereien aus der St. Lorenzkirche Nürnberg

Bezug: Ihr Schreiben v. 3. 4. 47.

Unter Bezugnahme auf die in Nürnberg stattgefundene Besprechung teilen wir Ihnen mit, dass das Maßwerk des Haller-Fensters sich noch in unseren Werkstätten befindet. Abgesehen von der in Nürnberg erfolgten Fixierung wurden noch keinerlei Arbeiten ausgeführt. Wir schlagen deshalb vor, dass die Probearbeit nach dem Prof. Oberberger-Dr. Jacobi'schen Konservierungsverfahren an einem dieser Maßwerkteile durchgeführt wird. Wir haben Oberbaurat Linke gleichzeitig um sein Einverständnis ersucht.

Mit vorzüglicher Hochachtung

Frz. Mayer'sche Hofkunstanstalt und Glasmalerei

(Mayer & Co.)

gez. Adalbert Mayer

Mit Schreiben vom 23. September teilt die Mayer'sche Glasmalerei mit, dass die Versuche an zwei kleinen Maßwerkteilen des Haller-Fensters beendet seien und bittet um einen Besuch seitens der Denkmalpflege, *damit Sie an Hand der konservierten und noch nicht konservierten Felder zu einer Beurteilung des neuen Verfahrens kommen können.*

LoAN, Schriftwechsel Nr. 91–94 (ausgewählte Kopien Glasfenster).

94 NÜRNBERG 1947 OKT. 30/31
Zusammenfassung über die Besprechung zur Sicherung der
Glasgemälde in St. Lorenz mittels des Jacobi-Verfahrens:
*Teilnehmer: Prof. Schmuderer, Dr. Merten, Dr. Jacobi, Ober-
baurat Lincke und Pfarrer Kübel als Bauherr.*
*Nach Ansicht von Prof. Schmuderer soll der Kreis der Herren,
die zur Entscheidung der im Zusammenhang mit der Siche-
rung der Glasgemälde auftretenden Probleme möglichst klein
gehalten werden. Die heute versammelten Herren werden als
geeignetes Gremium hiefür betrachtet; hinzu käme noch Herr
Adalbert Mayer.*
*Zum Verfahren Dr. Jacobi vertrat Dr. Merten folgende Ansicht:
Nur kaputte Stücke zwischen Glas legen, sonst Hände weg! Es
handle sich sonst nicht mehr um Glasmalerei, sondern um Malerei zwischen Glas. Bisher wurde bei der Anwendung dieses
Verfahrens nur von einer eventl. Spiegelungsgefahr gesprochen.
Dr. Merten lehnt aber das J.-Verfahren als solches in jedem Fall
ab, in dem diese Art der Sicherung nicht die letzte Rettung bedeutet, da dadurch der Oberflächencharakter der Malerei verloren gehe.*
*Prof. Schmuderer fordert als unbedingte Voraussetzung für die
Anwendung des J.-Verfahrens den Beweis, dass sich die Zwischenschicht ohne Verletzung der Malerei wieder entfernen
lässt. Dr. Jacobi garantiert dies. Die Entfernung wird mittels
Erhitzung bis ca 200 Grad durchgeführt. Nach Dr. Jacobis Angaben schadet diese Temperatur dem Glas nicht (Dagegen wird
das Brennen grundsätzlich abgelehnt). Eine solche Vorführung
soll vor den versammelten Herren in Nürnberg stattfinden.
die Kunstanstalt Mayer soll entsprechende Musterstücke herstellen.*
Das Gremium kommt überein, dass Dr. Merten als Sachver-
ständiger die Lorenzer Fenster in den Kunstbergungsräumen
des Gewerbemuseum durchmustern und nach Abstimmung
mit Prof. Schmuderer ganz individuell geeignete Felder für das
Jacobi-Verfahren benennen soll. Merten erklärt sich bereit, zu
diesem Zweck einmal zwei Wochen nach Nürnberg zu kommen.
LoAN, A.10.11/4 (Glasfenster Restaurierung).

95 MÜNCHEN 1948/49
Abschriften von insgesamt zehn Teilabrechnungen der Franz
Mayer'schen Hofkunstanstalt über die in Wernberg durchge-
führten Arbeitsschritte zur Konservierung nach dem Jacobi-
Doublierungs-Verfahren am Knorr-Fenster (Chor nord II) und
zuletzt an Einzelfeldern der Imhoff-Empore:
*Kosten für das Auseinandernehmen der alten Glasmalereien,
Anfertigen der Schablonen für die Deckgläser, Zuschneiden der
Gläser, Verbleien und Verzinnen der Felder, einschl. der Ma-
terialauslagen wie Blei, Zinn, Benzin, Spiritus etc, sowie der
Fahrtspesen und Tagegelder für unseren Monteur.*
Ab der 6. Teilrechnung werden die Angaben hinsichtlich der
behandelten Feldnummern präzisiert.
LoAN, A 10.1/2 (Rechnungen 1949–1952), Reg. M, Reg. A.

96 1948–1952
Von Gottfried Frenzel erstellte Auszüge aus dem Schriftwechsel von Baudirektor J. Lincke für St. Lorenz und R. Jacobi in
Wernberg (OPf.), teilweise mit kurzen Anmerkungen Frenzels
versehen:
11. Febr. 48: *L. an J. [...] damit Sie uns über den Fortgang der
Arbeiten an dem einen Flügel des* Knorr-Fensters *berichten
können, denn als erstes nehmen wir nunmehr die weitere Sich-*

*tung des Knorrfensters vor, da dieses wohl im schlechtesten Zu-
stand ist.*
12. April 48: *L. an J. [...] Ein entsprechendes Auftragsschreiben
werde ich mit Herrn Dr. Kilian und den anderen Herren der
Firma durchsprechen und Ihnen baldmöglichst zugehen lassen.
2 Beilagen / liegen nicht bei. Inhalt unbekannt / vielleicht handelt es sich um die Bestellung von Sicherheitsglas? / Fre.*
27. April 48: *L. an J. [...] Es sollen nunmehr vom* Hallerfenster,
*das im allgemeinen noch gut erhalten ist, die zersprungenen
Teile gleich von Herrn Girth nach Wernberg mitgenommen
werden, damit sie nach Ihrem Verfahren konserviert werden
können (wurde gemacht / Fre.).*
3. Mai 48: *J. an L. Vereinbarung mit Fa. Mayer München, daß
ein Zuschneider nach* Wernberg *geht und ab 10.V.48 dort tätig
ist (ist Herr Gierth, Fa. Mayer / Fre.)*
15. Febr. 49: *[...] acht Flügel gut angekommen, 4 Flügel* von
Münden nach Wernberg *(keine nähere Bezeichnung des Fensters / Fre.)*
30. März 49: *J. an L.* Knorrfenster *komplett fertig doubliert bis
auf ein Flügel und das Maßwerk. Bis zum 1. Mai vielleicht alles
fertig zur Ausstellung in München.*
27. Jan. 50: *L. an J. [...] was noch betrieben wird, ist das Ex-
perementieren an unseren Glasgemälden. Wir sind gerade dabei, das Löffelholz-Fenster hinter die von Wernberg gelieferten
SIGLA-Scheiben zu setzen. Das Bild vom Kircheninneren aus
gesehen ist sehr günstig und ermutigt zur Weiterarbeit in dieser
Richtung. Wenn dies der Fall sein sollte, so würde ich Sie um ihren Rat bitten, wie wir die jetzige lockere Fixierung, die ja zum
Teil auch die unangenehm aussehende milchig weißen Spritzer
aufweist, in eine dauerhafte und durchsichtige verwandeln
können. Ich denke dabei an dieselbe Fixierung, wie sie diese vor
Aufbringen der Deckgläser anwenden. (dazu kam es offenbar
nicht, die weiße Fixierschicht ist heute noch vorhanden / Fre.).*
Knorrfenster *wird mit Rahmen versehen und eingesetzt.*
Imhoffenster *ist eingesetzt.*
Knorrfenster *ein beanstandetes Stück wird von L. reklamiert.*
12. April 50: *J. an Landesamt: ein Herr* Dr. WÜRTH *hat 1939
ein Patent angemeldet [...] auf ähnlicher Grundlage wie meine
Arbeit [...] ich hatte seinerzeit von einer Anmeldung abgesehen,
weil dies auf den Gebieten der Kunst nicht üblich ist.*
6. Mai 52: *Bestätigung durch J. über den Empfang folgender
Glasgemälde: 6 Felder* Schmidtmairfenster, *1 Karton mit Ein-
zelstücken aus dem* Kaiser-Friedrich-Fenster, *ein Löwenkopf
aus dem* Tucher-Fenster Nord.
LoAN, A.10.11/2 (Mappe Glaserarbeiten).

97 NÜRNBERG 1950 JAN. 9
In einem Schreiben der Mayer'schen Glasmalerei-Anstalt an
mehrere internationale Museen wird wegen der fehlenden finanziellen Ressourcen zum Wiederaufbau der Lorenzkirche
das Angebot unterbreitet, dass mittelalterliche Glasmalereien,
u.U. sogar ein ganzes Fenster, zum Erwerb disponibel seien:
*Dear Sir,
St. Lorenz-Church of Nürnberg was badly damaged in the war,
as you may see from the enclosed booklet. A considerable part
of the Church has been restored in the meantime, but now work
has almost stopped entirely owing to the lack of sufficient funds.
As the Reverend Rector and his parishoners have the greatest
interest to see their beautiful Church completed soon, they are
seriously considering the sale of valuable antiquities of the
Church, as they cannot raise any additional money, largely be-
cause most of them suffered very considerable losses themselves*

in the war by bombs and fire.
Notwithstanding the greatest interest of the city of Nürnberg and the State of Bavarian the complete restoration of this beautiful Gothic Church, there is no hope of receiving from them enough financial support to complete the task which requires about DM 500.–
(= US Dollar 120.000.–).
There are many medieval windows in this Church which were taken out by our firm early in the war. Some of them have been set in place after having been repaired by our studios. However most of the windows are still packed away in cases without having been touched yet. Parts of the old Rose are at present in our studio, but the conservation-work on most of the remaining windows had to be postponed due to want of money.
May we ask you whether you might be interest in the purchase of one or the other panel of the famous stained-glass-windows of St. Lorenz. Even the sale of a complete window might be considered, provided a fair price can be realized, thus assisting materially in an early completion of the Church.
In the event of a purchase the required steps in connection with the export permission will be taken by the rectory.
As the latter does not want any publicity in the present stage, you are requested to kindly keep this matter confidential, but this letter is being written with the knowledge and consent of the Reverend Rector and his architect. We may mention that as far as we are concerned we shall not receive any commission or other renumeration whatsoever, in the event of a sale.
We are writing at the same time to a few other Museums and persons.
When replying you may either write to us, or directly to the Rector Reverend Gerhard Kübel, Ev.-Luth.-St.-Lorenz-Kirche, Nürnberg
We are, dear Sir, yours faithfully.
Dieses Schreiben wurde an folgende Museen versendet:
Metropolitan Museum of Art, New York, USA
Museum of Art, Cleveland, USA
Museum of Art, San Francisco, USA
Museum of Art los Angeles, USA
Museum of Art, Saint Louis, USA
Museum of Art, Chicago, USA
Museum of Art, Brisbane, Australien
Museum of Art, Sydney, Australien
Museum of Art, Dehli, Indien
Museum of Art, Capetown, Südafrika
Die eingehenden Antworten waren fast durchgehend negativ. Lediglich die Direktion des Metropolitan Museum in New York und des City Art Museum in St. Louis bekunden Interesse. New York denkt an die Ausstattung einer kleinen Kapelle und fragt nach Scheiben des 14. Jahrhunderts mit einer Maximalbreite von 45 cm (Fotos würden die Entscheidung erleichtern). St. Louis erbittet nähere Informationen zu Größen und Preisen bzw. Fotografien der in Frage kommenden Fenster.
LoAN, A.10.11/14 (Schriftverkehr 1947–1953, Franz Mayer'sche Hofkunstanstalt München, Rosette, Hallerfenster, Schmidmayer-Fenster, Tucherfenster).

98   MÜNCHEN 1950 MAI 5
Schreiben Adalbert Mayers an Oberbaurat Lincke die Abrechnung für die Rekonstruktion der Westrosenverglasung betreffend:

Sehr geehrter Herr Oberbaurat!
Beiliegend erlauben wir uns, Ihnen die Rechnung für die Rose der St. Lorenz-Kirche zu übersenden.
Leider sind die Kosten viel höher gekommen, als wir angenommen hatten; sie betragen insgesamt DM 7164.--. Der grosse Unterschied zwischen unserem Angebot und den tatsächlichen Kosten ist auf folgende Ursache zurückzuführen.
1.) Der Rauminhalt der ausgeführten Felder ist grösser als dies aus den bei der Kalkulation zur Verfügung stehenden Unterlagen ersichtlich war; der Unterschied beträgt insgesamt 2.47 qm zusätzliche Fläche.
2.) Im allgemeinen fertigen wir bei derartigen Arbeiten erst je ein Musterfeld an, an dem solange Aenderungen vorgenommen werden, bis die Arbeit völlig einwandfrei ist. Das hätten wir auch in diesem Falle getan, wenn nicht die Lieferzeit sehr kurz gewesen wäre. So waren wir gezwungen, von vornherein die Arbeit zu beschleunigen und sofort mehrere Felder gleichzeitig zu bearbeiten. Wir mussten daher in grösserem Masse Abänderungen vornehmen, die bei einem längeren Liefertermin ohne weiteres zu vermeiden gewesen wären.
3.) Verteuert wurde schließlich auch die Arbeit durch die ausserordentliche Ungleichmässigkeit der Felder, sodass jedes Glasstück für sich völlig frei und unregelmässig geschnitten und eigens bearbeitet werden musste.
4.) Endlich bestand Dr. Merten, der es mit der Leitung und Ueberwachung dieser Arbeit sehr ernst nahm, immer wieder auf Abänderungen, wenn er mit unserer Arbeit nicht bis in jede Einzelheit völlig zufrieden war. So mussten z.B. eine Anzahl der Symbole mehrmals neu gemalt werden, und schließlich wurde auch am Mittelstück ziemlich lange herumprobiert. Und da bezüglich des Masstabes des Mittelstückes Meinungsverschiedenheiten bestanden, wurde dasselbe noch einmal völlig neu in einem anderen Masstab ausgeführt. Nachdem alle 8 kleinen 3eckigen Zwickel mit der Rose bereits fix und fertig waren, stellte sich nach Aufstellung der Rosette im Ausstellungsssaal heraus, dass auch diese Zwickel im Masstab nicht entsprachen. Alle 8 wurden deshalb von uns völlig neu gemacht.
Diese vielen und zum grossen Teil nicht vorauszusehenden Mehrarbeiten und Mehrleistungen verursachten natürlich bedeutend höhere Kosten. Es wäre möglich gewesen die Rosette zu unserem Angebotspreis auszuführen, trotz der grösseren Fläche, wenn wir darauf verzichtet hätten, Feld für Feld und Glasstück für Glasstück völlig frei und ungleich von jedem anderen Stück zu schneiden und zu bearbeiten; [...]. Für Laien wäre eine derartige Arbeit in jeder Beziehung durchaus befriedigend gewesen. Weil aber gegen eine Ergänzung der Rosette Sturm gelaufen wurde von modernen Künstlern und Kritikern, wie z.B. Prof. Knappe, war es doch wohl erforderlich, keine Mühe zu scheuen, um so jeden Eindruck eines »neugotischen« Fensters zu vermeiden. Es ist deshalb verständlich, dass Dr. Merten immer und immer wieder auf Abänderungen bestand, wenn er irgend eine Einzelheit nicht für vollständig geglückt hielt. [...] Aber so entstand die Rosette wieder in vollkommener Schönheit, dass selbst so scharfe Gegner, wie Prof. Knappe, nicht nur entwaffnet wurden, sondern restlos begeistert und ergriffen waren, wie Sie es aus dem Loblied Knappes ersehen konnten, das im Original Dr. Merten gewidmet war.
[Hier folgt eine Konkretisierung der Mehrkosten von 1.460.–]
Mit hochachtungsvollen Grüssen verbleiben wir Ihre ergebene
<u>*1 Rechnung anliegend!*</u>
LoAN, A.10.11/14 (Schriftverkehr 1947–1953, Franz Mayer'sche Hofkunstanstalt München, Rosette, Hallerfenster, Schmidmayer-Fenster, Tucherfenster).

99   NÜRNBERG 1950 OKT. 3

Gutachten des Regierungs-Baumeisters J. Lincke über die hervorragende Eignung des Jacobi-Verfahrens zur Restaurierung der gefährdeten Glasfenster in St. Lorenz:

Das Konservierungsverfahren für alte Glasmalereien von Dr. R. Jacobi wurde zur Wiederherstellung des stark in Mitleidenschaft gezogenen Knorr-Fensters angewendet. Bevor das Verfahren zur Anwendung kam, ging eine lange und kritische Prüfung des Landesamtes für Denkmalpflege voraus und waren dem Landesamt auch die bereits vor dem Krieg konservierten Flügel für den Naumburger Dom durch Inaugenscheinnahme bekannt.
Auch ist mir bekannt, dass bereits vor dem Kriege Herr Geheimrat, Ministerialdirigent Dr. Hiecke das Verfahren einer kritischen Prüfung unterzog, ehe er – und nach dem Krieg Herr Dir. Prof. Dr. Lill ihre Ueberzeugung offen aussprachen, dass dieses Verfahren allein an wertvollen Glasmalereien zugelassen sei.
Von irgendwelchen Verfärbungen ist weder in Naumburg, noch bei St. Lorenz etwas bemerkt worden bis auf den heutigen Tag. Die Bruchstück-Restaurierung gelingt nach diesem Verfahren, ebenso der Schutz lockeren Schwarzlotes, wie er bisher bei keinem anderen Verfahren möglich war.
Bei einem Flügel sind die Stücke nur zur Hälfte konserviert, um festzustellen, ob sich irgendeine optische Beeinträchtigung durch das Verfahren ergibt. Es ist praktisch beim Betrachten des Flügels nicht möglich, die konservierten und nicht konservierten Stücke zu unterscheiden.
Wir hatten zuerst Bedenken, ob sich nicht durch die als Schutz angebrachten Deckscheiben eine unangenehme Spiegelung ergeben kann. Nach dem teilweisen Einbau des Fensters, das von der Empore leicht zugänglich ist [gemeint ist die Imhoff-Empore], zeigt sich jetzt einwandfrei, dass sich diese Befürchtung als unbegründet erwiesen hat.
Besonders angenehm tritt in Erscheinung, dass trotz der vielen Brüche keinerlei Hilfsbleilinien mehr notwendig sind, wodurch der originale Bleiriss, der ja einen Teil der Zeichnung der Glasmalerei darstellt, wieder klar in Erscheinung tritt.
Für alle wertvollen Glasmalereien, bei denen das Schwarzlot, oder der farbige Ueberfang stark angegriffen sind, ferner solche, wo das Glas durch die Bewetterung bereits dünn und mürbe wurde und für die Glasmalereien, die durch den Ausbau während des Krieges viel Bruch aufweisen, ist das Verfahren als einzig brauchbares zu empfehlen.

         gez. Reg.-Baumeister J. Lincke

LoAN, A.10.11/2 (Mappe Glaserarbeiten).

100   NÜRNBERG 1952 MÄRZ 4

Leistungsverzeichnis über den Einbau von Schutzverglasungen und Glasgemälden sowie Blankverglasungen mit Rundscheiben bzw. Mondscheiben in den Fenstern des Hallenchores der Lorenzkirche durch die Kunst- und Bauglaserei Ammer, Nürnberg. Im Anschluss an eine Präambel zu den Vertragsbedingungen über Sorgfaltspflichten, Fristen, Garantieleistungen und Haftung seitens des Auftragnehmers folgt die eigentliche Beschreibung der Arbeiten:

Leistungsbeschrieb:
1. Einsetzen von bauseits geliefertem Sicherheitsglas zum Schutz der Malereifenster inkl. evtl. Herausnehmen der Ersatzscheiben, zuschneiden und einsetzen, sowie anheften im Steinfalz. [...] Bei den Masswerkscheiben darf eine Teilung mit stumpfem Stoss ohne Blei dort vorgenommen werden, wo das Material keine andere Möglichkeit offen lässt. (Eingestochene Stellen). Es ist dies mit der Bauleitung zu besprechen. [...]

2. Einsetzen der Malereifenster in die vorgefertigten Kasettenrahmen aus Leichtmetallprofilen wie bereits im Langhaus ausgeführt[8]. Die dazu nötigen Windeisen aus Aluminium 6 mm 2 x steingrau streichen, liefern, anfertigen und annieten. Die Malereifenster mit Bleihaften versehen und die Kasettenrahmen in die am Fenster montierten Eisenwinkel einsetzen. Scheibengrösse ca. 100 / 55.
Preis pro Feld 8.50
[Es folgen die Positionen 3.–4., die ausschließlich Rundscheibenverglasungen mit mundgeblasenem Bayrisch Neuantikglas bzw. Mondscheibenverglasungen umfassen.]
5. Die Masswerkfenster sind vom Glasermeister mit verbleitem Eisenblech einzufassen und mit einem zweimaligen wetterfesten Anstrich besonders im Falzinneren zu streichen. Das Einsetzen der Scheiben geschieht mit einem ebenfalls verbleiten Eisenblechstreifen nach Angabe der Bauleitung. Eine vorherige Rücksprache ist notwendig.
Fensterweise Aufteilung der Leistungen
[In der Abfolge von Chor süd VI umlaufend folgen für jedes Fenster im Unter- und Obergaden entsprechende pauschale Kostenvoranschläge für das Einsetzen der Sicherheitsgläser, ferner der Malereifenster sowie Rund- bzw. Monscheibenverglasungen:]

1. Tucher Fenster	*1.303.70*
2. Kaiser-Fenster von 1881	*3.550,–*
3. Schlüsselfelder-Fenster	*846.80*
4. Fenster über dem Schlüsselfelderfenster	*1.066.40*
5. Volkamer-Fenster	*576,–*
6. Fenster über dem Volkamer-Fenster	*1.050,–*
7. Kunhofer-Fenster	*571,–*
8. Fenster über dem Kunhofer-Fenster	*1.130.50*
9. Kaiser-Friedrich-Fenster	*581,–*
10. Fenster über dem Kaiser-Friedrich-Fenster	*490,–*
11. Knorr-Fenster	

Einsetzen des von Dr. Jacobi, Wernberg, restaurierten Fensters mit allen vorkomenden Nebenleistungen [ohne Schutzverglasung]

	pauschal 200,–
12. Fenster über dem Knorr-Fenster	*713,– + 34,–*
13. Haller-Fenster	*576,–*
14. Fenster über dem Haller-Fenster	*...*
15. Rieter-Fenster	*...*
16. Fenster über dem Rieter-Fenster	*...*
17. Tucher-Fenster	*2.087,–*
18. Hirsvogel-Fenster	*1,869,–*
Gesamtsumme	*DM 19.062,30*

LoAN, A.10.11/2 (Mappe Glaserarbeiten).

101   NÜRNBERG 1952 SEPT. 9

Schreiben von Baudirektor Lincke an Dr. Jacobi bei der DETAG in Wernberg zur Fertigstellung der Arbeiten am Schmidmayer-Fenster und mit der Bitte, auch beim Tucher-Fenster Nord zügiger voranzukommen:

[...] *Um mit dem Verbleien des Schmidtmair-Fensters zu Ende zu kommen, wäre es unbedingt nötig, daß Sie uns die restlichen*

---

8 Wie 1950 am Löffelholz-Fenster geschehen; s. Reg. Nr. 96.
9 Der Titel lautet richtig: Schwarzloterhaltung und Schwarzlotrestaurierung bei mittelalterlichen Glasgemälden, vgl. FRENZEL 1960.
10 Der Hinweis Frenzels bezieht sich auf die Restaurierung der Naumburger Westchorfenster 1939 durch Jacobi und auf dessen eigenen Bericht darüber in den Glastechnischen Berichten 30, 1957, S. 512f.

Felder umgehend zusenden könnten. Ich bitte Sie deshalb, mit den Arbeiten rasch zu Ende zu kommen oder, wenn die Fenster bereits fertig wären diese uns umgehend zuzusenden.
Wir sind von unserem Gönner Mr. Kress gedrängt worden, die Arbeiten am Inneren fertigstellen zu lassen. Er hat darüberhinaus keine Mittel mehr zur Verfügung gestellt, sondern wider unser Erwarten unsere Schulden von früher übernommen. [...] Dies bedeutet für uns, dass wir auch im Chor zu einem raschen Abschluss kommen und abrechnen müssen und dass wir mit den vorhandenen Restmitteln auf alle Fälle auszukommen haben. Ich muss Sie deshalb nunmehr um genauen Bescheid bitten, wie Sie die Arbeiten einteilen können, weil ich auf nächsten Montag Herrn Dr. Merten hiezu bestellen will, damit er die vorbereitenden Arbeiten an Tucher-Fenster Nord vornimmt. Wenn nun schon Herr Dr. Merten nocheinmal hier eigens Quartier nehmen will, ist es schon aus Kostengründen notwendig, dass die Arbeiten sich flüssig abwickeln. Sie wissen ja darüber Bescheid, dass beim Tucher-Fenster nicht alle Stücke dupliert werden müssen, sondern nur ein Teil, der von Herrn Dr. Merten in der nächsten Woche ausgewählt werden würde.
Also geben Sie uns bitte umgehend Bescheid wie alles steht und wie sich die nächsten Arbeiten einrichten lassen.
LoAN, A.10.11/2 (Mappe Glaserarbeiten).

102   MÜNCHEN 1953 AUG. 14
Rechnung der Franz Mayer'schen Hofkunstanstalt über Ergänzungsarbeiten an verschiedenen Fenstern im Chor sowie Patinierung von Randstreifen für den Betrag von DM 444,50, nebst einer Bestätigung der durchgeführten Arbeiten von Dr. Heinz Merten.
LoAN, A.10.1/3, o. Reg. (Rechnungen 1952–1956).

103   WERNBERG 1960 OKT. 24
Auszug aus einem Schreiben von Dr. Jacobi an Oberbaurat Lincke u.a. mit Beobachtungen, die jener anlässlich eines Besuchs in Nürnberg am Löffelholz-Fenster gemacht zu haben glaubte; mit Anmerkung von Gottfried Frenzel:
[...] Dabei stellte ich fest, daß das zweite Fenster vom üblichen Eingang ungewöhnlich starke Blasenbildung und Ablösung der Zwischenschicht zeigt. Bekanntermaßen habe ich das Schmidtmairfenster im Auftrage von St. Lorenz ausgeführt, und an diesem konnte ich keinerlei Fehler feststellen.
Es ist mir jedoch nicht bekannt, wer das neben dem Schmidtmair-Fenster befindliche Fenster gemacht hat, von dem ich annehme, daß dieses den Ausgangspunkt des Meinungsstreites bildet. Teilen Sie mir doch bitte mit, um welches Fenster es sich handelt (Kunhofer?) und wer dieses Fenster restauriert hat. Es macht fast den Eindruck, daß hier eine Patentverletzung vorliegen kann und daß ein völliger Dilletant auf dem Sicherheitsglasgebiete sich betätigt hat.
Am Rand der handschriftliche Vermerk von Lincke:
wenn es sich um das Löffelholzfenster handelt, so hat es Dr. Merten restauriert. Es sind nur Sicherungen nach »alter Schule« vorgenommen worden. Von Patentverletzung kann keine Rede sein. Dr. Merten wäre zu befragen. Lincke
Dazu der Vermerk von Frenzel:
das Löffelholz-Fenster ist nicht dubliert. die »ungewöhnlich starke Blasenbildung und Ablösung der Zwischenschicht«, die Herr Dr. J. beanstandet, ist in der Außenschutzverglasung! Wenn Herr Dr. J. befürchtet, hier könne eine Patentverletzung vorliegen und sich ein »völliger Dilletant auf dem Sicherheitsglasgebiete« betätigt habe, so ist diese Annahme irrig, denn die

SIGLA-Scheiben stammen von der DETAG, Wernberg. Siehe dazu Schreiben vom 27.I.1950 »[...] das Löffelholz-Fenster hinter die von Wernberg gelieferten SIGLA-Scheiben zu setzen [...], gez. Lincke«.
LoAN, A.10.11/2 (Mappe Glaserarbeiten).

104   KÖLN 1960 DEZ. 23
Bericht über die Reise vom 8.–11.12.1960 zur Beurteilung der Methoden Jacobi und Frenzel bei der Wiederherstellung mittelalterlicher Glasfenster. Die Stellungnahme des Kölner Kunsthistorikers und Angestellten der Dombauverwaltung Herbert Rode zur kritischen Bewertung der Restaurierungsmethode mittels Jacobi-Doublierungen, die Gottfried Frenzel in der Zeitschrift für Kunstgeschichte 23, 1960, veröffentlicht hatte:
Die Angriffe von Frenzel gegen die Methode Jacobi.
In der Zeitschrift für Kunstgeschichte, Bd. 23, 1960 hat Gottfried Frenzel in einem Aufsatz »Schwarzlotmalerei und Schwarzlotrestaurierung bei mittelalterlichen Glasgemälden«[9] heftige Angriffe gegen die Glasrestaurierungsmethode Jacobi gerichtet, insbesondere hat er die von Jacobi geleiteten Restaurierungsarbeiten an den Domfenstern abgewertet.
Dazu ist richtig zu stellen:
1) Auf S. 8 sagt F., daß die Kölner Glasmalereien durch »Kieselfluorwasserstoffsäure« die an den Kölner Glasmalereien entfernte Schicht nicht nur aus Schmutz, Kitt und Patina, sondern auch aus echter eingebrannter mittelalterlicher Schwarzlotmalerei besteht![10]
Richtig ist dagegen, daß in der Kölner Werkstatt seit Anfang an keine Kieselfluorwasserstoffsäure verwendet wird. Es wird in der Domwerkstatt auch keine mittelalterliche Schwarzlotmalerei entfernt, im Gegenteil, das mittelalterliche Schwarzlot wird, sofern es locker sitzt, gefestigt. Was den transparenten Schwarzlotüberzug betrifft (auf Vorder- und Rückseite), so ist dieser schon längst ausgesintert, insbesondere wurde er bereits im 19. Jhdt. bei Entfernung des Wetttersteines mit abgelöst. Solche Überzüge sind heute nur noch in geringen Resten erhalten. Es entspricht daher nicht der Tatsache, daß solche Schwarzlotüberzüge heute mit Schmutz und Patina entfernt würden.
2) S. 13 und 14 wird gesagt, daß sämtliche, bereits wiederhergestellten Domfenster die gleichen Schäden wie in Nürnberg (St. Sebald und Naumburg) aufwiesen wie »Blasenbildung, Lösung des Verbundes, Gilbung und lebhafte Bräunung der Folie«.
Richtig ist dagegen, daß im Jahre 1954 am ersten wiederhergestellten Fenster ein Mitarbeiter aus Unkenntnis (während der Abwesenheit von Dr. Jacobi) dem Kitt einen Lackverdünner zugegeben hat, sodaß Randblasen und Verbräunungen vom Rande her entstanden. Dieser technische Fehler findet sich nur an Scheiben des 1. Fensters, die übrigen restaurierten Fenster sind dagegen intakt.
3) Die schwerwiegenden Urteile über Vergilbung, Bräunung, Ablösen der Folie hat Frenzel offenbar gewonnen bei der Untersuchung des in der Tat sich in einem miserablen Zustand befindlichen Konhoferfensters in St. Lorenz in Nürnberg, das er als Arbeit von Dr. Jacobi ansah (Schreiben vom 22.12.1958 an Prof. Roth). 1959 erfuhr Dr. Frenzel jedoch (Schreiben vom 15.3.1959 an Prof. Roth), daß dieses dieses Fenster nicht von Dr. Jacobi, sondern 1939 von der Firma Zettler, München restauriert wurde. Jedoch ließ er nicht ab, die bei diesem Fenster beobachteten Schäden auf Fenster zu übertragen, die von Dr. Jacobi wiederhergestellt wurden: siehe Abschnitt 4.
4) Auf S. 12 und 13 spricht F. in seinem Aufsatz davon, daß Dr. Jacobi 1952 in Nürnberg Rundwappenscheiben in St. Se-

bald, 1953 das gesamte Knorr- und Schmidtmairsche Fenster in St. Lorenz in Nürnberg wiederhergestellt habe und die an den Scheiben in Naumburg und Nürnberg (St. Sebald) nach dem Tafelglas-AG-Verfahren getroffenen Sicherungsmaßnahmen inzwischen wieder durch Frenzel entfernt werden mußten, da sich im Verlauf weniger Jahre schwerwiegende Schäden eingestellt hätten (Blasenbildung, Lösung des Verbundes, Gilbung und lebhafte Bräunung der Folie inmitten der Bindeschicht). »Auch das St. Lorenzer – Knorrfenster weist die gleichen Schäden auf und muß in absehbarer Zeit wieder von den Restaurierungseingriffen befreit werden«.
Richtig ist dagegen, daß das Knorrfenster von Dr. Jacobi nicht 1953, sondern 1947/48 wiederhergestellt wurde, damals aber in der R-Markzeit kein reiner Leinölkitt zur Verfügung stand und daher die (nicht von Dr. Jacobi) durchgeführte Verkittung sich z.T. in gelbbräunlichen Streifen vom Rande her ausdehnt. Dieser technische Mangel besagt dagegen nichts gegen die Methode der Restaurierung an sich [...].
5) Richtig ist, daß Dr. Jacobi 1952/53 das Schmidtmairsche Fenster wiederherstellte. Von diesem jedoch berichtet F. keine Schäden. Bei sorgfältiger Überlegung hätte ihm auffallen müssen, daß das Schmidtmairsche Fenster so intakt erscheint, wogegen das angeblich im gleichen Jahr 1953 wiederhergestellte Knorrfenster einige Schäden enthält. Darüber hinaus muß zugegeben werden, daß bei dem von Dr. Jacobi wiederhergestellten Schmidtmairschen-Fenster bei einigen Sprüngen, in denen früher Notbleie saßen, am Rand schwache gelbliche Verfärbungen sitzen. Dr. Jacobi meint dazu, daß es sich um Reste des alten Kittes handele, der nicht restlos entfernt werden konnte, da sonst das Glas Schäden hätte erleiden können. – Nichts wird von Dr. Frenzel über die weiteren Restaurierungen Jacobis in St. Lorenz gesagt, wo er 1953 außer dem Schmidtmairschen-Fenster auch einige Teilstücke am Tucher- und Kaiser-Friedrich-Fenster restauriert hat. Der Zustand ist heute einwandfrei.
6) Abschließend ist zu den Angriffen zu sagen, daß kein Punkt von Frenzel gegen die Methode Jacobi stichhaltig ist. [Es folgt nochmals die Aufzählung der erhobenen Einwände und deren Zurückweisung und schließt wie folgt:] Eine Ansichtssache ist es dagegen, ob dieser transparente Schwarzlotüberzug (an Gewändern, Kopf und Händen) »wiedergeholt« werden soll oder nicht. Ferner ist es Ansichtssache, die Gläser beidseitig oder nur rückseitig zu dublieren. [...]
LoAN, A.10.11/2 (Mappe Glaserarbeiten).

105   NÜRNBERG 1964
In der Zusammenstellung der Ausgaben für 1964 werden unter der Rubrik *VI. Glasgemälde Restaurierungen* ohne weitere Spezifizierung der betroffenen Fenster neben 11 moderateren Rechnungen der Kunst- und Bauglaserei P. Kraemer und einer Position für die Schutzverglasung zwei größere Beträge von DM 5.350,– und 9.658,– an Dr. Frenzel verzeichnet; die Gesamtausgaben beziffern sich auf DM 22.248,40.
LoAN, A.10.1/6, o. Reg. (Rechnungen 1964–1966).

106   NÜRNBERG 1965
Die Ausgabenliste für 1965 verzeichnet unter der Rubrik:
III. Glaserarbeiten
(abgeschlossene Restaurierung des Volkamer-Fensters, begonnene Restaurierung des Schlüsselfelder-Fensters und des Sippen- (Hirsvogel-)Fensters.
Die anschließende Auflistung der Ausgaben verzeichnet 19 Einzelrechnungen der Kunst- und Bauglaserei P. Kraemer, jeweils

mit Beträgen zwischen DM 500,- und 700,-, eine Position für Glaslieferung in Höhe von DM 2.075,05 und drei Zahlungen an G. Frenzel: DM 10.128,- für die Chorobergadenfenster sowie DM 7.000,- bzw. 5.000,- als Abschlagszahlungen für laufende Restaurierungen am Schlüsselfelder-Fenster und an der Neuordnung des Hirschvogel-Fensters.
LoAN, A.10.1/6, o. Reg. (Rechnungen 1964–1966).

107   NÜRNBERG 1965 MAI 5
Schreiben Gottfried Frenzels an das Ev. Luth. Pfarramt St. Lorenz, die Glasgemälderestaurierung / Endabrechnung für die Chorobergadenfenster H I bis NORD V betreffend:
[...] für meine Bemühungen um die Instandsetzung der Farbverglasung in den Chorobergaden erlaube ich mir zu berechnen:
I). Restaurierungsarbeiten und Materialaufwendungen
Lohnaufwendungen für Frl. Hinkes und eigene Tätigkeit: Ergänzen in eingebr. Malerei, Doublieren, Einschleifen fehl. Teile u. Splitter, Freilegen d. Bemalung, Retuschen, Sicherung von Sprüngen u.a.m. (vgl. Restaurierungskartei). Material: Farbglas, Doubliermasse, Bleisprossen, Messingrahmen, Zinn,
15 Bände   *DM 8. 600,–*
II). Schwarzlot- und Korrosionssicherung *DM 1. 200,–*
III). Verbleiungsarbeiten und Messingrahmung
lt. Regiezettel P. Kraemer DM 5. 404, davon Rückvergütung für den Zeitraum 15.III. bis 26.III.65 (Arbeiten an dem Lorscher Kopf gem. Anlage) 100 Std. à DM 7 = DM 700
           DM 4. 704,–
IV). Restaurierungsdokumentation
Foto-Aufnahmen 9x12 cm schw.-w. Vergr. auf 13 x 18 cm je DM 2,50:
Bestandsaufnahme Stück 41
Zustandsdokumentation Stück 43
Einzel – und Rückseitendokumention Stück 44
insges. Stück 128   *DM 320,–*
V). Farbdiapositive, Kleinbild Volkamer-Fenster à DM 1,50
inkl. Einglasen Stück 80   *DM 120,–*
ÜBERTRAG   *DM 14. 944,–*
geleistete Zahlungen in dem Zeitraum 19.X.64 bis 3.IV.65 (Überweisung P. Kraemer)
[Es folgt die Auflistung zu einem Gesamtbetrag von DM 4. 816, die abzuziehen sind.]
offenstehender Restbetrag: *DM 10. 028*
[Es folgt ein Nachtrag über *unvorhergesehene und zusätzliche Arbeiten an den Chorobergaden-Fenstern, die im Kostenvoranschlag vom 23.III. nicht enthalten sind.*]
LoAN, A.10.1/6, o. Reg. (Rechnungen 1964–1966).

108   NÜRNBERG 1965 DEZ. 15
Aktennotiz von Gottfried Frenzel, die Gestaltung des Chorfensters süd V (ehemals Hirschvogel-Fenster, ab 1881 neues Kaiser-Friedrich-Fenster) betreffend:
Im Zuge der Neuerstellung des sogn. Neuen Kaiserfensters ist es nach langfristigen Bemühungen gelungen
1. die bisher ungelöste Frage der Beschaffung von Butzenscheiben (die nicht mehr hergestellt werden) zu lösen, indem mittelalterliche Butzen erworben werden konnten.
2. die Herstellung der Kopien nach einem eigens dazu entwickelten photochemischen Verfahren zu veranlassen, daß es ermöglicht, die (in München befindlichen) Originale photographisch getreu und materialgerecht wiederzugeben.
3. die Verhandlungen mit dem Germ. Nat. Museum stehen vor unmittelbarem Abschluß. Voraussichtlich wird St. Lorenz ca.

32 Runawappenscheiben als Leihgabe erhalten, die ausreichen dürften, um außer dem Kaiserfenster die zwei noch unfertigen Langhausfenster und die der Westtürme neu zu gestalten.
Wie bekannt hat sich auch die Stadt Nürnberg bereit erklärt, für den oben angegebenen Verwendungszweck Leihgaben zur Verfügung zu stellen.
4. auf dem Dachboden fand sich in einer Kiste die Originalscheibe (Volkamerwappen) der Westrosenverglasung, die dort durch eine Kopie ersetzt ist. Das Original sollte wieder eingesetzt werden.
LoAN, A.10.11/7, Reg. Kaiserfenster.

109　　　　　　　　　　　　NÜRNBERG 1966
Die Zusammenstellung der Ausgaben für 1966 verzeichnet unter der Rubrik *II. Glasgemälde* Gesamtkosten in Höhe von DM 30.002,17 für die Restaurierung von Imhoff-Fenster, Sippenfenster und Rieter-Fenster, darunter wiederum zahlreiche Rechnungen der Kunst- und Bauglaserei P. Kraemer für Verbleiung und Messingrahmung, zwei Abschlagszahlungen und zwei Endabrechnungen an Gottfried Frenzel (DM 7.000,–, 3.000,– bzw. 6.769,25 und 1.527,50 für das Imhoff-Fenster) sowie eine Zahlung an Gerda Hinkes (DM 2.000,– für Glasmäldekopien zur Vervollständigung der Hl. Sippe). Des Weiteren umfassen die Aufwendungen Schlosserarbeiten und die Lieferung von Sicherheitsglas.
Die beiliegenden Einzelabrechnungen enthalten u.a. die Endabrechnungen für das Schlüsselfelder-Fenster vom 13.1.1966 (darin die Restauratorenarbeit von mtl. DM 800,– von April bis Dezember für G. Hinkes), das Sippenfenster vom 11.7.1966 und das Imhoff-Fenster vom 24.10.1966.
LoAN, A 10.1/6, o. Reg. (Rechnungen 1964–1966).

110　　　　　　　　　　NÜRNBERG 1967 OKT. 20
Aus einem Brief des Generaldirektors des Germanischen Nationalmuseums, Erich Steingräber, an Pfarrer Viebig von St. Lorenz geht hervor, dass die Restaurierung des Rieter-Fensters durch die Werkstatt Frenzel abgeschlossen sei und daran gedacht werde, der Öffentlichkeit Gelegenheit zu bieten, die Scheiben aus der Nähe zu betrachten, bevor sie wieder an ihren angestammten Ort eingesetzt würden. Als Ort schlägt er den neuen Dunkelraum für Glasgemälde im Museum vor, der gerade fertig werde.
Lo AN, A.10.11/7, Reg. Rieterfenster.

111　　　　　　　　NÜRNBERG 1968 APRIL–AUGUST
Auszüge aus dem Briefwechsel zwischen Gottfried Frenzel, dem Pfarramt St. Lorenz, dem Architekten Georg Stolz und dem BLfD München zur Restaurierung des Kaiserfensters, u.a. mit Bezug auf Schäden an den von Dr. Jacobi restaurierten Feldern und dem damit verbundenen finanziellen Mehraufwand in Höhe von rund DM 20.000,– für deren Entdoublierung. Thematisiert werden auch die farblich unzulänglichen umfangreichen Ergänzungen Kellners von 1836 und welche Maßnahmen zu treffen seien, um diese abzumildern und an die Gesamtwirkung anzupassen. Da die Werkstatt von Dr. Frenzel mit diesen Arbeiten das ganze Jahr ausgelastet sei, sollen die für

die Restaurierung des Konhofer-Fensters bereitgestellten Mittel auf den Titel »Restaurierung Kaiserfenster« umgewidmet werden und die Arbeiten am Konhofer-Fenster in den Haushaltsplan für 1969 aufgenommen werden.
LoAN, A.10.11/7, Reg. Kaiserfenster.

112　　　　　　　　　　WERNBERG 1968 NOV. 13
Schreiben von Dr. Jacobi an Baudirektor Lincke in Nürnberg, das die Zuspitzung der Auseindersetzung um die Restaurierungsmethode Jacobi auf dem VI. internationalen Kolloquium des Corpus Vitrearum im Oktober 1968 in Ulm thematisiert:
Sehr geehrter Herr Baudirektor Lincke!
Ich habe Ihren Brief erhalten und war bisher der Meinung, dass gemeinsam ein Weg gesucht werden soll, um das restauratorisch verunglückte Löffelholzfenster in Ordnung zu bringen[11].
Nach meiner Anwesenheit in der letzten Woche in Köln hat die Angelegenheit für mich jedoch ein anderes Aussehen bekommen. Nach persönlicher Mitteilung des Herrn Dombaumeisters Prof. Dr. Weyres war eine Tagung der Glasmalereiexperten in Ulm, auf der Herr Dr. Frenzel einen Vortrag hielt. Herr Dr. Rhode [sic!] von der Dombauverwaltung Köln unterbrach den Vortrag und warf Herrn Dr. Frenzel vor, Unwahrheiten zu berichten und dass die von ihm zitierten und beanstandeten Fenster überhaupt nicht von mir restauriert wurden. […]
Auch war vor kurzem der Glassachbearbeiter der Kölner Domwerkstatt mit mir gemeinsam zu einer Besichtigung der Fenster in Nürnberg und nach dessen Bericht liegt nicht die geringste Notwendigkeit vor aus dem Schmidtmairfenster, aus dem Kaiser-Friedrich- und Tucher-Fenster oder aus den drei von mir gemachten Wappenfenstern irgendetwas auszubauen. […]
Es folgt der Hinweis, dass nun die Sachlage auch eine der Kölner Dombauverwaltung geworden sei und diese zur Beilegung beizuziehen sei. Abschließend bedauert Jacobi, dass Frenzel immer noch nicht wisse, welche Arbeiten von ihm und welche von andern stammen würden.
LoAN, A.10.11/2 (Mappe Glaserarbeiten).

113　　　　　　　　　　NÜRNBERG 1968 DEZ. 30
Aktennotiz des Architekten Georg Stolz zu den Berichten von Herbert Rode (1960) und W. Weber (1967), die dem Verfasser der Notiz anlässlich eines Besuchs der Herren Jacobi, Rode und Weber am 30.12.1968 in Nürnberg übergeben wurden. Darin werden die einzelnen Punkte in den Berichten kommentiert:
Stellungnahme zu 2 Berichten über Ortsbesichtigungen in Nürnberg durch Mitarbeiter der Dombauverwaltung Köln, die am 30-12-1968 durch Herrn Dr. Jacobi an Herrn Stolz übergeben wurden.
Es befremdet hierbei, daß der mit der Wiederherstellung der St. Lorenzkirche Betraute, zu keinem der beiden Termine beigezogen wurde; ebenso, daß die Berichte nicht früher zur Kenntnis gebracht wurden.
I. Bericht des Herrn Dr. Rode (Reise vom 8-12/11-12-1960)
»zur Beurteilung der Methoden Jacobi und Frenzel bei der Wiederherstellung mittelalterlicher Glasfenster«.
Zu 1. Verwendung von Kieselfluorwasserstoffsäure zur Reinigung von Glasgemälden.
Es erscheint unwichtig und uninteressant, in welchem Umfang in der Kölner Werkstätte dieses Material verwendet wird oder nicht. Entscheidend ist, daß Herr Dr. Jacobi in seiner Veröffentlichung: Kölner Domblatt, 10. Folge 1955, S. 126/127, selbst diese Methode beschreibt und empfiehlt.

---

11 Die scheinbar auf Mängel an den Glasgemälden des Löffelholz-Fensters zurückgeführten Beobachtungen von Blasenbildung und Vergilbung betrafen tatsächlich nur die Außenschutzverglasung aus Verbundsicherheitsglas. Das Löffelholz-Fenster war nie nach dem Jacobi-Verfahren restauriert worden.

Die Behauptung, daß in der Kölner Werkstatt von Anfang an keine Kieselfluorwasserstoffsäure verwendet wird (S. 1 des Berichtes) straft der Verfasser selbst Lügen auf Seite 9 desselben Berichtes, wo sogar von der Veröffentlichung entsprechender Abbildungen von Scheiben des Ornamentteppichs vom Obergaden in Köln vor und nach der Behandlung mit Kieselfluorwasserstoffsäure berichtet wird. Es ist kaum anzunehmen, daß diese Maßnahmen außerhalb der Kölner Werkstätte vorgenommen wurden!

Auch das Zitat, es »habe sich keinerlei Notwendigkeit gezeigt, Kieselfluorwasserstoffsäure zu verwenden, und aus diesem Grunde wird auch keine benutzt«, ist durch die Veröffentlichung des Herrn Dr. Jacobi im Kölner Domblatt, 10. Folge 1955, S. 126/127, widerlegt oder unwahr.

Zur Verwendung dieses Materials im allgemeinen ist zu bemerken, daß die Äußerung des Herrn Dr. Jacobi (in einem, dem Unterzeichnenden unbekannten Brief vom 19-12-1960 – Zitat im Bericht Rode) »man könnte Glasstücke mit Schwarzlot jahrzehntelang in Kieselfluorwasserstoffsäure aufbewahren, ohne daß diesem etwas geschieht«, sehr wohl für intaktes Glas zutreffen mag. Bei der Restaurierung von mittelalterlichen Glasgemälden handelt es sich jedoch wohl meist um brüchiges, angewittertes und poröses Glasmaterial, das sich erfahrungsgemäß selbst bei Lagerung im Wasser anlöst. Als verantwortungsbewußter Denkmalpfleger kann man daher die angegebene »Versuchsanordnung« nicht befürworten, solange nicht eine intensive Diagnose der Glasbeschaffenheit vorliegt. Bedenken dieser Art als »tendenziöses Geschwätz« abzutun (Seite 9 des Berichtes) halte ich für unfair und für die Wahrheitsfindung für ungeeignet; umsomehr, da Herrn Dr. Rode in dem nachfolgenden Absatz seines Berichtes die Gefahren wohl selbst erkannt hat.

Zu 2. »Blasenbildung, Lösung des Verbundes, Gilbung und Bräunung der Folie«

Über den Zustand der wiederhergestellten Domfenster kann meinerseits kein Urteil abgegeben werden.

Zu 3. »Vergilbung, Bräunung und Ablösen der Folie«

Die »schwerwiegenden Urteile über Vergilbung, Bräunung, Ablösen der Folie« kann Herr Dr. Frenzel unmöglich bei der Untersuchung »des in der Tat sich in einem miserablen Zustand befindlichen Konhofer-Fensters in St. Lorenz in Nürnberg« gewonnen haben. Es ist erstaunlich, daß es einem Sachverständigen wie Herrn Dr. Rode entgangen ist, daß das gesamte Konhofer-Fenster keine einzige duplierte Scheibe enthält!

Das zitierte Fenster wurde in den Jahren 1935/37 bei der Firma Zettler, München, nach einem Verfahren restauriert, das der frühere Betreuer der Nürnberger St. Lorenzkirche, Dombaumeister Jos. Schmitz, der selbst einer Glasmalerfamilie entstammte, entwickelt hatte. (Vgl. »Die Instandhaltung alter Glasmalereien« in Denkmalpflege 21. Jahrgang 1919 S. 97 ff u. »Die Erhaltung des Volkamer-Fensters in St. Sebald in Nürnberg«, ebendort S. 105). Genaue Angaben über die durchgeführten Maßnahmen finden sich im Bericht des Herrn Rudolf Pfister »Die Erhaltung des Konhofer-Fensters in St. Lorenz zu Nürnberg« in »Deutsche Denkmalpflege« München, 1939 S. 66-78.

Aufgrund einer Befragung des Herrn Dr. Frenzel läßt sich zu diesem Fragenkomplex folgendes feststellen:

Dr. Frenzel wurde von Herrn Dr. Roth gebeten, für die Neuauflage des Buches »Malmaterialien« herausgegeben vom DOERNER-Institut München, die Bearbeitung des Artikels über Glasmalerei zum übernehmen. Indem sich hieraus erge-

benden Schriftwechsel beschrieb Herr Dr. Frenzel die Mängelerscheinungen, die am KNORR-Fenster der St. Lorenzkirche nach der Restaurierung durch Herrn Dr. Jacobi aufgetreten waren, jedoch unter der falschen Objektbenennung »KONHOFER-Fenster« (Sicher ein bedauerlicher Irrtum!). Die Fehlbenennung wurde jedoch im Zuge eines – daraufhin von Herr Dr. Roth angeforderten – Berichtes über den Zustand des »KONHOFER-Fensters« richtiggestellt (vgl. Fotokopie des Schreibens Frenzel/Roth). Dem Bericht des Herrn Dr. Rode ist zu entnehmen, daß ihm dieser Schriftwechsel bekannt sein muß!

Das heißt: alle erhobenen Vorwürfe des Herrn Dr. Frenzel die Herr Dr. Rode gerne auf das »KONHOFER-Fenster« angewendet wissen möchte, gelten ursprünglich dem »KNORR-Fenster«. Beim Lokaltermin in St. Lorenz in Nürnberg am 30-12-1968 kam auch Herr Dr. Jacobi selbst (im Gegensatz zu den Herren Rode und Weber) zur Überzeugung, »daß die Vergilbung in erschreckenden Maße zugenommen habe, sodaß unbedingt etwas getan werden muß« (Schreiben Dr. Jacobi vom 8-1-1969).

Die Unterstellung des Herrn Dr. Rode, Dr. Frenzel habe »ohne einen Auftrag zu haben, von einer Scheibe (des KONHOFER-Fensters) die Deckscheiben abgelöst und dabei ist lockeres Schwarzlot verlorengegangen«, muß entschieden zurückgewiesen werden. Erstens ist dies aufgrund des obengesagten unmöglich, weil sich im KONHOFER-Fenster keine einzige duplierte Scheibe befindet; zum zweiten werden die Maßnahmen der Glasfensterrestaurierung an der St. Lorenzkirche vom Unterzeichnenden dauernd und intensiv überwacht.

Zu 4. <u>Arbeitsumfang</u> des Herrn Dr. Jacobi in Nürnberg und <u>Schäden</u> am »<u>KNORR-Fenster</u>« der St. Lorenzkirche zu Nürnberg

Es trifft zu, das das Knorrfenster der St. Lorenzkirche durch Herrn Dr. Jacobi in den Jahren 1947/48 (und nicht 1953) unter mißlichen Umständen restauriert wurde. Ob allerdings die aufgetretenen Schäden an diesem Fenster ausschließlich auf schlechtes Material der RM-Zeit (Leinölkitt) zurückzuführen sind, ist zu bezweifeln, da die zu späterem Zeitpunkt ausgeführten Arbeiten (SCHMIDMAYER-Fenster) ähnliche Schäden aufweisen (Lösen des Verbundes; Auslaufen der Bindeflüssigkeit aus der Verbundschicht; Blasenbildung im Verbund; Gilbung an den Klebe- und Randzonen).

[Der folgende Abschnitt betrifft nicht identifizierte Rundscheiben in St. Sebald.]

Bezüglich des Zustandes des KNORR-Fensters in St. Lorenz gilt das oben unter 3. gesagte. Die Ausführungen des Herrn Dr. Frenzel: »Auch das St. Lorenzer KNORR-Fenster weist die gleichen Schäden auf und muß in absehbarere Zeit wieder von den Restaurierungseingriffen befreit werden«, decken sich ja ziemlich genau mit der eigenen Stellungnahme der Herrn Dr. Jacobi (vom 8-1-1969), »daß die Vergilbung in erschreckendem Maße zugenommen habe, sodaß unbedingt etwas dagegen getan werden muß«.

Zu 5. Schmidmayer-Fenster

Es ist erstaunlich, daß Herr Dr. Rode in einer Rechtfertigung gegenüber den Angriffen von Herrn Dr. Frenzel im KNORR-Fenster keine Schäden sehen und erkennen will, dagegen aber beim SCHMIDMAYER-Fenster zu einer Selbstanklage des Jacobi-Verfahrens schreitet, ohne daß die hier aufgetretenen Schäden Gegenstand einer Erörterung waren. Dieses Fenster wurde im Jahre 1953 durch Herrn Dr. Jacobi restauriert, also keineswegs unter schlechten Voraussetzungen, wie beim KNORR-

Fenster. Herr Dr. Rode findet beim SCHMIDMAYER-Fenster »schwache gelbliche Verfärbungen bei einigen Sprüngen, in denen früher Notbleie saßen«. Die hierzu von Herrn Dr. Jacobi geäußerte Vermutung, »daß es sich um Reste des alten Kittes handelt, der nicht restlos entfernt werden konnte, da sonst das Glas Schäden hätte erleiden müssen«, kann bei gründlicher Inaugenscheinnahme leicht widerlegt werden. Wie auch beim Lokaltermin am 30-12-1968 festgestellt wurde, handelt es sich bei diesen Vergilbungen eindeutig um Verfärbungen, in den Zonen des zum Zusammenbinden der Glasbruchstücke während des Arbeitsvorganges verwendeten Tesa-Bandes. Ob es sich lediglich um Kleberrückstände des wiederabgenommenen Heftstreifens handelt (wie dies Herr Dr. Jacobi auslegt) oder um in die Duplierung miteingepackten kompletten Tesa-Film, könnte erst bei weitgehenderen Untersuchungen festgestellt werden. Die Abnahme des Deckglases bei einem Scheibenstück aus dem IMHOFF-Fenster (von Herrn Dr. Jacobi als Stifter-Fenster benannt), ergab eindeutig, daß auch die Acetat-Trägerfolie des Filmes sich unter der Duplierung befand (das entsprechende Handmuster befindet sich im Archiv der St. Lorenzkirche). [...] Zur Frage, ob Gläser beidseitig oder nur rückseitig dupliert werden sollen, wäre nur das eine zu bemerken: Jede vorgenommenen Restaurierung soll den Erhalt und der Konservierung des Vorhandenen dienen. Wie auch bei der Restaurierung von Tafelgemälden und anderen Kunstgütern, muß es oberste Forderung sein und bleiben, daß jeder Restaurationseingriff und jede Retusche erkennbar sein muß und jederzeit rückgängig gemacht werden kann, ohne daß hierbei das Original den geringsten Schaden leidet. Wie schwierig gerade diese letzte Forderung bei einer vorderseitigen Duplierung zu lösen ist, erhellt allein aus der Tatsache, daß (nach Prof. Geilmann) zersetztes Schwarzlot wasserlöslich ist. Der im Schriftwechsel Dr. Jacobi/ Lincke vom 13-5-1947 angeregte Versuch zur Demonstrierung des Lösung des Verbundes bei duplierten Scheiben ohne Beeinträchtigung der Originalgläser, werde noch nicht gemacht, jedenfalls liegen den Beteiligten darüber keine Berichte vor. Die Frage inwieweit Schwitzwasser und Korrossion dazu zwingen, auch vorderseitig zu duplieren (Nachtrag im Bericht Rode) sei dahingestellt. Es liegen langjährige Erfahrungen vor, wie diesen Erscheinungen durch zusätzliche Schutzverglasung entgegengewirkt werden kann. (s.u. zu c) Unter IV b. S. 8 wäre m.E. – der Objektivität halber – als Nachteil der Methode Jacobi (neben dem obengesagten) noch anzufügen, daß die vorderseitige Duplierung einen Spiegeleffekt mit sich bringt, der je nach Standort und Blickwinkel im Hallenchor St. Lorenz als störend empfunden werden muß. Darüberhinaus werden durch das vorderseitige Duplieren der Gläser, Halbtöne der Zeichnung optisch geschluckt (sog. Naßeffekt). Dies ist ein Grund mehr, warum vom Standpunkt des gewissenhaften Restaurators eine vorderseitige Duplierung unterbleiben sollte. Da vorderseitiges Duplieren eine intensive Reinigung des Bruchstückes zur Voraussetzung hat und die Abformung der Glasoberfläche (auch bei zwischengelegter Staniolfolie) eine im rein handwerklichen begründete Gefahr bedeutet, ist die Feststellung, daß Schwarzlot selbst durch die Duplierung nicht leidet, fragwürdig. Die Forderung der Rückgängigmachung unter vollem Schwarzloterhalt (das große Problem bei der neuerlichen Restaurierung des KNORR-Fensters) ist demnach kaum erfüllt. Zu c) Schutzverglasung Wenn Herr Dr. Rode (1960, nachdem er die Fenster der St. Lorenzkirche besehen hatte) »hörte, die Denkmalpflege in

München lege eine Glaswand vor die Fenster«, so muß diese Stellungnahme befremden, denn die Glasfenster der St. Lorenzkirche sind alle mit einer Schutzverglasung aus »Sigla« gesichert (Ausführung in den Jahren 1948/52, wie dies auch Herr Dr. Jacobi bestätigen kann). LoAN, A.10.11/2 (Mappe Glaserarbeiten).

114 (115)   NÜRNBERG 1969 JAN. 14
Schreiben des Architekten Georg Stolz an Dr. Richard Jacobi, Fragen zu den an den Jacobi-Doublierungen der Lorenzer Fenster beobachteten Vergilbungserscheinungen und die chemische Beschaffenheit der verwendeten Materialien betreffend: *Sehr geehrter Herr Dr. Jacobi,* [...] *Da ich zu einer völligen Klärung auf den Abschluß des Sachverständigenstreites zwischen Ihnen und Herrn Dr. Frenzel bezüglich der Scheiben aus der Nürnberger St. Lorenzkirche rechnen darf, möchte ich mich mit diesem Schreiben lediglich auf die auch von Ihnen genannten 2 Punkte 1. Vergilbung durch Tesa-Band 2. Gelbwerden der Ränder mangels Leinölkitt o.a. beschränken. Die bei der Besprechung am 30-12-1968 übergebenen beiden Berichte von Ortsbesichtigungen der Lorenzer-Fenster durch Mitarbeiter der Dombauverwaltung Köln (Dr. Rode vom 23-12-1960 und Werner Weber vom 6-6-1967) erlaube ich mir in einem gesonderten Schreiben zu beantworten. Zu 1.   Vergilben durch Tesa-Band Wie Sie, sehr geehrter Herr Dr. Jacobi, bei dem Ortstermin am 30-12-1968 in der St. Lorenzkirche selbst feststellen konnten und dies auch in Ihrem Schreiben vom 8-1-1969 bestätigen, sind bei vielen Scheiben entlang der Sprünge Vergilbungen in der Breite des zum Heften der Bruchstücke verwendeten Tesa-Bandes erkennbar. Ob es sich hierbei um eine Bräunung von Klebstoffresten der vor endgültiger Duplierung wieder abgezogenen Tesa-Streifen handelt, oder ob tatsächlich komplette Tesa-Bänder mit in die Duplierung verpackt wurden, ist nicht mit voller Gewißheit zu sagen und könnte nur durch weitergehende Untersuchungen festgestellt werden. Bei den ausgebauten Randstreifen einer Scheibe des IMHOFF-Fensters (von Ihnen als Stifterfenster zitiert) wurde allerdings festgestellt, daß auch die Acetat-Trägerfolie unter der Duplierung vorzufinden war. Das entsprechende Randmuster hierzu liegt im Archiv der St. Lorenzkirche vor. Der von Herrn Dir. Dr. Kilian angeregte Versuch, durch Bestrahlung der Scheiben mit UV-Strahlen festzustellen, inwieweit sich diese Bräunung durch Lichteinwirkung verstärkt, soll in Kürze durchgeführt werden. Darüberhinaus habe ich Herr Prof. Dr. Oehl, Universität Erlangen, gebeten, im Namen seines Institutes die Firma Beiersdorf, Hamburg, von den mit Tesa-Film gemachten Erfahrungen zu unterrichten und um Stellungnahme zu folgenden Fragen zu bitten: 1. Sind die entstandenen Gilbungen a) auf den Kleber oder Kleberückstände, oder b) auf die Trägerfolie bzw. den kompletten Film, c) auf ein evtl. Erhitzen dieser Tesa-Bänder beim Kitten der Sprünge (Vgl. Bericht Weber vom 6-6-1967: 110°) zurückzuführen. 2. Welche Erfahrungen liegen vor, bei Verwendung Tesa-Film auf Glas? Stellungnahme zu einer Nachrichtlichen Mitteilung, daß Tesa-Film auf Gußglas (Weck-Glas) einen Mattierungseffekt auf der Glasoberfläche hinterläßt (Ätzung).*

3. Auf welche Weise kann diese Vergilbung vermieden bzw. rückgängig gemacht werden (Löser usw.).
Aus diesem Fragenkatalog mögen Sie bitte entnehmen, daß ich mich Ihrer Meinung – es handle sich nur um Schönheitsfehler – nicht voll anschließen kann, besonders im Zusammenwirken der Erscheinungen der unter 1. und 2. genannten Mängel.
Zu 2. Ich bin mit Ihnen, Herr Dr. Jacobi, vollkommen einer Meinung, daß die Vergilbungen an den Scheiben des KNORR-Fensters in »erschreckendem Maße zugenommen haben, sodaß unbedingt etwas dagegen getan werden muß« Das von Ihnen bislang geschmähte Zitat des Herrn Dr. Frenzel (Ztsch. f. Kunstgeschichte 1/60 S. 12) daß »das St. Lorenzer Knorrfenster [...] in absehbarer Zeit von den Restaurierungseingriffen befreit werden muß« besagt nichts anderes.
Seit ich die Betreuung der St. Lorenzkirche – und damit die Verantwortung die uns überkommenen Kunstgüter in bestmöglichem Zustand zu erhalten im Jahre 1956 übernommen habe, beobachte ich gerade diese Erscheinungen am KNORR-Fenster mit größter Besorgnis.
Was allerdings endgültig mit den Scheiben dieses Fensters geschehen soll, ist mir noch nicht ganz klar. Jedes Abnehmen von Deckgläsern wird einen weiteren Substanzverlust mit sich bringen und ist m.E. sehr genau zu überprüfen, wogegen die größeren Bedenken einzuwenden sind, gegen ein Lösen des Verbundes mit evtl. Verlust weiterer Schwarzlotzeichnung, oder gegen das Belassen der Duplierung mit einer fortschreitenden Vergilbung und farblichen Verfälschung des Fensters.
Um diese Fragen vorklären zu können, möchte ich allerdings vorschlagen, vor Ihrem Gespräch mit Herrn Prof. Weyres nochmals eine Besprechung in Nürnberg, möglichst mit Einschaltung des Herrn Dr. Frenzel, durchzuführen. Gerade im Hinblick auf den guten Eindruck, den das Zusammensein am 30-12-1968 auf alle Beteiligten hinterlassen hat, glaube ich, daß bei dieser Gelegenheit vielleicht noch die restlichen Vorurteile oder Falschbeurteilungen auf beiden Seiten gelöst und bereinigt werden könnten. Ich sehe hierin auch eine Möglichkeit, für ein fruchtbares Gespräch in Köln, optimale Voraussetzungen zu schaffen. Auch Herr Dr. Rode schlägt ja in seinem Schreiben vom 28-12-1968 an Sie, eine solche Kontaktaufnahme vor. Herr Dr. Frenzel ist hierzu, wie bereits früher schon betont, jederzeit bereit.
Gegen einen Transport der Scheiben des Knorr-Fensters nach Köln möchte ich schon jetzt gewisse Bedenken anmelden, die einmal in der nicht zu ermessenden Transportgefährdung und zum anderen in der Unmöglichkeit der Ausführungsüberwachung durch mich liegen. Gerade aus den beiden letztgenannten Gründen habe ich die Werkstätte die die Glasrestaurierungen der St. Lorenzerscheiben durchführt, in der Kirche selbst einrichten lassen.
Wir wären Ihnen dankbar, wenn wir zu den angeschnittenen Fragen wieder von Ihnen hören würden.
Mit freundlichen Grüßen   *gez. G. Stolz, Architekt BDA*
Anlagen
Aktennotiz vom 15-1-1969 über 2 Berichte (H. Dr. Rode u. H. Weber)
1 Fotokopie des Briefes Dr. Frenzel vom 15-3-1959
1 Abschrift des Briefes St. Lorenz Bauhütte vom 11-2-1948
LoAN, A.10.11/2 (Mappe Glaserarbeiten).

116   NÜRNBERG 1969 JAN. 27
Schreiben von Baudirektor Lincke an den Kölner Dombaumeister Weyres, die Begutachtung der Glasgemälde von St. Lorenz hinsichtlich der Schäden an den Jacobi-Restaurierungen betreffend:
Sehr geehrter Herr Professor!
Am 13-11-1968 hat Herr Dr. Jacobi, Wernberg, an mich ein Schreiben gerichtet, das der Klärung von Meinungsverschiedenheiten mit Herrn Dr. Frenzel dienen sollte, die durch eine persönliche Mitteilung Ihrerseits an Herrn Dr. Jacobi über eine Tagung von Glasmalereiexperten in Ulm neuerdings zur Sprache gekommen sind. Herr Dr. Jacobi bezieht sich bei seinem Schreiben auch auf einen Besuch von Herrn Dr. Rode in St. Lorenz und schreibt dann:
»Dadurch ist die Angelegenheit leider keine Sache einer internen Besprechung zwischen uns, sondern auch zu einer Angelegenheit der Kölner Dombauverwaltung geworden. Bei einer Aussprache mit Herrn Dr. Frenzel in Nürnberg muß daher auch ein Herr des Kölner Domes zugegen sein. [...]
Nach dieser neuen Sachlage bitte ich um Ihren Bescheid, wann eine solche Besprechung stattfinden könnte, da ich einen passenden Termin auch noch mit Herrn Prof. Dr. Weyres abstimmen muß.«
Auf meine Bitte hin fand am 30. Dezember eine Besprechung mit Herrn Dr. Kilian, dem Vorsitzenden des Vorstandes der Deutschen Tafelglas AG in Gegenwart von Herrn Dr. Jacobi statt. Auch Herr Dr. Kilian empfahl, an Sie mit der Bitte um Beratung und Erfahrungsaustausch heranzutreten.
Diese Bitte möchte ich nunmehr im Einverständnis mit dem Pfarramt St. Lorenz und dem seit 1956 mit der Überwachung der Restaurierungsarbeiten beauftragten Architekten, Herrn Stolz, vorbringen [...]
Mit freundlichen Grüßen   *gez. Lincke*
LoAN, A.10.11/2 (Mappe Glaserarbeiter).

117   WERNBERG 1969 FEBR. 18
Schreiben von Dr. Jacobi an den Architekten Georg Stolz, die beanstandeten Schäden an Jacobi-Doublierungen in St. Lorenz betreffend:
Sehr geehrter Herr Stolz,
da Herr Baudirektor Lincke inzwischen in Köln war, wird er Ihnen sicher über den dortigen Besuch berichtet haben. [...]
Inzwischen können wir uns darüber einigen, ob ein Flügel des Knorr-Fensters nach dem Umzug in Köln in Ordnung gebracht werden soll.
Die Rückführbarkeit, die ich oft genug dem Landesamt für Denkmalpflege, München vorgeführt habe, ist unter Voraussetzung der entsprechenden Apparatur denkbar einfach. Ich möchte jedoch in Köln entscheiden, ob es zweckmäßig ist dabei die aufgebrachten Deckscheiben zu erhalten, damit bei der Wiederherstellung nicht nochmals neue Deckscheiben geschnitten werden müssen.
Es folgen Hinweise auf Untersuchungen des verwendeten Kitts bzw. Klebers, die von den Hoechst-Farbwerken durchgeführt werden, und die Behauptung, dass selbst bei strengster Prüfung keine Verfärbungen aufgetreten seien. Auch habe sich herausgestellt, dass das nach dem Kitten entfernte Tesaband nichts mit dem Verfärben zu tun habe.
LoAN, A.10.11/2 (Mappe Glaserarbeiten).

118   NÜRNBERG 1969 FEBR. 27
Antwortschreiben von Stolz an Jacobi mit Bezug auf die postulierte einfache Reversibilität der Jacobi-Doublierungen und die Bitte, einen seitens des BLfD München vorgeschlagenen Ortstermin in der zweiten Märzhälfte einzuplanen:

[...] *Zur Frage der Rückführbarkeit muß ich allerdings feststellen, daß Sie meine Anregung offensichtlich falsch verstanden haben, denn es ist der Kirchenverwaltung St. Lorenz und mir nicht damit gedient, wenn Sie den Versuch der Rückführbarkeit »dem Landesamt für Denkmalpflege in München oft genug vorgeführt haben«. Es war dem Auftraggeber (= evang. luth. Kirchengemeinde St. Lorenz, Nürnberg) im Jahre 1947 zugesichert, daß die Rückführbarkeit demonstriert werden sollte. Dies ist damals nicht geschehen und wenn die Maßnahme »unter Voraussetzung der entsprechenden Apparatur denkbar einfach« ist, kann ich nicht verstehen, warum Sie nicht auf den Vorschlag eingehen, die Demonstration zu wagen.*
Ich darf Sie, sehr geehrter Herr Dr. Jacobi, deshalb nochmals bitten, den Versuch vorzuführen; eine Menge der strittigen Punkte könnte meines Erachtens schon allein mit dieser Demonstration beseitigt werden.
Mit freundlichen Grüßen   *gez. G. Stolz*
LoAN, A.10.11/2 (Mappe Glaserarbeiten).

119   NÜRNBERG 1969 APRIL 29
Tätigkeitsbericht des zuständigen Architekten Stolz bei St. Lorenz über abgeschlossene Maßnahmen am Kaiserfenster und den Beginn der Restaurierung des Konhofer-Fensters durch die Werkstatt Frenzel:
Im Zuge der Glasfensterrestaurierung wurde im vergangenen Jahr mit einer großen Anstrengung das sog. Kaiserfenster im Chorhaupt instand gesetzt. Die Schwierigkeit lag in diesem Falle darin begründet, die mittelalterl. originalen Scheiben mit den Ergänzungen des vorigen Jahrhunderts und mit den benachbarten Chorfenstern [zu] einer Einheit zu bringen. Beim weitaus größten Teil der Scheiben war dies durch Auflegen von Filtergläsern möglich, sodaß in diesen Fällen weder neue Teile angefertigt werden mußten, noch in die Ergänzungsscheiben aus dem letzten Jahrhundert einzugreifen war. Eine weitere Partie der »Kellner«-Ergänzungen mußte allerdings aufgehellt werden, da die Ergänzungen farblich nach den durch Wetterstein und Schmutz gedunkelten Originalen angefertigt worden waren. Ein geringer Teil – vorwiegend das stark aus dem Rahmen der anderen Farben fallende Blau – mußte ausgeglast und durch neue Scheibenstücke ersetzt werden.
[Es folgen Angaben zu Restaurierung von Altären und Epitaphien.]
Seit dem 7. Januar hat Herr Dr. Frenzel die Scheiben des KONHOFER-Fensters ausgebaut und die Restaurierung derselben begonnen. Der Zustand dieses Fensters ist wieder ganz anders gelagert als bei den bisherigen, da bei der letzten Instandsetzung das Fenster zur Sicherung des Schwarzlotes mit feinem Glasstaub überbrannt wurde.
        gez. G. Stolz, Architekt BDA
LoAN, A.10.11/2 (Mappe Glaserarbeiten).

120   NÜRNBERG 1969 MAI 16
Zwischenbericht von Frenzel zur Restaurierung des Konhofer-Fensters und Ausblick auf die bevorstehenden Maßnahmen an Haller- und Schmidmayer-Fenster:
Die Konservierungsarbeiten am Konhofer-Fenster, Chor s II sind inzwischen soweit gediehen, daß das Fenster etwa Ende Juni 69 fertiggestellt und wieder eingesetzt werden kann. Der geschätzte Gesamtkostenaufwand wird sich auf ca. 21.400,– belaufen. Hierzu kommt noch die Außenschutzverglasung [...] mit ca. DM 2.100,–. Da die Lieferzeit für Securitgläser etwa 6 Wochen beträgt, bitte ich um Ihre diesbezügliche Entscheidung

und Veranlassung des Gerüstbaues, damit die Firma Hanold Schablonen abnehmen kann.
Als nächstes Fenster war für die Renovierung das Hallersche Chor n III mit einem Gesamtkostenaufwand von DM 33.400,– (einschl. Kopien), bzw. das Schmidtmair-Fenster, Langhaus s XVI mit einem geschätzten Kostenaufwand von DM 18.000,– vorgesehen.
[Es folgen Angaben zur Zeitplanung.]
Hauptschäden: Das Haller-Fenster weist umfangreiche Totalsplitterungen auf, die eine ähnlich diffizile Konservierung erforderlich machen, wie im Rieter-Fenster; außerdem sind zwei Kopien anzufertigen.
Das Schmidtmair-Fenster müßte ganz entbleit und von den beiderseitigen Doublierungen befreit werden. Die Frage einer neuen Außenschutzverglasung wäre auch hier zu stellen. Die Kosten beim Haller-Fenster belaufen sich auf ca. DM 2.100,–, beim Schmidtmair-Fenster auf ca. DM 600,–.
        Dr. Gottfried Frenzel
LoAN, A.10.11/2 (Mappe Glaserarbeiten) und A.10.11/7, Reg. Konhoferfenster.

121   KÖLN 1969 NOV. 13
Aktennotiz zu einem Werkstatttermin in der Glaswerkstatt des Kölner Domes, bei dem die Reversibilität des von Dr. Jacobi praktizierten Doublierung-Verfahrens demonstriert werden sollte, wobei die negativen Auswirkungen des Verfahrens offenbar wurden:
Nach Vereinbarung mit Herrn Dr. Jacobi war für den 13–11–1969 der im Vertrag mit St. Lorenz aus dem Jahre 1948 zugesagte Demonstrationsbesuch zur Ablösung von nach seinem Verfahren duplizierten Gläsern zugesagt.
9 Uhr: Besuch bei Herrn Dombaumeister Prof. Dr. Weyres
Zum Gespräch anwesend: Dr. Frenzel, Nürnberg
        Dr. Eichhorn
        Architekt Stolz
Nach der Begrüssung erläuter(t) Architekt Stolz Sinn und Zweck des Besuches. Prof. Dr. Weyres weist die Anwesenden an die Glaswerkstätte weiter.
Glaswerkstatt: Anwesend sind Dr. Ramisch (Bay. Landesamt für Denkmalpflege), Dr. Jacobi, Dr. Rothe [Herbert Rode] (Leiter des Domarchives Köln), Dr. Frenzel, Dr. Eichhorn, Herr Weber (aus der dortigen Glaswerkstätte) und Architekt Stolz.
Herr Dr. Jacobi demonstriert zuerst sein Verfahren der Duplierung von Glasgemälden. Hier zur Verwendung kommende Folien werden direkt in der Kölner Werkstätte gegossen, also nicht aus dem Handel bezogen! Die Verbundflüssigkeit wird vakuumisiert. In Köln werden die Obergadenfenster komplett dupliert (ob dies vom Bestand her nötig ist oder nicht). Dabei ist zu bedenken, dass der Auftrag Jacobi's in Köln dahingeht, die Obergadenfenster winddruckfest herzustellen. Es ist auch in der Ausführung wesentlich einfacher, durchweg gleichstarke Glasstücke in einem Fenster zusammenbleien zu müssen. Bezüglich der Forderung, vorzuführen, wie in seinem Verfahren duplierte Stücke wieder auseinandergenommen werden können, betont Herr Dr. Jacobi noch einmal die Einfachheit dieser Maßnahme.
Als erstes wird ein Werkstück aus St. Lorenz (Hallerfenster, Feld 7f, blauer Rankengrund) in einem thermostatisch gesteuerten Brennofen abgeschoben, die originalen Glasstücke werden mit zwei Holzstäben aus dem Ofen genommen und versucht mit Reiben mit der Daumenfläche, die daran haftende thermoplastische Klebeschicht abzureiben, was schließlich mit kleinen

Krümchen vollends möglich war. Leider war festzustellen, dass von dem noch vorhandenen Schwarzlot wesentliche Teile mit abgenommen waren (vgl. Vorzustandsaufnahmen durch Herrn Dr. Frenzel).
Herr Dr. Rothe [am Rand mit Bleistift korrigiert: Rode] *ist bei der Vorführung der von uns mitgebrachten Werkstücke aus St. Lorenz (Hallerfenster, Sonne aus dem Feld 7f) erschüttert, über die Blasenbildung bei der Duplierung und die starken Vertiefungen. Da Herr Dr. Jacobi betont, dass die Duplierung* [Entdoublierung?] *aus mechanischen Gründen nicht gemacht werden kann, wird ein Werkstück (St. Lorenz, Hallerfenster, Scheibe 7b, Architektur) dazu bestimmt, teilweise kalt auseinandergenommen zu werden. Herr Weber schneidet die Deckscheibe rasterförmig ein und hebt die Einzelstückchen mit einem Messer durch Hebelwirkung der Messerbreite unter Abstützung auf das mit* / [S. 2] *der Klebefolie bedeckte Originalglas ab. Nach der so erfolgten Abnahme des einseitigen Deckglases (die zweite Seite dürfte schwerer gehen, weil dann das Originalglas keine rückseitige Deckscheibe mehr aufweist) wird die Folie abgezogen. Auch bei dieser Versuchsanordnung war eindeutig festzustellen, dass beträchtliche Partien der Schwarzlotzeichnung an der Folie haften blieben und vom Originalglas abgerissen wurden. Es steht somit fest, dass die beiden vorgeführten Methoden keinen Anspruch auf restaurative Bearbeitung der Originalscheibe ergeben können. Für die notwendig werdende Auseinandernahme der mit Blasen versehenen und gilbenden Lorenzer Glasgemälde bleibt somit nur ein mühevolles Ablösen in einem Azeton- oder Essigesterbad. Auf Befragen erklärte Herr Dr. Jacobi, dass die Scheiben aus St. Lorenz vor dem Doublieren weder gereinigt wurden noch sei eine Festigung losen Schwarzlotes erfolgt. Im Vergleich mit Vorzustandsscheiben aus dem Kölner Obergaden (d.h. noch nicht bearbeiteter Scheiben) wurde festgestellt, dass im Zuge der Restaurierung ein grosser Prozentsatz der Schwarzlotzeichnung und vor allen Dingen fast alle Halbtöne »weggereinigt« werden. Durch den hinzukommenden Nasseffekt, der nochmals einen Grossteil der verbleibenden Restbemalung absorbiert, bleibt ein zwar gut transparentes, jedoch entseeltes und steriles Glasbild zurück. Auf eine diesbezügliche Anfrage (verlorene Schwarz- und Halbtöne) gibt Herr Dr. Jacobi zur Antwort, dass die grosse Transparenz in c. fünf Jahren durch die Patina in der Industriestadt Köln und durch die Bahnhofsnähe wieder ausgeglichen werde.*
Nach den gewonnen(en) Erkenntnissen wurde darauf verzichtet, von weiteren Werkstücken die Deckscheiben abzunehmen. Herr Dr. Ramisch und Herr Dr. Frenzel berichteten über die Forderungen der Denkmalpflege und die damit verbundenen Grundforderungen jeglicher Restauratorentätigkeit. Es folgt eine Besteigung des Gerüstes am Kölner Dom mit in Augenscheinnahme der Obergadenfenster von aussen. Es wurden hierbei vor allen Dingen an den früher ausgeführten Scheiben ähnliche Blasenbildungen und Vertiefungen festgestellt wie an den Lorenzer Scheiben.
Für die auftretenden Vergilbungen gibt Herr Dr. Jacobi verschiedene Gründe an:
1-a) Vergilben an den Bruchkanten in nahezu gleichbleibender Breite durch Tesafilm, der zum Heften der Bruchstücke notwendig ist und beim Doublieren versehentlich nicht abgenommen wurde. Dr. Jacobi ist der Meinung, dass dies kaum der Fall sein dürfte, doch sind bei den Scheiben von St. Lorenz nachgewiesenermaßen solche Fälle bekannt.
1-b) derselbe Tatbestand, jedoch wurde der Tesafilm abgenommen, aber die Kleberückstände bewirken Gilbung.

2) Gilbungen an den Bruchkanten, besonders bei Blau- und verschiedenen Weißgläsern, hervorgerufen durch den Kleber, der die Kanten der Bruchstücke aneinanderbinden soll. Nach Dr. Jacobi's Auffassung wirkt hier der Kleber als Katalysator um mit den Mineralien der entsprechenden Glasbruchstücke einen Prozess ablaufen zu lassen, der zur Gilbung führt. / [S. 3]
3) Schlechter Leimölkitt beim Verkitten der Verbleiung kann eine Gilbung der Randzonen bewirken.
4) Bei zu hohen Arbeitstemperaturen beim Duplieren verfärbt sich die Folie an den Rändern zu gelblich-braunen Bröseln.
Um die Frage der Ursachen dieser Vergilbungen klären zu können, wurde beschlossen, dem Doerner Institut in München Auftrag zu einer entsprechenden (spektralanalytischen) Untersuchung zu geben.
Dr. Frenzel wird die Auftragstellung dieses Gutachtens formulieren und die entsprechenden Werkstücke aus dem Bestand der Lorenzer Scheiben zur Verfügung stellen. Die anfallenden Kosten sind von St. Lorenz, Nürnberg, vorzustrecken und werden im Zuge der Zuschussgewährung vom Bay. Landesamt für Denkmalpflege abgesichert.
LoAN, Schriftwechsel Nr. 91–94 (ausgewählte Kopien Glasfenster).

122 NÜRNBERG 1971 MÄRZ 16
Zwischenbericht von Gottfried Frenzel an den Architekten bei St. Lorenz, Georg Stolz, über den Stand der Arbeiten am Haller-Fenster und die Entdoublierung am Schmidmayer-Fenster:
Die Arbeiten am Hallerfenster sind planmäßig verlaufen, wurden aber im gemeinsamen Einverständnis unterbrochen zu Gunsten der Restaurierung des Schmidtmairfensters. Gegenwärtiger Restaurierungsstand: ¾. der Arbeiten sind getätigt. Ferner fehlen noch die zwei Kopien.
Kostenstand: Gesamtkosten laut Schätzung vom 16.V.1969
                              DM 33.400,–
[Es folgt eine Auflistung der bereits geleisteten Zahlungen.]
Die Arbeiten am Schmidtmairfenster gestalten sich sehr viel schwieriger als angenommen. Bisher konnten sämtliche fig. Scheiben entdupliert werden. Bis 21. Mai fertig werden die zwei Leihgaben für das Germ. Nat. Museum. Eine Fertigstellung der restlichen 4 Scheiben bis zum beabsichtigten Termin August 71 ist nicht einzuhalten. Herrn Dir. Schreyl habe ich diesbezüglich bereits informiert.
Angesichts der noch nicht im Einzelnen zu übersehenden Schwierigkeiten, ist auch die Aufstellung eines verbindlichen Kostenplanes zur Zeit noch nicht möglich. In der Schätzung vom 15.V.69 waren für das Schmidtmairfenster vorgesehen DM 18.000,–. Verauslagte Kosten DM 398,– für die Instandsetzung der von uns gestellten Rundscheibenverglasung zur Schließung des Fensters [...].
LoAN, Schriftwechsel Nr. 91–94 (ausgewählte Kopien Glasfenster), und A.10.11/7, Reg. Hallerfenster.

123 NÜRNBERG 1972 JULI 6
Schreiben von Stolz an Frenzel, in dem anlässlich eines Transportunfalls der Fa. Oidtmann auf der Fahrt von Nürnberg nach Linnich zu erfahren ist, dass die zwei seit dem Krieg nicht aus München nach Nürnberg zurückgekehrten und seitdem verschollenen Originalscheiben aus dem Haller-Fenster anhand alter Aufnahmen in der Werkstatt Oidtmann kopiert werden sollen.
[...] Wie ich von Herrn Oidtmann erfahren konnte, haben Sie bereits die Nachbarstücke zu den beiden fehlenden Scheiben des

Hallerfensters in die dortige Restaurierungswerkstätte gegeben um Kopien herstellen zu lassen.
Es wird Ihnen bekannt sein, daß das Transportfahrzeug auf der Rückfahrt nach Linnich einen Unfall hatte und von der Fahrbahn abgekommen ist. Wie durch ein Wunder ist an den kostbaren Scheiben hierbei kein Schaden entstanden [...].
Die Revision vom 30.6.1949 zur Überprüfung der im Krieg geborgenen Scheiben des Hallerfensters in zwei unnummerierten Kisten im Nürnberger Kunstbunker vermerkt: *Danach befinden sich noch in München bei der Kunstverglasungsanstalt Mayer & Zettler: Flügel 11, 13; 6 Maßwerkscheiben**(Anm. 3 Maßwerke in LGS [Kiste]).*
LoAN, A.10.11/7, Reg. Hallerfenster, u. A.10.11/2 (Mappe Glaserarbeiten).

124   NÜRNBERG 1972
Die Zusammenstellung der Ausgaben für das Jahr 1972 verzeichnet Arbeiten im Bereich der Obergadenverglasung des Langhauses (betr. überwiegend Aufwendungen für die Blankverglasung durch die Fa. Oidtmann, Linnich) und die Restaurierung eines Haller-Fensters durch Frenzel:
1. Obergadenverglasung   *DM 66.686,16*
2. Haller-Glasfenster-Restaurierung   *DM 2.581,15*
LoAN, A.10.1/8, o. Reg. (Rechnungen 1972/73–1977).

125   NÜRNBERG 1973
Die Zusammenstellung der Ausgaben für das Jahr 1973 verzeichnet weitere Aufwendungen für die Blankverglasung des Langhaus-Obergadens und für die Restaurierung des Haller-Fensters und des Schmidmayer-Fensters:
1. Obergadenverglasung   *DM 54.357,25*
2. Glasfenster Restaurierung (Haller)   *DM 1.623,36*
3. Glasfenster-Restaurierung (Schmidmayr)   *DM 22.685,32*
LoAN, A.10.1/8, o. Reg. (Rechnungen 1972/73–1977).

126   NÜRNBERG 1973 Mai 2
Kostenvoranschlag der Werkstatt Frenzel für die Restaurierung der Laurentius-Szenen des Schmidmayer-Fensters mit exakter Beschreibung der damit verbundenen Leistungen:
Restaurierungs- und Konservierungsarbeiten lt. detaill. Kostenzusammenstellung vom 25.VI.1971.
Anfertigen von Scheibenrissen und Schablonen, Entbleien der Gemälde. Entfernen der vorhandenen doppelseitigen Doublierungen, Reinigen der Vorder- und Rückseiten, Entfernen der vergilbten Kantenverklebungen, Reinigen und Ergänzen der Splitterungen, farb. Verfugen, Zusammensetzen der Splitter, rückseitiges Duplieren, Freilegen und Sichern der Bemalung, Retuschen, Neuverbleien, Kitten, Messingrahmung.
Gesamtkosten pauschal einschl. Montage, Fotodokumentation, Restaurierungsbericht und 5,5 % MWST   *DM 40.000,-*
LoAN, A.10.11/8, Reg. Schmidmayer-Fenster.

127   NÜRNBERG 1973 MAI 7
Rechnungsstellung der Werkstatt Frenzel zu Händen des leitenden Architekten Stolz bei St. Lorenz mit einem Kostenab-

gleich und der Endabrechnung für die Arbeiten am Haller-Fenster und am Schmidmayer-Fenster:
Gesamtrestaurierungskosten lt. Endabrechnung
16.III.1971 u. 2.V.1973
Hallerfenster: *DM 34.049,59*
Schmidtmairfe(nster):   *DM 38.407,60*
Gesamtbetrag :   *DM 72.457,19*
Zahlungsleistungen:
für Haller- und Schmidtmairfenster lt. Eingang
14.I.1970   *DM 6.000,– St. Lorenz*
15.V.1970   *DM 9.000,– Stadt Nbg.*
2.III.1971   *DM 6.000,– Stadt Nbg.*
29.IV.1971   *DM 6.000,– Stadt Nbg.*
26.V.1971   *DM 8.000,– Stadt Nbg.*
16.XI.1972   *DM 4.018,20 St. Lorenz (Kopien Oidtmann)*
              DM 39.018,20
(auf meine am 22.IX.1970 gestellte Rechnung in Höhe von DM 6.000,– / Teilzahlung IV erfolgte keine Anweisung)
noch offenstehender Restbetrag :   *DM 33.438,99*
abzgl. Teilzahlung lt. Rng. 2.V.73   *–DM 10.000,–*
              DM 23.438,99
für eine Überprüfung wäre ich Ihnen dankbar
mit freundlichen Grüßen   *G. Frenzel*
Mit Rechnung vom 7.8.1973 wird der Restbetrag dann definitiv abgerufen.
LoAN, A.10.1/8, o. Reg. (Rechnungen 1972/73–1977), und A.10.11/7, Reg. Hallerfenster.

128   NÜRNBERG 1974 MAI 2
Kostenschätzung der Werkstatt Frenzel für alle noch vor dem Chorjubiläum im Jahr 1977 zu restaurierenden Glasgemälde gemäß gemeinsamer Begehung vom 6.11.1973, z. Hd. von Architekt Stolz:
1). Langhausfenster süd XV Löffelholzfenster (Hans Baldung) 1506
Befund: akut gefährdet
Kostenaufwand: 12 Gemälde à DM 3.000,––   DM 36.000,––
        MWST 5,5 %   1.980,––   DM 37.980,––
4). Langhausfenster Siglaschutzverglasung.
n XIII Schnödfenster, 1400   (n. A. Dürer)[12]
Befund: akut Schwarzlotgefährdet
Kostenaufwand: 6 Rundscheiben à DM 1.000,– –DM 6.000,––
        MWST 5,5 %   DM   330,––
Gesamtaufwand Restaurierungskosten   DM 6.330,––
Bemerkung: die zwei figürlichen Rechteckscheiben des Schnödfensters, 1400 wurden bereits restauriert (im Zuge der Neugestaltung des neuen Hirsvogelfensters)[13].
5). Langhausfenster nord XII Grundherrenfenster 1400
Befund: akut korrosionsgefährdet, nicht gesichert
Kostenaufwand: zwei Rechteckwappenscheiben   DM 3.000,––
        MWST 5,5 %   DM   165,––
Gesamtaufwand Restaurierungskosten   DM 3.165,––
Bauseitige Maßnahmen Schutzverglasung in Sigla (zwei Scheiben)
6). Langhausfenster nord XI Löffelholzscheiben 16. Jh.
Befund: weder restauriert, noch gesichert
Kostenaufwand: 4 Rundwappenscheiben à DM 500,–
              DM 2.000,––
        MWST 5,5 %   DM   111,––
Gesamtaufwand Restaurierungskosten   DM 2.111,––
Bauseitige Maßnahmen: Außenschutzverglasung 4 Siglascheiben.

---

12 Diese Angabe bezieht sich auf die Kabinettscheiben, nicht auf die Rechteckfelder der Zeit um 1400.
13 Gleichwohl sind die Scheiben in einem späteren Angebot vom 30. 11. 1981 mit inbegriffen, das sich nun einschließlich der sechs Rund- bzw. Dreipassscheiben auf insgesamt DM 20.000,– beläuft.

7). Langhausfenster n X Muffelfenster, 1400
Befund: akut gefährdet, nicht gesichert
Kostenaufwand: 2 Rechteckwappenscheiben
à DM 1.500 DM 3.000,– –
2 Rundwappenscheiben à DM 500 DM 1.000,– –
MWST 5,5 % DM 242,– –
Gesamtaufwand Restaurierungskosten DM 4.242,– –[14]
Bauseitige Maßnahmen: Außenschutzverglasung 4 Siglaschei-
ben
8). Chorfenster nord VI Reichfenster[15] 1456
Befund: ganz akut gefährdet
Gesamtrestaurierungskosten lt.
Angebot vom 4.VI.1971 DM 75.000,– –
MWST. 5 % DM 4.125,– –
Gesamtaufwand Restaurierungskosten DM 79.125,– –
Bauseitige Maßnahmen:
Erneuern der Außenschutzverglasung in Sigla.
9). Chorfenster nord V Tucherfenster 1590 (Jost Ammann)
Befund: nicht akut gefährdet, die verfärbten Duplierungen
müßten gelegentlich entfernt werden.
10). Chorfenster nord II Knorrfenster, 1476
(M. Wolgemut mit umfangreichen Ergänzungen des 19. Jh.)
Befund: das gesamte Fenster ist doppelseitig dupliert und leb-
haft vergilbt; die Originalstücke sind vielfach totalgesplittert.
Angebot Fa. DR. Oidtmann steht noch aus.
11). Chorfenster süd VI Tucherfenster, 1601 (Jacob Sprüngli)
Befund: Schwarzlot- und Emailbemalung akut gefährdet
Kostenaufwand: 22 Rechteckscheiben à 2.000,– –
DM 44.000,– –
18 Felder Butzen m. Rundwappenscheiben
à DM 500,– – DM 9.000,– –
MWST 5,5 % DM 2.915,– –
DM 55.915
Bauseitige Maßnahmen: Erneuern der Schutzverglasung in Sig-
la.
12). Westfassade, Rosette, um 1360
Befund: die originalen Teile der Rosette (Engelskranz u. je ein
Teppichmusterfeld) sind in der Schwarzlotbemalung akut ge-
fährdet und bedürfen der Sicherung durch eine Außenschutz-
verglasung
Kostenaufwand f. Konservierungsarbeiten DM 10.000,– –
MWST 5,5 % DM 550,– –
Gesamtaufwand Restaurierungskosten DM 10.550,– –
gez. Dr. Gottfried Frenzel
LoAN, A.10.11/8 (Kapellenfenster II), und Schriftwechsel Nr.
91–94 (ausgewählte Kopien Glasfenster).

129 NÜRNBERG 1975, 1978
Gottfried Frenzel ruft beim Ev.Luth. Pfarramt St. Lorenz zwei
Teilzahlungen vom 1.10. und 28.11. über DM 18.000,– und
15.000,– für erbrachte Leistungen bei der Restaurierung des
Reichfensters ab (gemeint ist das Paumgartner-Fenster).
Die 3. Teilrechnung in Höhe von DM 50.000,– datiert erst vom
9.8.1978.
LoAN, A.10.1/8 und 9, o. Reg. (Rechnungen 1972/73–1977
bzw. 1977/78).

130 NÜRNBERG 1976 JAN. 21
Bericht Frenzels zum Zustand des bereits in restauro befindlichen Paumgartner-Fensters (Chor nord VI, hier noch unter
der irrigen Bezeichnung Reich-Fenster):
[...] *Die Glasgemälde des Reichfensters befinden sich in einem*

äußerst beklagenswerten Zustand; die im Laufe der Jahrhun-
derte in zahllose kleine Stücke zerbrochenen Farbgläser mußten
immer wieder durch das Einziehen neuer Notbleie repariert
werden, die den Kunstwert des Bildes heute ganz erheblich be-
einträchtigen, so daß der Zusammenhang und Inhalt des Bildes
kaum noch lesbar ist. Überdies hat die »natürliche« Verwitte-
rung die Substanz von Glasträger und Bemalung beträchtlich in
Mitleidenschaft gezogen, unterstützt durch die seit der Indus-
trialisierung stetig vermehrte Luftverunreinigung, so daß heu-
te das Erscheinungsbild der Kunstwerke von dick auflagernden
opaken »Wettersteinkrusten« und abgewitterter Bemalung ver-
fälscht wird, Abb. 1.
Um wieder ein einheitliches Bild zu erzielen, müssen die vie-
len Notbleie entfernt und die Sprünge mit farbig angepaßtem
Kunstharz geklebt werden. Das bedeutet, daß die Scheiben völ-
lig ausgebleit werden müssen, - eine Arbeit, die sich als weit-
aus schwieriger herausstellte, als man zunächst gehofft hatte!
Erwiesen sich doch die alte Verbleiung und auch der Kitt als
außerordentlich hart und widerstandsfähig, und ließen sich nur
durch sehr langwierige und vorsichtige Arbeitsgänge entfernen,
Abb. 2, 3.
Eine weitere Schwierigkeit stellt die Sicherungsmaßnahme der
letzten Restaurierung von 1938 dar, welche die aufplatzende
und abblätternde Bemalung in einem Überglasungsverfahren
auf den Glasträger fest aufbrannte (sicherlich zum damaligen
Zeitpunkt die einzig mögliche Rettungsaktion!). Da damals
eine gründliche Reinigung der betroffenen Gläser kaum mög-
lich war, ohne die defekte Bemalung zu zerstören, wurden auch
Schmutzpartikel und Korrosionsbeläge fest mit eingebrannt. So
steht man heute vor dem – oft unlösbaren – Problem, die we-
sentlich dunkleren überbrannten Gläser mit den nicht behan-
delten Kompartimenten in einen farblichen Einklang zu brin-
gen, Abb. 4.
Es folgt noch der Hinweis auf ein bereits fertiggestelltes Feld,
das in einer kleinen Ausstellung in St. Lorenz zu sehen sei.
LoAN, A.10.11/8 (Kapellenfenster II), und Schriftwechsel Nr.
91-94 (ausgewählte Kopien Glasfenster).

131 NÜRNBERG 1976 MÄRZ 4
Wartungsvertrag für kirchliches Kunstgut (Glasfenster) zwischen dem Evang.-Luth. Pfarramt St. Lorenz und dem Restaurator Dr. Gottfried Frenzel:
1. nennt die Vertragspartner
2. Der Auftragnehmer unterzieht die Glasgemälde, einschließ-
lich einer evtl. vorhandenen Außenschutzverglasung, einer
dauernden Beobachtung, um das Eintreten von Schäden, den
Verlauf der Alterung sowie sämtliche Veränderungen zu kon-
trollieren und zu überwachen. Bereits restaurierte Objekte
sollen ebenfalls weiterhin gewartet werden, um den Erfolg der
ausgeführten Arbeit zu überprüfen.
3. Zu den Obliegenheiten der Wartung gehören:
3.1 Die sach- und fachgerechte Führung der Inventarisations-
kartei/Zustandskartei bzw. die Lieferung der für diese Arbei-
ten erforderliche Angaben.
3.2 Jährliche Kontrolle des anvertrauten Kunstgutes mit einem
kurzen, aber alle Kriterien erfassenden Sachstandsbericht unter
gleichzeitiger Fortschreibung der Dringlichkeitsliste.

---

[14] Im einem Angebot vom 30. 11. 1981 wird der Aufwand einschließlich 6,5 % MwSt. auf DM 10.000,– veranschlagt.
[15] Gemeint ist das Paumgartner-Fenster.

3.3 Die Entfernung einer übermäßigen Verstaubung.
3.4 Nach einem Wartungszeitraum von zwei Jahren – erstmals 1.3.1977 – ist ein Sachstandsbericht anzufertigen, der über den Zustand des Wartungsgutes Auskunft gibt. Dieser Bericht ist dem Auftraggeber und dem zuständigen Kirchenbauamt vorzulegen. Eine Verteilung an weitere Interessierte ist statthaft. Auf evtl. notwendige Restaurierungen ist rechtzeitig hinzuweisen, um
a) die finanziellen Voraussetzungen abzuklären
b) die Ursachen der Schäden ausgiebig zu ergründen
c) gezielte Maßnahmen einleiten zu können.
Punkt 4. betrifft die Verpflichtung des Auftraggebers zur Information über alle Veränderungen am Kunstgut, im besonderen Fotoaktionen, die Einrichtung von Alarmanlagen, Ausleihe von Objekten u.ä.
5. Die Wartung erfolgt ohne Aufforderung durch den Auftraggeber. Der Termin der vorgesehenen Wartungsarbeiten ist mit dem Auftraggeber rechtzeitig vor Beginn der Maßnahmen abzustimmen.
6. Für die Wartung des Kunstgutes einschließlich Nebenleistungen stehen jährlich max. DM 500,-- zur Verfügung.
Eine Ausweitung der Kosten über den o.g. Betrag hinaus ist nicht vorgesehen, soweit diese nicht durch die allgemeinen Teuerungsraten bedingt ist.
Die Abrechnung der erbrachten Wartungsleistung erfolgt jährlich gegen Nachweis. Grundlage der Abrechnung ist ein Stundenhonorar von DM 30,--.
7. Dieser Vertrag wird auf eine Laufzeit von zwei Jahren befristet. Er verlängert sich jeweils um ein weiteres Jahr, wenn die Kündigung nicht mindestens 6 Monate vor Ablauf des vorausgehenden Kalenderjahres schriftlich erfolgt ist.
Nürnberg, den 4. März 1976
gez. Dr. G. Frenzel   H. Bauer
LoAN, Schriftwechsel Nr. 91–94 (ausgewählte Kopien Glasfenster).

132   NÜRNBERG 1976 MAI 15
Gutachten von G. Frenzel zum Bestand der Westrosette. Einem Sachbericht zu gegenwärtigem Bestand, Komposition, Ikonographie, Farbigkeit, Technik, Stil, Datierung und früherer Restaurierungsgeschichte nach der Systematik des Corpus Vitrearum folgen die Einschätzung des Schadensstands und Vorschläge zur Sicherung des Bestands:
II. SCHADENSSTAND – SCHADENSURSACHEN
Die Glasgmälde der Westrosette sind in Glasbestand und Bemalung a k u t   g e f ä h r d e t .
Hauptursache der Schädigung sind weniger »natürliche Alterungsschäden«, sondern vielmehr ein durch »Luftverunreinigungen« hervorgerufener Korrosionsprozeß, der das Kunstgut in wenigen Jahren zerstört.
Chemisch-mineralogische Untersuchungen des Korrosionsbelages haben ergeben, daß sich hier zersetzte Glassubstanz mit Gips (ca. 70-75 %) und Syngenit (ca. 20-25 %) zu einer mehrere Millimeter starken hygroskopischen Masse verbunden haben. Primär verantwortlich für diesen Zerglasungsprozeß ist Schwefeldioxyd, das in Zusammenhang mit Feuchtigkeit (Außenbewetterung und Schwitzwasser, sowie eine zu hohe rel. Feuchte im Innenraum – über 50-60 %) einen Ätzprozeß auf den Glasgemälden bewirkt. Zurück bleiben dichte Sulfatschichten, die das Glasgemälde bis zur Unkenntlichkeit entstellen.
Von dem Dekompositionsprozeß betroffen ist der Farbglasträger ebenso wie die Bemalung, die chemisch gesehen ein ganz

schlechtes Emaille ist, und sich daher gegenüber schädigenden Einwirkungen von außen als sehr anfällig erweist.
Die rückseitige Bemalung der Glasgemälde aus der Westrose ist heute bereits erloschen! Die vorderseitige Bemalung, - soweit nicht auch sie bereits abgewittert ist, - ist durchweg gelockert und daher akut gefährdet!
Verallgemeinernd läßt sich folgende Feststellung treffen: Etwa ein Drittel der vorhandenen originalen Glasgemälde weist bereits den ausgesprochen desolaten und hochgradig gefährdeten Zustand auf [Verweis auf eine obenstehende Abb.], das zweite Drittel ist akut gefährdet und bestenfalls ein Drittel verfügt noch über eine relativ gut erhaltene Bemalung.
Angesichts des rapiden Tempos des Zerglasungsprozesses in unserer Zeit raten wir zu unverzüglichen Maßnahmen zur Sicherung des wertvollen Bestandes.
III. VORSCHLÄGE ZUR SICHERUNG DES BESTANDES
a) Prophylaktische Maßnahmen: Um die Glasgemälde vor einem weiteren Verfall zu schützen, ist es notwendig, die Einwirkung von luftverunreinigenden Stoffen und von Feuchtigkeit weitmöglichst herabzumindern.
Zu diesem Problem haben wir drei Alternativvorschläge vorbereitet, die in der Anlage unterbreitet werden.
b) Konservatorische Maßnahmen: Die vordringlichste konservatorische Maßnahme besteht in der Freilegung und Sicherung der Bemalung.
Schwarzlotkontur- und Halbtonbemalung müssen von Verwitterungsprodukten und Schmutz befreit werden. Auch sollten die rückseitigen Korrosionsbeläge entfernt werden, da sie schwammartig die Feuchtigkeit ansaugen. Auf der Vorder- wie auf der Rückseite ist mit der gleichen Behutsamkeit vorzugehen, da gegebenenfalls noch vorhandene Spuren der ehemaligen Rückseitenbemalung (verschiedenartige Korrosionszustände) Berücksichtigung finden müssen und erhalten werden sollen. Eine generelle Korrosionssicherung erübrigt sich, wenn die durch Anbringung der Außenschutzverglasung, bzw. Beschichtung mit Vinacryl entsprechend günstige Werte erzielt werden. Erforderlich ist ferner die Sicherung aller gesprungenen oder gesplitterten Gläser (Bruchkantenabbindung). Die Verbleiung ist weitgehend intakt.
Über weitere Einzelmaßnahmen zur Sicherung des wertvollen Bestandes wird während der Restaurierung zu befinden sein.
Anlage: Drei Alternativvorschläge zur prophylaktischen Sicherung der Glasgemälde der Westrosette, 5 S.
VORSCHLAG I
ISOTHERMALE AUSSENSCHUTZVERGLASUNG
Vorgesehen ist der komplette Ausbau der Rosettenverglasung und die Anbringung eines Außenschutzes in normalem Bauglas analog den bisher in St. Lorenz Chor und Langhaus praktizierten Sicherungsmaßnahmen.
Dagegen werden Bedenken wegen eines möglichen Spiegeleffekts, einer Beeinträchtigung des feingliedrigen Steinwerks oder der hohen Kosten zum Ausdruck gebracht, die alles in allem mit DM 36.990,– veranschlagt werden.
VORSCHLAG II
PARTIELLE ISOTHERMALE AUSSENSCHUTZ-VERGLASUNG
Statt der Anbringung einer totalen Außenschutzverglasung wäre eine partielle Sicherung der 15 mittelalterlichen Scheiben in Erwägung zu ziehen. Sämtliche 1350 angefertigten Scheiben verbleiben am alten Platz. Ausgebaut werden nur die mittelalterlichen Glasgemälde. Sie werden mit Messing gerahmt und vor einer Schutzverglasung montiert (Dübeln bauseitig), die

aus einer Bleiverglasung mit Goetheglas besteht und in verein-
fachter Form das mittelalterliche Bleinetz wiederholt.
Als Vorteil wird angeführt, dass sich keine Spiegeleffekte ergeben, eine Beeinträchtigung des Steinwerks vermieden wird
und Arbeits- und Kostenaufwand geringer ausfallen; die veranschlagten Kosten werden mit DM 29.800,– beziffert.
VORSCHLAG III: VINACRYLBESCHICHTUNG
Das von dem Laboratoire des Monuments Historique, Paris,
entwickelte und in der Kathedrale von Chartres praktizierte
Verfahren ermöglicht eine optisch kaum wahrnehmbare rever-
sible Korrosionssicherung ohne die Anbringung einer Außen-
schutzverglasung.
Als Vorteile werden die leichte Reversibilität, die einfache Wartung und das Vermeiden jeglicher Beeinträchtigung der Außen-
ansicht angeführt, als Nachteile, dass kein isothermaler Schutz
gegen die Schwitzwasserbildung auf der bemalten Innenseite
gegeben sei; die Gesamtkosten werden mit DM 29.000,– veranschlagt.
Die diesbezügliche Kostengliederung durch das verantwort-
liche Architektenbüro H. Steuerlein/G. Stolz vom 15. Juli 1976
auf der Basis von Vorschlag II des Frenzel'schen Gutachtens
(d.h. partielle isothermale Außenschutzverglasung nur der 15
mittelalterlichen Felder) kommt einschließlich aller Nebenkosten auf einen Kostenvoranschlag von DM 40.719,–
LoAN, A.10.11/1 (Glasfenster Westrosette).

133   NÜRNBERG 1977 Nov. 23.
Gutachten von Frenzel zum Schadensstand am Knorr-Fenster
und den prophylaktischen, restauratorischen und konservato-
rischen Maßnahmen, die zu treffen sind. Im Anschluss an eine
$2^{1}/_{2}$-seitige Würdigung des Fensters (I.) folgt der eigentliche
Sachbericht:
II. SCHADENSSTAND – SCHADENSURSACHEN
Die ersten Absätze gelten den umfangreichen Ergänzungen
durch Kellner 1836–39, den sensibleren Maßnahmen der
1930er-Jahre und der Kriegsbergung. Vor dem Wiedereinbau
nach dem Krieg seien die Felder größtenteils in Scherben zerbrochen aufgefunden worden.
S. 5: *1950/51* [tatsächlich bereits 1948/49] *wurden die Glasge-*
mälde des Knorrfensters nach einem von dem Chemiker Dr.
R. Jacobi entwickelten Verbundglasverfahren restauriert (die
Kosten übernahm teilweise die deutsche Tafelglas-AG). Bei
dieser Methode muß das Glasgemälde völlig ausgebleit wer-
den; dann werden die mittelalterlichen Gläser zwischen jeweils
ein vorder- und rückseitig aufgebrachtes (nach der originalen
Oberfläche geformtes) Deckglas eingebettet. Die Zwischenräu-
me wurden mit pulverisiertem polymerisiertem Kunststoff und
Weichmacher gefüllt und dann durch Erhitzen zum Verbund
vereinigt (Plexikum M 353/6/11/78 – Röhm & Haas, Darm-
stadt; Weichmacher Vestinol C oder Palatinol – Hüls AG, Marl).
Bereits seit einigen Jahren ist eine langsam zunehmende Ver-
gilbung der Doublierungen zu beobachten (störend vor allem
bei den weißen Gläsern), die Bruchstellen der Gläser zeichnen
sich durch meist branstig braun-gelb verfärbte Zonen ab. Da
das Knorrfenster etwa zu 70% aus hellen, farblosen Gläsern
besteht, wirkt sich allein dieser optische Effekt für den Betrach-
ter sehr störend aus. Besorgniserregend ist jedoch vor allem die
Tatsache der langsamen kontinuierlich fortschreitenden Vergil-
bung, die befürchten läßt, daß das wertvolle Kunstgut in we-
nigen Jahren eine gravierende Minderung des künstlerischen
Wertes erfährt, und überdies die einheitliche Wirkung der spät-
gotischen Chorverglasung zerstört.

S. 6: III. VORSCHLÄGE ZU SICHERUNG DES BE-
STANDES
a) Prophylaktische Maßnahmen: Verbesserung der isotherma-
len Außenschutzverglasung. Wie die übrigen Fenster des Lo-
renzer Chores ist auch das Knorrfenster seit 1951/2 durch eine
Außenschutzverglasung vor den schädigenden Einflüssen der
unmittelbaren Bewetterung geschützt. Das System der Außen-
schutzverglasung konnte in der Zwischenzeit durch internatio-
nale wissenschaftliche Untersuchungen in einigen Punkten noch
verbessert werden. Nach diesen Erkenntnissen sollten die Glas-
gemälde in einem Abstand von 4–5 cm vor die Schutzvergla-
sung gesetzt werden (der Abstand beträgt jetzt ca. 2 cm). Dabei
sollen jedoch nur die Quereisen verlängert werden, damit die
Scheiben nur an zwei Punkten fest aufliegen (nicht wie jetzt in
der gesamten Breite), um so die Entstehung von Feuchtigkeit zu
verhindern. Zusätzlich können am Fenstersims noch Heizele-
mente angebracht werden, welche die Luft im Zwischenraum
an kalten Tagen (mit generell hoher Luftfeuchtigkeit) erwär-
men und so nachgewiesenermaßen um ca. 30% niedriger hal-
ten.
b) Restauratorische Maßnahmen: Die 1950/51 [tatsächlich
1948/49] *beiderseitig aufgebrachten Doublierungen lassen sich*
nur entfernen, wenn man die einzelnen Gläser auf ca. 180° er-
wärmt – bis zur Zähflüssigkeit des Kunststoffgemisches – und
dann vorsichtig die beiden Deckgläser löst. Dieser Eingriff ist
in mehrfacher Hinsicht äußerst problematisch, da die Scheiben
wiederum ausgebleit werden müssen (allerdings angesichts der
minderen Qualität des in der Währungsreform verwendeten
Materials positiv), bei der Ablösung der Deckgläser ist zu be-
fürchten, daß die angegriffene Bemalung sich vom Glasträger
löst (diese Arbeit darf daher nur von einem erfahrenen Restau-
rator durchgeführt werden, der die Gefahr der Ablösung recht-
zeitig verhindern kann). Anschließend müssen die Bruchstellen
gereinigt und neu verklebt werden, Doublierungen empfehlen
wir nur bei Splitterungen. Die gelockerte Schwarzlotbemalung
muß durch mehrfaches Auftragen eines Fixatives mit dem Pinsel
(bis zur Sättigung) wieder fest mit dem Glasträger verbunden
werden.
S. 7: c) Konservatorische Maßnahmen: Wie weit die Glasober-
flächen selbst angegriffen sind, kann sich erst nach dem Ablösen
der Deckgläser zeigen. Es ist jedoch zu erwarten, daß auch hier
ganz erhebliche Schäden vorliegen, da einige Gläser auf der
Rückseite (durch die stark verschmutzte Außenschutzvergla-
sung hindurch) dicke graugrünlich wirkende Korrosionsschich-
ten erkennen lassen. Doch im Grunde kann erst während der
Restaurierung selbst entschieden werden, ob es ratsam ist, die
Rückseiten der Glasgemälde z.B. mit einem dünnen Wachsfilm
gegen weitere Korrosion zu sichern.
Einzelne Ergänzungen sollten farbig hinterlegt werden, um die
störende Wirkung zu greller Gläser zu mildern.
gez. Dr. Gottfried Frenzel
Institut für Glasgemäldeforschung und Restaurierung
LoAN, Schriftwechsel Nr. 91–94 (ausgewählte Kopien Glasfenster).

134   LINNICH 1978/79
Mittelabruf der Restaurierungswerkstatt Dr. Oidtmann, Linnich, für die Restaurierung des Knorr-Fensters:
10. Okt. 1978: Knorrfenster demontiert und nach Linnich
transportiert. Anfertigung einer Fotodokumentation und Aus-
führung von Werkstattarbeiten. Bisher angefallene Kosten ohne
Mehrwertsteuer   *DM 51.600,–*

[…] *Gesamtbetrag einschl. Mehrwertsteuer* DM 57.792,–
16. Nov. 1978: *Für weiter in der Werkstatt durchgeführte Restaurierungsarbeit sind bisher angefallen ohne Mehrwertsteuer*
DM 93.700,–
davon bereits in Rechnung gestellt am 10. Oktober 78
DM 51.600,–
DM 42.100,–
[…] *Gesamtbetrag einschl. Mehrwertsteuer* 47.152,–
Ein weiterer Mittelabruf in Höhe von DM 25.000,– (1. Teilzahlung d.J.) folgt am 1. Febr. 1979.
LoAN, A.10.1/9, o. Reg. (Rechnungen 1978/79).

135   NÜRNBERG 1979 SEPT. 18
Zwischenbericht von Frenzel in seiner Eigenschaft als wissenschaftlicher Leiter der Restaurierungsabteilung der Fa. Oidtmann, Linnich, zur dortigen Restaurierung des Knorr-Fensters, adressiert an den Architekten von St. Lorenz, Georg Stolz:
Zu Beginn werden technische Details des Jacobi-Verfahrens aus dem Gutachten von 1977 wiederholt; vgl. Reg. Nr. 133.
Das heute inzwischen weitgehend ausgereifte Verfahren (Kölner Dom, Hochchorfenster) hatte aber 1950 noch so zahlreiche Mängel, die erst im Laufe der folgenden Jahrzehnte sichtbar zu Tage traten und das ästhetische Gesamterscheinungsbild so nachteilig beeinträchtigten, daß eine erneute Restaurierung des Fensters unumgänglich wurde.
Das damals verwendete Material Plexikum […] mit dem Weichmacher Vestinol [vgl. Reg. Nr. 133] hat sich trotz intensiver UV-Strahlenaussetzung nicht verfärbt (Vergilbung); die gewählte Zusammensetzung war aber den enormen Temperaturschwankungen, den ein mittelalterliches Glasgemälde – trotz Sigla-Schutzverglasung – ausgesetzt ist, nicht gewachsen und war regelrecht ausgelaufen, so daß der konservatorisch unbedingt nötige Verbund nicht mehr gewährleistet war (vgl. dazu unsere Restaurierungsdokumentation Abb. 1 bis 7). Auch waren die Ränder entlang der Verbleiung oftmals nicht genügend abgedichtet, so daß von außen Luft in die Verbundschicht einziehen konnte (vgl. Abb. 8).
Anlaß zur damaligen Dublierung des Fensters war die unumstrittene Tatsache, daß das Knorrfenster in seinem alten Bestand total zersplittert war (millimeter-kleine Glasstückchen) und nach damaliger Sicht es gar keine andere Möglichkeit gab, als diesen gewagten Schritt einer Totaldublierung zu wagen. So negativ man heute auch diese Restaurierungsmethode beurteilen mag, sollte aber auch die positive Seite dieser Maßnahme einmal genannt sein: hätte Dr. R. Jacobi damals seine Methode der Errettung des wertvollen Kunstwerkes nicht eingesetzt, hätte man damals wohl zu der bisher üblichen Praxis der kopistischen Erneuerung des Fensters gegriffen und St. Lorenz wäre heute um ein international bekanntes Kunstwerk ärmer!
Die zweite Hauptursache, die zu dem Entschluß führte, das Fenster erneut restaurieren zu lassen, war die Tatsache einer totalen Vergilbung bzw. Verbräunung. Bei der damaligen Restaurierung wurde zum Zusammenkleben der gesplitterten Glasteilchen ein Spezialkleber, ein sehr dünnflüssiger Kitt »Hostacoll« der Farbwerke Höchst, verwendet, der sich im Laufe der Jahre als nicht farbbeständig erwiesen hat. Angesichts der Totalzersplitterung des Fensters ist es verständlich, daß alle Originalstücke nach einem Jahrzehnt total verbräunt waren, zumal man damals aus Gründen der Klebefestigkeit nicht nur die Bruchkanten allein abklebte, sondern den Kleber beidseitig um einige Millimeter überstehen ließ. Es sei auch erwähnt, daß

von den Mitarbeitern der damaligen Restaurierungswerkstätte aus Unachtsamkeit provisorisch aufgebrachte Tesastreifen mit eindubliert wurden, die heute natürlich völlig vergilbt sind (entsprechende Farbabbildungen wird Fa. Dr. H. Oidtmann nachliefern).

<u>*DIE RESTAURIERUNG DES KNORRFENSTERS*</u>
Zwischen Herrn Dr. R. Jacobi und mir hat nicht nur ein recht kontroverses Verhältnis bestanden, wie es in der einschlägigen Literatur häufig zitiert wird, sondern in dem letzten Jahrzehnt sogar ein sehr freundschaftliches und meine Werkstattleiterin [Gerda Hinkes] und ich haben daher auch gern seine Einladung wahrgenommen, einmal mehrere Wochen in seiner Kölner Domhüttenwerkstatt mitzuarbeiten, um das Verfahren in allen Einzelheiten genau studieren zu können.
Dabei kam natürlich auch das Problem der Rerestaurierung zur Sprache [Verweis auf das diesbezügliche Treffen 1969; Reg. Nr. 121].
Genau vor diesem Problem steht heute die Fa. Dr. H. Oidtmann, denn ihre Aufgabe ist es, das Knorrfenster rezurestaurieren. Auch wir haben jetzt Experten der BASF und anderer Firmen eingeladen, uns bei der schwierigen Frage einer chem. Rückführbarkeit des Verfahrens zu beraten. Theoretisch kann man die Folienschicht einfach mit Aceton in Lösung bringen, aber der praktische Nutzen ist gleich null, weil das Aceton nur ganz langsam vom Rande her eindringen kann und es der Restaurator einfach nicht in der Hand hat, zu kontrollieren, ob gelockerte (damals eben leider nicht gefestigte) Schwarzlotsubstanz verloren geht.
Wir haben dann zahlreiche andere mechanische Ablösungsversuche unternommen (Zerschneiden der Dubliergläser in millimeter-kleine Würfel u. langsames Abheben derselben, Durchsägen der Folienschicht mittels eines heißen Drahtes, kombinierte chem.-mech. Ablösung, Heizspachtel u.a.m.).
Wir sind jetzt dazu übergegangen, ein völlig neues Verfahren zur Ablösung der Deckgläser anzuwenden, das darin besteht, daß die jeweilige Oberseite eine dublierten Originales durch UV-Bestrahlung so weit erwärmt wird, daß sich der Dublierträger einfach abziehen läßt, die Folienschicht aber noch auf dem Original haftet und dann später in einem zweiten Arbeitsgang von dem Restaurator vorsichtig abgezogen werden kann. So ist gewährleistet, daß auch gelockerte Schwarzlotsubstanz erhalten werden kann. Dieses Verfahren ist natürlich sehr zeitaufwendig, aber wir glauben, daß dieser Kostenaufwand gerechtfertigt ist bei einem so seltenen und international berühmten Fenster des Michael Wolgemut.
Die beigefügten Fotos (Abb. 9–13) erläutern den Sachverhalt, sollten aber bitte nicht mißverstanden werden, denn das was sich auf der Folie in Negativform abzeichnet, ist keine abgelöste Schwarzlotbemalung, sondern nur das Relief derselben (was auf der Folie dunkel erscheint, sind beim Original Glanzlichter, was hell erscheint, ist der Abdruck der Schwarzlotbemalung).
Die Fotos 14 u. 15 demonstrieren noch einmal den Vorgang des Auslaufens der Plexikumverbundschicht. Die Redublierungsarbeiten […] sind inzwischen abgeschlossen und es beginnen nun die eigentlichen Restaurierungs- und Konservierungsarbeiten. Im Interesse der Auspolymerisation des von uns verwendeten Araldithkunstharzes AY 103 u. HY 956 der Firma CIBA-Geigy (Schweiz) bitte ich um Ihr Verständnis, wenn das Knorrfenster frühestens im Spätherbst nächsten Jahres wieder montiert wird. Nähere Einzelheiten wollen Sie bitte in direktem Benehmen mit der Fa. Dr. H. Oidtmann absprechen.
gez. Dr. Gottfried Frenzel

Institut für Glasgemäldeforschung und Restaurierung
Im Protokoll eines Werkstatttermins bei Frenzel in Fischbach vom 20. April 1980 wird u.a. mitgeteilt, dass man das Auflösen der Folie inzwischen in einem Acetonbad bewerkstelligen würde.
Eine abschließende Kurzinformation zur Restaurierung des Knorr-Fenster 1978–82 vom 7. Okt. 1982 fasst die Vorgänge nochmals knapp zusammen.
LoAN, Schriftwechsel Nr. 91–94 (ausgewählte Kopien Glasfenster).

136   NÜRNBERG 1980 APRIL 20
Protokoll eines Arbeitsgesprächs in der Werkstatt Frenzel in Fischbach mit Teilnehmern der Gemeinde, des BLfD München und des leitenden Architekten, die Entdoublierung am Knorr-Fenster betreffend:
[...] Wie unsere Versuche bei einigen Stücken der Scheibe 6f des Knorrfensters neuerlich ergaben, sollte die Trennung der Gläser künftig durch chemisches Auflösen der Folie in einem Acetonbad erfolgen, da dieser Weg sicher weniger Risiken für Original und Bemalung mit sich bringt. Frau Dr. Marschner wies allerdings auf die hohe Austrocknung des Glases hin, die sicher nicht günstig sei.
Auf allgemeinen Wunsch haben wir inzwischen einen graphischen ZWISCHENBERICHT zum Stande der Arbeiten angefertigt (Anlage), der eine Entscheidung erleichtern soll, ob es erforderlich ist, sämtliche Doublierungen rückgängig zu machen, oder ob man nicht alle jenen Stücke, die in ihrem Schauwert nicht beeinträchtigt sind, in der Doublierung beläßt. Das würde vor allem die Kellner-Ergänzungen in den Scheiben 1d, 3e, 4b, 4f, 5d, 5f, 6d, 6f betreffen.
Eine ähnliche Entscheidung haben wir seinerzeit bei der Entdoublierung des Schmidtmayrfensters [...] getroffen. Hier wurden nur die figürlichenScheiben entdoubliert, nicht aber die Wappenzeile.
LoAN, Schriftwechsel Nr. 91–94 (ausgewählte Kopien Glasfenster).

137   MÜNCHEN 1980 MAI 29
Stellungnahme des Bayerischen Landesamtes für Denkmalpflege zu den Maßnahmen am Knorr-Fenster. Daraus geht auch hervor, dass die Entdoublierungsarbeiten in der Fa. Oidtmann wegen des Risikos für die Glasgemälde inzwischen abgebrochen wurden und die bereits *teils entdoublierten Gläser, teils noch nicht in diesem Sinne behandelten Scheiben wieder bei Dr. G. Frenzel in Fischbach seien. Da auch das Verfahren zur Entdoublierung, wie es Herr Dr. Frenzel vorschlägt, nicht risikolos für die Erhaltung der originalen Glasmalerei ist, vertrat das Bayer. Landesamt für Denkmalpflege die Ansicht, doch zu prüfen, ob es nicht genüge, nur einen Teil der noch unbehandelten Scheiben zu entdoublieren. [...] Die Schwierigkeiten, die sich für eine Neuverbleiung ergeben, wenn nur partiell entdoubliert wird, sind unbedingt in Kauf zu nehmen. [...] Es sind auf jeden Fall nur die Stücke zu entdoublieren, deren Schauwert* erheblich *beeinträchtigt ist. Die Entscheidung,* welche *Scheiben zu belassen sind und welche entdoubliert werden können, muß der Restaurator von Fall zu Fall treffen.*
gez. i. A. Dr. Michael Kühlenthal
stellv. Abteilungsleiter
LoAN, Schriftwechsel Nr. 91–94 (ausgewählte Kopien Glasfenster).

138   LINNICH 1980 SEPT. 16
Weiterer Mittelabruf der Restaurierungswerkstatt Oidtmann in Linnich für die Restaurierung (Entdoublierung) des Knorr-Fensters samt Bestätigung bereits erhaltener Akontozahlungen:
Die Restaurierungsarbeiten sind entsprechend den Werkstattgesprächen weiter vorangeschritten. Zwei Akontozahlungen wurden uns überwiesen am 28.2. und am 27. Juni 1979 in einer Gesamthöhe von   DM 50.000,–
Wir erbitten hierdurch eine weitere Akontozahlung in Höhe von   DM 50.000,–
+ 13 % Mehrwertsteuer   DM 6.500,–
Gesamtbetrag einschl. Mehrwertsteuer   DM 56.500,–
LoAN, A.10.1/10, o. Reg. (Rechnungen 1979–1980).

139   NÜRNBERG 1981 APRIL 27
Schreiben des Architekten Stolz an Frenzel mit einer Aufstellung der veranschlagten Restaurierungskosten am Knorr-Fenster, laut Angebot vom 24.11.1977 (DM 276.000,–) zzgl. diverser Kostenmehrungen von 1979 bis 1981 (DM 54.924,–, 22.473,92 und 14.697,07) sowie bereits geleisteter Teilzahlungen in Höhe von 2 x DM 50.000,– an die Fa. Oidtmann. Daraus ergibt sich für das Jahr 1981, dass eine Summe von DM 130.000,– in Ansatz gebracht wird.
LoAN, Schriftwechsel Nr. 91–94 (ausgewählte Kopien Glasfenster).

140   NÜRNBERG 1981 NOV. 25
Schreiben von Dr. Gottfried Frenzel an die Gebrüder Ludwig und Fritz Oidtmann, in dem auf die Notwendigkeit von Doublierungen stark gesplitterter Gläser am Knorr-Fenster mit Araldit hingewiesen wird und Einschätzungen zur Vermeidung von Vergilbungen angesprochen werden:
Lieber Herr Oidtmann,
[...] Zu der Doublierungsfrage möchte ich gleich grundsätzlich Stellung nehmen.
Im Falle des Knorrfensters gibt es einige Teile, bei denen das Original in winzig kleine Teile zerfallen ist und hier ein Doublieren unumgänglich ist.
Zum Verkleben sollte man nach wie vor wegen der guten Festigkeit der Verklebung ARALDIT verwenden.
Acrylate vergilben mit Sicherheit nicht; das haben ganz neue Forschungen ergeben. Nur einige Lösungsmittel sind ungeeignet, weil sie nicht lichtbeständig sind. Wir haben uns daher auf die Kombination mit Toluol geeinigt, wobei keinerlei Gilbungen auftraten.
Was Frau Benzmüller hinsichtlich der Viskosität sagt ist richtig und auch nicht richtig. Bisher war uns eine niedere Viskosität wünschenswert, weil wir es ausschließlich zum Schwarzlotsichern verwendet haben.
Eine höhere Viskosität erreicht man durch den Einsatz eines Magnetrührwerkes und entsprechende Verdunstung des Lösungsmittels.
Es gibt aber bei der Lieferfirma Röhm u. Haas, Darmstadt (Tochtergesellschaft in USA), Paraloid und ähnliche nicht gilbende Acrylate nicht nur in Granulatform, sondern bereits in gelöster Form.
Wir haben entsprechende Unterlagen und Proben angefordert. Wir werden entsprechende Versuche unternehmen und sie dann im Klimaprüfschrank testen.
Ich gebe Ihnen dann über die Ergebnisse Bescheid.
mit freundlichen Grüßen
Ihr G. Frenzel

LoAN, Schriftwechsel Nr. 91–94 (ausgewählte Kopien Glasfenster).

141 NÜRNBERG 1982 OKT. 26
Das Kostenangebot der Werkstatt Frenzel für die Restaurierung des Löffelholz-Fensters, adressiert an Architekt Georg Stolz, enthält den Hinweis auf Vorarbeiten einer 1939 geplanten Überglasung, die letztlich nicht durchgeführt wurde. Das Angebot fällt im Übrigen mit ca. DM 68.000 deutlich günstiger aus als das im Jahr zuvor abgegebene:
[...]
Vorbemerkung: das Kostenangebot beinhaltet sämtliche Arbeitsgänge einer kompl. Restaurierung, wie bei allen früheren Fenstern und hat Gültigkeit bis zum 31.12.1983.
Beim Löffelholzfenster kommt erschwerend hinzu, daß man die gesamten Felder zwecks vermeintlicher Lotsicherung mit Glasmahlfixativ übersprüht hat, um diese dann später einzubrennen, was dann 1939 aber unterblieb (vgl. Zustand Kohnhoferfenster, Chor s II). Die gesamte Bemalung der Scheiben muß von der Fixierschicht befreit und gesichert werden.
Die isothermale Belüftung müßte verbessert werden.
Bauseitige Maßnahmen: Gerüststellung, Schlosserarbeiten.
Restaurierungskosten je Glasgemälde

o. MWST	DM 5.000,––
13 % MW-Steuer	DM 650,––
Je Glasgemälde	DM 5.650,––

Ein knappes Jahr zuvor, am 30.11.1981, hatte Frenzel den Restaurierungsaufwand an den 12 Scheiben des Löffelholz-Fensters in einem ersten Angebot auf *ca. DM 100.000,–* – einschließlich 6,5 % MWST beziffert. Ein noch früheres Angebot Frenzels vom 2. Mai 1974 veranschlagte dagegen nur DM 3.000 pro Feld und kam einschließlich MwSt. auf eine Gesamtbetrag von *DM 37.980,––*
Zur Endabrechnung vgl. Reg. Nr. 144.
LoAN, Schriftwechsel Nr. 91–94 (ausgewählte Kopien Glasfenster).

142 NÜRNBERG 1983 DEZ. 12
Das Protokoll des Werkstatttermins vom 30. Nov. 1983 anlässlich der Restaurierung des Löffelholz-Fensters informiert ausführlich über den Befund und lässt überdies auf exemplarische Weise die seinerzeit herrschenden und großenteils noch heute gültigen Restaurierungsprinzipien erkennen:
Anwesende: Baumeister von St. Lorenz Arch. G. Stolz, Diakon W. Nugel, Frau Dr. Marschner LfD, Dr. Baur LfD, G. Hinkes, G. Hör-Schulze, G. Frenzel.
Das Löffelholz-Fenster, St. Lorenz, Lgh. s XIII, eine Stiftung des Johann Loeffelholz und seiner Frau Katharina Dintner von 1509 (Entwurf Hans Baldung Grien) besteht heute aus einer zweizeiligen Farbverglasung, die in eine Rundscheibenverglasung eingelassen ist.
Die untere Zeile besteht aus vier Wappenscheiben der Löffelholz mit Beischilden, flankiert von den beiden Namenspatronen des Stifterehepaares Johannes und Katharina. Die obere Zeile zeigt drei Doppelszenen aus der Kindheit Christi: Verkündigung, Geburt, Anbetung.
Während die vier Wappenscheiben noch wörtlich die von Peter Hemmel von Andlau beeinflußte Handschrift der Nürnberger Hirsvogel-Werkstatt um 1480 präsentieren, spiegeln die acht figürlichen Darstellungen deutlich die fortschrittlichen Kräfte des frühen 16. Jahrhunderts wider.
Die Glasqualität ist, wie in Nürnberg im 16. Jhd. üblich, gut.

Mit Ausnahme einiger Gläser der Rotviolettskala und einiger weniger Rotweiß-Überfanggläser sind die Glasoberflächen kaum verwittert.
S. 2: Die Rückseitenbemalung ist weitgehend erhalten und in relativ gutem Zustande. Das teilweise mit kräftigem Pinselstrich aufgetragene Silbergelb zeigt Abwitterungsspuren. Hauptanliegen der gegenwärtig anlaufenden Restaurierung ist die Freilegung und Konservierung der gefährdeten Schwarzlotmalerei der Vorderseite, die das eigentliche Kunstwerk ausmacht.
Die Abnahme einer vor dem 2. Weltkrieg mit unzureichenden Mitteln durchgeführte Schwarzlotsicherung, die die Qualität der Malerei stark verunklärt, ist Voraussetzung für eine neuerliche, wirkungsvolle Schwarzlotsicherung (siehe dazu: Schreiben Fa. F. X. Zettler vom 21.9.1939 mit entsprechenden Grundrißeintragungen über vorgenommen Sicherungen im Chor, Anlage).
Restaurierung und Konservierung
Als Besprechnungsgrundlage diente eine beiderseitig halbseitig gereinigte Wappenscheibe aus dem Löffelholzfenster.
Folgende Punkte wurden in der Besprechung behandelt:
1. Reinigung 2. Abnahme der früheren Schwarzlotsicherung 3. Retuschen früherer Zeit 4. Flickstücke früherer Restaurierungen 5. Deck- u. Sprungblei 6. Sicherung von Bruchstücken 7. zukünftige Schwarzlotsicherung 8. Prophylaktische Maßnahmen 9. Dokumentation.
1. Reinigung allgem. Verschmutzungen (Kittüberschuß, Ruß u.a.) sollen, wie an dem Musterfeld demonstriert, durch Kompressen mit geeigneten Lösungsmitteln (z.B. Spiritus) angelöst und dann mechanisch entfernt werden. In hartnäckigen Fällen muß der Vorgang mehrmals wiederholt werden. Einige, durch starke Rückseitenkorrosion fast untransparent gewordene Gläser sollen rückseitig soweit vom Wettersteinbelag befreit werden, daß sie sich wieder in das übrige Bildgefüge einordnen. Sollte jedoch noch Rückseitenbemalung festgestellt werden, müßte auf die Aufhellung verzichtet werden.
Eine weiße Fixierschicht (vermutlich in Lösung gebrachter Glasfluß, der möglicherweise zu einem späteren Zeitpunkt eingebrannt werden sollte), die vor dem zweiten
S. 3: Weltkrieg in situ zwecks Schwarzlotsicherung partiell aufgesprüht wurde, soll anhand von Materialproben von Frau Dr. Marschner noch genauer untersucht werden. Die Fixierschicht läßt sich beispielsweise mit Spiritus anlösen und dann – je nach Haftfähigkeit des darunter befindlichen Schwarzlotes – weitgehend mechanisch mit dem Skalpell abgetragen werden.
Kaltübermalungen (Retuschen)
wurden bei einer früheren Restaurierung sowohl an verblaßten Originalen, wie auch an zahlreichen Flickstücken vorgenommen.
Die mit einer noch nicht näher zu bestimmenden schwarzen Farbe gestupften Retuschen sollen generell abgenommen werden.
Ein geeignetes Lösungsmittel hat sich noch nicht gefunden. Als wirkungslos erwies sich Terpentinoel und Terpentinlösungsmittel, Leicht- und Reinigungsbenzin, Spiritus und Aceton.
Die mechanische Abnahme ist möglich und wurde an dem Musterfeld demonstriert.
Flickstücke
unterschiedlichster Qualität und Entstehungszeit (mittel- und nachmittelalterliche, 19. und 20. Jhd.) sollen zunächst gereinigt bzw. freigelegt werden, da in dem jetzigen übermalten und verschmutzten Zustand eine zuverlässige Beurteilung nicht möglich ist. Über die weitere Handhabung soll deshalb erst bei der

nächsten Arbeitsbesprechung, die für Februar oder März vorgesehen ist, entschieden werden.
Historische Ergänzungen sollen in jedem Falle erhalten bleiben.
Deck- u. Sprungbleie
Die aus zwei verschiedenen Reparaturphasen stammenden Deckbleie sollen generell entfernt werden (da sie eine echte Gefährdung der Malerei bilden). Die Unterkittung ist abzulösen und die Sprünge sollen dann nach sorgfältiger Reinigung verklebt werden (Epoxydharz).
Die Sprungbleie sollen, wie ebenfalls an dem Musterfeld demonstriert wurde, in der Breite so weit wie möglich reduziert werden.
S. 4: Bruchschäden und Splitterungen können durch die übliche farblich eingestimmte Verklebung mit Epoxydharz nach sorgfältiger Reinigung der Bruchkanten ausreichend gesichert werden.
Schwarzlotsicherung für die partiell erforderliche künftige Schwarzlotsicherung wurde Paraloid B 72 ins Gespräch gebracht. Außerdem wurde als wünschenswerte Prophylaxe eine verbesserte Außenschutzverglasung benannt.
Dies betrifft allerdings nicht nur das Löffelholzfenster, sondern fast alle übrigen Farbfenster von St. Lorenz!
Dokumentation
Der Erhaltungszustand vor und nach der Restaurierung soll fotographisch (SW Gesamtaufnahmen u. Details, farb. Kleinbild-Dias und Ektachrome 6x9) dokumentiert werden. Soweit erforderlich sind Zwischenaufnahmen während der Restaurierung beabsichtigt.
Alle Eingriffe der jetzigen und soweit noch ablesbar auch die früherer Restaurierungen sind zu dokumentieren (Schraffurschemata nach CVMA).

gez. Dr. Gottfried Frenzel

LoAN, A.10.11/8, Reg. Löffelholzfenster, und Schriftwechsel Nr. 91–94 (ausgewählte Kopien Glasfenster).

143 NÜRNBERG 1984 FEBR. 8
Schreiben von Frenzel an den Architekten Stolz mit dem Hinweis, dass sich die Fertigstellung der Konservierungsarbeiten am Löffelholz-Fenster durch unvorhergesehene Schwierigkeiten verzögert. Dort gibt er auch einen Hinweis auf die mutmaßliche Beschaffenheit des zur Festigung des Glaspulvers vor dem Krieg verwendeten weißen Fixativs und erwähnt umfangreich patinierte »helle Partien«, bei denen es sich möglicherweise um Reste originaler Kaltmalerei handeln könnte:
Außer den deutlich sichtbaren Glasstaubfixierungen (Bindemittel wohl Fixativ: Schellack-Mastix-Dämmer in Alkohol gelöst) sind weite Teile der Bemalung, so etwa alle »zu hellen Partien« patiniert und entlang der Bleiung mit dem Pinsel gesichert worden. Die einzelnen Flächen wurden offenbar in situ aufgesprüht. Das nicht näher bekannte Bindemittel läßt sich mit den in Frage kommenden Lösern nicht in Lösung bringen, nur anweichen und muß dann mechanisch mit dem Skalpell abgetragen werden, was natürlich sehr zeitaufwendig ist. Die Originalbemalung unter den braunverfärbenden Schichten ist sehr locker.
LoAN, A.10.11/8, Reg. Löffelholzfenster.

144 NÜRNBERG 1984 MAI 17
Endabrechnung für die Restaurierung des Löffelholz-Fensters:
[...] für meine Bemühungen um die Restaurierung des Löffelholzfensters erlaube ich mir als Endabrechnung zu erbitten [...]
Gesamtbetrag DM 68.400,–
geleistete Vorauszahlungen
[in 3 Raten zu 2 x DM 20.000,– und 1 x DM 18.000,–]
DM 58.000,–
Restbetrag DM 10.400,–
Mit Dank und freundlichen Grüßen Dr. G. Frenzel
LoAN, A.10.1/12, o. Reg. (Rechnungen 1983–1984).

145 NÜRNBERG 1984 MAI 29
Schreiben Frenzels an Stolz hinsichtlich der akuten Gefährdung des Tucher-Fensters Süd:
Sehr geehrter Herr Stolz,
anläßlich des Wiedereinbaues des Löffelholzfensters haben meine Mitarbeiter und ich das Tucherfenster süd einer etwas genaueren Durchsicht unterzogen.
Das Tucherfenster ist akut substanzgefährdet. Viele Partien der Bemalung sind bereits abgewittert.
Nun läßt sich der genaue Erhaltungszustand des Fensters sehr schwer beurteilen, da es technisch völlig anders gestaltet ist als alle übrigen Fenster in St. Lorenz. Während diese aus durchgefärbtem Hüttenglas und entsprechender Schwarzlot-Halbtonbemalung bestehen, folgt das Tucherfenster der in der Zeit ab 1600 üblichen Schweizer Kabinettscheibenmalerei.
Außer dem roten Überfangglas sind sämtliche Farben durch Email-Schmelzüberzüge bewirkt, deren Haftfähigkeit genau untersucht werden müßte. Entsprechend negative Erfahrungen liegen mir vom Imhof-Fenster der St. Sebalduskirche vor, das ebenfalls von Jakob Sprüngli aus dem gleichen Jahre 1601 stammt.
Erschwerend kommt hinzu, daß das Tucherfenster in Gänze übermalt ist (einschl. der Butzenscheibenverglasung). Es ist zu befürchten, daß als Bindemittel das unlösliche Wasserglas verwendet wurde, wie etwa beim Löffelholzfenster, wo wir das Bindemittel nur anquellen konnten und dann sämtliche Übermalungen mit dem Skalpell abgetragen werden mußten, ein Arbeitsgang, der sehr zeitaufwendig ist, zumal wenn die darunter befindliche Hauptbemalung stark gelockert ist.
Es folgt der Vorschlag, fünf Probefelder auszubauen, um sie in der Werkstatt einer exakten Überprüfung zu unterziehen.
LoAN, A.10.11/8 (Kapellenfenster II); dort folgt das Protokoll des Werkstattgesprächs vom 25. Nov. 1986 über die Restaurierung des Tucher-Fensters[16].

146 NÜRNBERG 1984–1988
Konvolut mit Schriftwechsel, Kostenangebot, Besprechungsprotokollen und Endabrechnung für Restaurierung und Außenschutzverglasung des südlichen Tucher-Fensters von 1601 bzw. 1639.
LoAN, A.10.11/8, Reg. Tucherfenster Süd.

147 NÜRNBERG 1987 DEZ. 16
Endabrechnung für die Restaurierung des Lorenz-Tucher-Fensters süd VI von 1601:
Gesamtauftrag Tucherfenster süd gemäß Werkvertrag 10.10.83 incl. 14% MWST = DM 182.400,–
Restaurierungsetappe I = geleistete Zahlungen:
17.10.86 = DM 2.622 [betr. Ausbau obere Fensterhälfte, Transport]

---

16 Bereits im Oktober 1983 hatte Frenzel ein Kostenangebot zur Restaurierung des Lorenz-Tucher-Fensters für den Betrag von 160.000,– DM vorgelegt; LoAN, A.10.11/8.

10.11.86 = DM 28.000,– [1. Teilrate 1986]
<u>*03.02.87 = DM 24.000,–* [1. Teilrate 1987]</u>
　　　　　　　　　　　　　　　　DM 54.622,–
Restaurierungsetappe II = 182.400,– – 54.622,– (Etappe I 1986)
– DM 28.500,– (Etappe III 1988) = DM 99.278,–
Rechnungsstellung Etappe II 1987　　<u>*DM 99.278,–*</u>
Vorauszahlungen (14.05./14.07./15.09.)
je DM 30.000,–　　　　　　　　　<u>*DM 90.000,–*</u>
Restbetrag incl. MWST 14%　　　<u>*DM 9.278,11*</u>
Mit Dank und freundlichen Grüssen　　*Dr. G. Frenzel*
LoAN, A.10.1/14 (Rechnungen 1987).

148　　　　　　　　　　　　　NÜRNBERG 1987–1990
Umfangreiches Konvolut mit Kostenangeboten, Zeitplanung,
Aktennotizen, Besprechungsprotokollen und anderem Schrift-
wechsel zur Restaurierung und zur Erneuerung der Schutzver-
glasung des nördlichen Tucher-Fensters nord V von 1590–92.
LoAN, A.10.11/7, Reg. Tucherfenster Nord.

149　　　　　　　　　　　　　NÜRNBERG 1991 Juli 22
Aktennotiz Gottfried Frenzels zur durchgeführten Kontrolluntersuchung der Westrose an der eingerüsteten Westfassade
von St. Lorenz:
[...] anläßlich der Einrüstung der Westfassade von St. Lorenz in
diesem Sommer bestand die Möglichkeit einer Kontrollunter-
chung der Westrosenverglasung von außen her.
Vor 15 Jahren waren die Originalscheiben (s. Nummerierungs-
plan) mit einer Außenschutzverglasung in ornamentaler Blei-
Teilung versehen worden, um die Gemälde prophylaktisch
gegen weitere Verwitterungseinflüsse zu schützen. Zusätzlich
wurde auf den Rückseiten als Korrosionsschutz eine Heißwachs-
beschichtung vorgenommen (MVzW St. Lo. Nürnberg, S. 18f.).
Eine Ornamentscheibe (Y3) wurde 1977 (versehentlich) nicht
gesichert, so daß sich eine definitive Aussage über die Wirksam-
keit der getroffenen Sicherungsmaßnahmen ergibt (Abb. 6–8).
Die gesicherten Originalscheiben zeigen ein unverändertes Aus-
sehen und entsprechen dem Erhaltungszustand von 1977 (vgl.
Restaurierungsdokumentation, Archiv St. Lorenz). Der leichte
Grauschleier (Abb. 2, 3, 5, 6) auf den Rückseiten, bestehend aus
den Verwitterungsprodukten Syngenit und Gips) wurde damals
bewußt belassen, um die angegriffene Oberflächenschicht nicht
weiter zu gefährden. Die hauchdünne Heißwachsbeschichtung
ist optisch weder früher in Erscheinung getreten, noch zeigen
sich heute hier irgendwelche Veränderungen.
Im Gegensatz dazu weist das unbehandelte Ornamentfeld Y3
starke Korrosionschädigungen auf mit einer 1 bis 2mm dicken
Korrosionschicht neu verwitterter Glassubstanz. 1950 dem
Zeitpunkt der Wiederherstellung der Rosenverglasung (MVzW
St. Lo. Nürnberg S. 19) waren die Glasrückseiten noch relativ
gut intakt. Die eigentlich schwerwiegenden Korrosionsschäden
sind nachweislich (vgl. Zustand unter den Bleiruten) erst in der
Zeit zwischen 1950 und 1977 entstanden.
Anläßlich der im Rahmen des Wartungsvertrages durchge-
führten Kontrolluntersuchung wurden auch zwei Schlagloch-
schäden bei den ungesicherten Scheiben vorgenommen
(Abb.1, Restaurierungsdokumentation gesondert).
　　　　　　　　　gez. Dr. Gottfried Frenzel
LoAN, Schriftwechsel Nr. 91–94 (ausgewählte Kopien Glasfenster).

EHEM. BARFÜSSERKLOSTER

150　　　　　　　　　　　　　NÜRNBERG 14. JH. (1605)
Das Jahrtagsgedächtnis für Anna von Sachsen, die Gemahlin
des Grafen Emicho von Nassau, einem Vetter König Adolfs
von Nassau, gibt den Hinweis auf ein von ihr gemeinsam mit
Adolf I. Graf von Nassau (um 1307–1370) und seiner Gemahlin
Margarete, einer Tochter des Nürnberger Burggrafen Friedrich
IV., gestiftetes Chorachsenfenster, wobei allerdings der wahre
Stifter im Jahrtagsgedächtnis der Franziskaner irrtümlich mit
dem gleichnamigen römischen König Adolf von Nassau (* vor
1250, † 1298) identifiziert wurde:
[...] Es ist ze wissen, dacz die selben II sumer korns hot geschickt
disem con(ven)t die wirdig edle fraw an(n)a gräfin zenassaw die
etwen gesessen waz zu dem kamerstain. vnd dez alten purkraf
fridrich zu nürmb(er)g to(c)hter waz. und graf emych von nas-
saw wirtin waz vnd hye indem chor in ir muter grab fraw (h)
elen(e) purgräfin begrabe(n) leit.
dar vm daz die bruder iarliche(n) bege(n) sullen der obgena(n)
ten fraw anna un(d) grafe(n) emychs von nassaw ihres wirtes
vn(d) Junckfrawe(n) (h)elen(e) ir to(c)t(er) vnd aller ander
ir kind, vnd auch su(e)nd(er)lich dez wirdige(n) römische(n)
kun(i)g adolfs, der auch ain gepor(e)n graf vo(n) nassaw waz
vn(d) frawe(n) margret(en) seiner wirtin. die disem Co(n)uent
daz mytter glas indem chor habent lossen machen [...].
StadtAN, A 21-4, Nr. 1, Codices manuscripti (Kalendarium
fr(atr)um minorum sup(er) anniversar(iis) et al(iis) etc. ante re-
formationem habitis. Register uber Gult und einkommen dieses Convents. [...] 1300–1495 [...] Durch Steffan Trumer Spit(al)
maister gemacht A.° 1605), fol. 62rv.
In Auszügen abgedruckt in: NORTHEMANN 2011, Anm. 229,
und KAH 2018, S. 218, Anm. 393.

151　　　　　　　　　　　　　NÜRNBERG 1493 AUG. 27
Sebald Schreyer stiftet Glasgemälde der Heiligen Johannes
Bapt., Genoveva, Sebald und Margareta zusammen mit den üblichen Wappen Schreyer, Kammermeister und Fuchs und der
umgebenden Butzenverglasung in das neu errichtete Siechhaus
der Franziskaner:
Item Sebolt Schreyer hat in dem closter parfusserordens zu Nurn-
berg in irem neuen siechhaus ein kamern, die nechsten bei dem
gang, do der altar steet, zu der rechten hand, die in iren garten
sicht, und neben der stuben daran, so Sebastian Kamermaister,
sein schwager, hat machen lassen, angenomen und mit zweien
vierfachen rauten verglasen lassen und in die einen, nemlich die
nachsten bei dem altar, zu der rechten seiten s. Johannspild des
taufers mit einem Schreier schilt und die linken seiten s. Gene-
feefenpild mit einem Fuchsenschild und in die andern auf die
rechten seiten s. Seboltspild auch mit einem Schreierschilt und
die linken s. Margarethenpild mit einem Kammermaisterschilt
machen lassen. und sind außerhalb der pilde darzu kumen 255
scheiben, und haben soliche venster mitsamt den ramen gecost
bei 5½ guldin, und sind zuerst aufgesetzt worden am Pfintztag
nach Barbare, den 5. septembris [muß heißen Dezember] nach
Cristi geburt 1400 und im 93. jar, in welichem jar das gemelt
haus gebaut ist worden.
StAN, Rst. Nürnberg, Rep. 52a, Nr. 302 (Schreyer-Codex B),
fol. 236v.
Abgedruckt in: GÜMBEL 1908, S. 12f.

152　　　　　　　　　　　　　　NÜRNBERG 1504

Sebald Schreyer erwähnt die Wiederherstellung einer Fensterstiftung seines Großvaters Fritz Schreyer in die Klosterkirche
mit einer Darstellung der Schöpfungsgeschichte, der Vertrei-
bung Adams und Evas aus dem Paradies und dem Englischen
Gruß; darunter waren die Stifterbilder von Fritz Schreyer und
seiner Frau Adelheid zu sehen.

*Item Fritz Schreyer von Eybach genant hat auch in der kirchen
des Closters parfußer ordens zu Nuremberg in der abseytten
gen mittem tag oder gen Sant Laurenzen [...] Und im unntern
eingang der gemelten kirchen zu der Rechten bemelt das unter fenster gemelter abseytten gen mittem tag sehennde mit ge-
schmeltztem oder geprentem glaß von zwelf plettern In dreyen
zeylen ausserhalb und one den obern stern oder pogen machen
lassen. Darinnen die figur der erschöpfung der welt und auß-
treybung Adams und Eva. Auch der Englisch gruß und in den
untern zweyen der plettern demeinen sein und dem andern
seins weibs pildnuß. Darunter ein Schrift der meinung Fritz de
Eybach der Schrayer Alheyt uxor. Und diese Alheit ist gewest
eine von Eybach genan(n)t Schreyberin.*

*Item Nachdem das obgemelt fenster durch die lang der zeyt
schadhaft worden ist hat Sebolt Schreyer des gemelten Fritzen
Schreyers [vremyklen] solch fenster wider vernewen, das alt
glaßwerk alles ausserhalb der untern dreyer pletter außwech-
seln und mit Scheibenglaß von merer lichtes wegen machen lassen. Aber die untern zwey der pletter darinnen dan(n) in dem
eynen nemlich dem zu der rechten seytten des gemelten Fritzen
Schreyers seines uranherren pildung mit einem reymen von alten puchstaben Miserere mei deus ec. Und dem andern zu der
lincken seytten die pildung frawen alheiden seiner uranfrawen
mit einem reymen gleicher puchstaben Ave maria gratia ple-
na ec. Pede knyend gestanden sind. Und das mitler unser plat
zwyschen den plettern der zweyer pildung mit Schreyer schilt
und helm, unden mit einem kleynen der Schreyber von Eybach
schiltlein hat er alles in new pley setzen, deßgleichen die schrift
darunter durch die drei pletter geende auch mit alten puchstaben wie dan(n) die davor gewest ist pessern und vernewen
lassen der meynung Fridericus Schreyer genannt von Eybach
Adelheyd uxor eius. Und solch fenster ist also vernewt wider
aufgesetzt worden zu Ostern im XV^c und vierden Jar. [Es folgen
die Angaben zum Umfang und zum Schutz durch Drahtgitter.]
Und hat zu Vernewen gecost ob VIII g(u)ld(en) rheinisch.*
GNM, Hs. Merkel 1122 (Schreyer-Codex C), fol. 250v.
Abgedruckt in: GÜMBEL 1908, S. 122, Anm. 3.

153　　　　　　　　　　　　NÜRNBERG 1686 OKT. 2

Nach dem Brand vom 1. Okt. 1671, dem Barfüßerkirche und
Konventsgebäude großenteils zum Opfer fielen, der Chor aber
offenbar weitgehend verschont geblieben war, ließ man im Zuge
des Wiederaufbaus ein kaiserliches Wappen durch den Glasmaler Johann Ludwig Faber restaurieren oder neu gestalten:
*Johann Ludwig Faber, glaßmahler für das kaiserliche Wappen
in die Kirche zumachen laut Scheins zahlt 13,,30,,-*
StAN, Rep. 21 Rst. Nürnberg, Bauamt, Akten Nr. 21: Rechnung über den Barfüßerkirchenbau 1681–1690, fol. 94r.
Abgedruckt in: NORTHEMANN 2011, S. 40.

154　　　　　　　　　　　　NÜRNBERG 1690 MAI 19

Umfangreiche Neuverglasung an Fenstern des Geschlechts der
Behaim mit Butzen betr.:
*Anno 1690 [...] hat die Hoch Edelgeborne Böheimische Famillie
Fenster in der Parfüsser Kirch zalt wie folgt.*

Erstlich 18 Fenster mit neuen Scheiben gemacht halten 1149
scheiben eine 1 Kr Dafür　　　　　　　　　　　*19 fl. 3 kr.*
mehr 528 haften aufgesetzt dafür　　　　　　　　*1 fl. 46 kr.*
　　　　　　　　　　　　　　　　　Summa 20 fl. 49 kr.
StadtAN, E 11/2 (Behaim-Archiv), Nr. 3284.

EHEM. DEUTSCHORDENSKIRCHE ST. JAKOB

155　　　　　　　　NÜRNBERG 1514, 1563, 1596

Erwähnung eines Praun'schen Fensters von 1514 im Chor und
von Reparaturarbeiten in späterer Zeit:
*Bey St. Jacob ist ein Fenster im Chor, so obgemelter Praun Anno
1514 hat machen lassen, und von Steffan Praun dem andern
verneuert, mit sein und seiner beiden Weiber Wappen, Anno
1563 und zweymahl darnach gebessert. Nemblich Ao. 15[...], da
man deß Niclaß und Hanns Praun Wappen mit ihren Weibern
hinein gemacht hat, darnach Ao. 1596 wieder gebessert worden.*
StadtAN, E 28/II (Praun-Archiv), Nr. 1709 (Verzeichnus der
Gedächtnußen so die Praun inn und außerhalb Nürnberg in
Kirchen haben), S. 10.

156　　　　　　　　　　　　　　　1570, 1675

In der Fürleger-Chronik Angaben über die Verneuung des Für-
leger-Fensters in St. Jakob durch Wolfgang Fürleger 1570 und
ein weiteres Mal 1675 durch Hans Georg III. Fürleger.
StAN, Hs. 271, fol. 56r.
Abgebildet in: SCHAPER 1986, Abb. 4 und Fig. 627 im vorliegenden Band.

157　　　　　　　NÜRNBERG ENDE 16./ANFANG 17. Jh.

Hinweise auf ehemals vorhandene Wappenscheiben in einem
Chorfenster in St. Jakob:
*In St. Jacobs Kirch im ChorFenster ist Heinrich Ayrers und der
Seybittlerin, Egidii Airers und der Praunin und Johann Egidy
Ayrers und der Hallerin Wappen.*
StadtAN, E 1/48, Nr. 7/1 (Ayrerische Gedächtnuß und Stif-
tungen).

158　　　　　　　　　　　　　NÜRNBERG 1632

Rechnung des Glasers Georg Geckenhöfer über die Renovierung von Fenstern in Kirche, Pfarrhaus und Schulgebäude,
wohl überwiegend oder ausschließlich Butzenfenster:
*Unnd Meister Georgen Beckhenhoffer glasern von allen neuen
fenstern so wohln in der kirchen alß in deß herren Pfarherrns
nnd gantzen Schulhauß zu machen, sampt dem trinckhgelt bezalt alut seines zettels fl. 127.*
StadtAN, B 1/II, XL 23 (Renovierungsakten der Jakobskirche
1632), fol. 8r.

159　　　　　　　　　　　NÜRNBERG 1917 NOV. 24

In einem Schreiben des Prokuristen Haller der Münchner Hof-
kunstanstalt F. X. Zettler an den Pfarrer von St. Jakob wird der
Zustand der Fenster wie folgt beschrieben:
*Ich habe die verschiedenen Sprünge in den Fenstern mittelst
Sprungbleien und auch teilweise Verkittung nach Tunlichkeit
behoben, so dass für die nächste Zeit eine Loslösung einzelner
Stücke und ein Weiterumsichgreifen gelockerter Teile nicht zu
fürchten sein dürfte. Auf die Dauer wird sich eine Neubleiung
der Fenster nicht umgehen lassen und fand sich namentlich beim
Stammbaumfenster das Bleinetz in besorgniserregendem Zu-*

stande. Wenn man diese Flügel herausnehmen müsste, könnte man sicher sein, dass dieselben beim Herausnehmen in der Hand zerfallen würden. Auch die Wappenflügel haben infolge der ungemein dünnen Bleifassung unter der Witterung in bezug auf Haltbarkeit sehr gelitten und dürften über die Fenster keine allzu heftigen Stürme hinweggehen, um sie nicht ernstlich zu gefährden. Ein Glück hiefür ist meines Erachtens der Umstand, dass die Eisen vorzüglich erhalten sind, die event. nur einen neuen Anstrich benötigen, um wieder für Jahrzehnte haltbar gemacht zu werden. Nur beim Mittelfenster bedarf es der Erneuerung von ein zwei Deckschienen.

[…]

Nur die Schilderung des Zustandes des Stammbaumfensters gibt zu größerer Befürchtung Veranlassung. Gerade wegen dieses prächtigen Fensters würden wir eine möglichst baldige durchgreifende Restaurierung sehr wünschen, denn es wäre ein unannehmbarer Verlust, wenn an diesem Fenster infolge Vernachlässigung ein Schaden entstehen würde. […]

Eine Empfehlung der Zettler'schen Anstalt für die Ausbesserung der Glasmalereien war bereits Anfang März 1917 durch den Architekten Schulz erfolgt (ebenda).
Nürnberg, LAELKB, PfA St. Jakob (31), XVI, Fasz. 27 (Bausachen 1898–1918).

EHEM. DOMINIKANERINNENKLOSTER ST. KATHARINA

160   NÜRNBERG 1517

Ausgaben des Jakob Muffel, der mit einer Schlüsselfelderin verheiratet war, für Jahrtage und Gedächtnisse, darin u.a. für Reparaturen eines Muffel-Fensters durch die Werkstatt Veit Hirsvogels:

Item mayster veytten zallt fur daß thurlein im alltenmuffel fenster zu sant katherina im Chor sol haben 63 schewben 4 lb, ist verrecbet vnd abgezogen worden.
StAN, Rep. 80 (Muffel-Archiv), Akten Nr. 184, o. Pag.

161   1629/30

Ausgaben für Reparaturen der Haller-Fenster durch den Glaser Bernhard Schwarz:

[o. D.] *Item zahlt für 3 kleine eißerne Stänglein, so an daß Closterfenster bey St: Catharina sindt verbraucht worden 1 lb 20 d.*
Juni 2: M. Bernhard Schwarzen Glaser daß er die Hallerischen Fenster bey St: Catharina abgehebt, außgebuzt vnd die zerbrochenen Scheiben ergänzt 12 fl 4 lb 6 d.
[o. D.] *für 3 andere eyserne Stänglein zu machen, so etwaß größer geweßen 3 lb 10 d.*
Großgründlach, Haller-Archiv (Ulrich Haller'sche Stiftungsrechnungen), Rep. 1, Nr. VII, A.a. 9/5.
(Transkription Bertold Frhr. von Haller).

162   NÜRNBERG 1731

In den Monumenta des Geschlechts der Behaim ist ein von Friedrich II. Behaim († 1365) und seiner Gemahlin Margareta Pfinzing (∞ 1310) gestiftetes Fenster folgendermaßen verzeichnet:

Ein groses, fast völlig mit bildnüsen der Heil: und sonsten gemahltes groses fenster, rechter hand bey dem grosen Altar, mit herrn Friederich Behaims, Ritters, und dessen Gemahlin, einer gebohrnen Pfinzingin, Wappen gemahlet.

Daneben eine Federskizze des dreibahnigen Fensters. Diese zeigt in den Zeilen 1 und 2 eine Butzenverglasung, in 3a das Wappen Behaim, in 3c das Wappen Pfinzing und in 5c wiederum Butzenscheiben; der Rest war völlig gemalt, ohne Angabe der Thematik.
StadtAN, E 11/II (Behaim-Archiv), Nr. 3280 (2): Beschreibung der hochadel: Behaiml: Kirchenfenster, auch Toten-Schilde, Tafeln und andrer Monumentorum, allhier und sonstenwo, Verfasset Ao. 1731, fol. 4r.
Abgedruckt in: NORTHEMANN 2011, S. 77.

163   NÜRNBERG 1811–41

In einer Sammelakte mit mehreren Inventarlisten von Gemälden, welche vormals in den Nürnberger Kirchen vorhanden waren, findet sich wiederholt die Nennung von Glasmalereien aus St. Katharina in den Verzeichnissen:
fol. 5v:
Nr. 460–666 / 96.
Vorstellung: 7 / 9 Glasgemälde vom 14ten Jahrhundert, mit Heiligen, ausserordentlich schön.
Maas: Höhe 2 Schu 5³/₄ Zoll, Breite 1 Schuh, 3 Zoll
Herkunft: Katharina Kirche
Bemerkung: 2 St. davon sind nach München gekom(m)en 1812.
Die übrigen 7 st. sind am 8. Jan. 1841 für die St. Lorenz Kirche abgeliefert worden.
fol. 48r und 50v:
Verzeichnis über diejenigen Malereien, welche Eigenthum des Cultus der Stadt Nürnberg sind und sich auf der Burg daselbst befinden:
460. sieben Stück Glasgemälde aus der älteren Zeit
[Material Glas, Meister unbekannt, Maße in Schuh und Zoll jeweils 1 9¹/₂ und 1 4:]
Gott Vater in den Woiken, unter ihm das Jesus Kind mit dem Kreuz und Reichs Apfel
kamen 1841 in die St. Lorenz Kirche ins Schlüsselfelderl. Fenster.
461. Der Heilige Joachim und die Heilige Anna.
462. Ein unbekannter Heiliger
463. Drey Heilige unter denen Judas und Johannes
464. Der König Salomon
465. Die Heilige Barbara, einen Kelcn mit Hostien in der Hand.
*Unten: ein unbekanntes und Riederische Wappen*ANM
466. Der Heilige Amos und die Heilge Salome.
fol. 79: Schreiben v. Dillis an die protestantische Kirchenverwaltung in Nürnberg vom 5. Mai 1838, darin Erwähnung der beiden nach München abgegebenen Glasgemälde desselben Konvoluts im Zusammenhang mit möglichen Ersatzleistungen seitens des Bayerischen Staates.
Schreiben vom 19.3.1839:
Da für die 2 Glasgemaelde ein Ersatz aus den Kgl. Kunstsammlungen in natura nicht geleistet wurde, so haben wir unterm heutigen das Kgl. Conservatorium der hiesigen Gallerie veranlaßt, sich über den werth jener Glasgemälde zu äußern und einen Ersatz aus städtischen Gemaelden noch in vorschlag zu bringen […]   *g ez. Bestelmeyer*
Schließlich erhält die protestantische Kirchenverwaltung im Jahr 1839 als Ersatz zwei auf der Burg befindliche Ölgemälde, kleinere Kopien des 17. Jahrhunderts nach den größeren Originalen von Dürers vier Aposteln.
Am 8. Januar 1842 bescheinigt Pfarrer Hilpert den Empfang der in Nürnberrg verbliebenen sieben Glasgemälde:
An das K. Gallerie Conservat(orium).
Die bescheinigt den richtigen Empfang von 7 Stück Glasgemäl-

*den sub. Nr. 460 – 466, welche dem protest. Kirchenvermögen
gehören   gez. Hilpert*
In einem späteren Verzeichnis sind die betreffenden Nummern
460–466 dann rot durchgestrichen mit Verweis auf die Abgabe
an St. Lorenz 1841.
LAELKB, Kirchenvermögen, Akten 27 G 7.

EHEM. KARMELITERKLOSTER

164   NÜRNBERG 1468 DEZ. 20
Das Gedenkbuch von Nikolaus III. Muffel verzeichnet eine
Scheibenstiftung[17] – ausgeführt durch Hans Pleydenwurff –
für die Ottilienkapelle im Kreuzgang des Karmeliterklosters:
*Item zu den frawen prudern han ich mir furgenomen und den
herren do selbst zu gesagt in sant otilgen newen kappeln ein sinbelglas von der spera des himels zu machen. Das sol man den
pleydenwurff mallen und verczeichen lassen dem furmer, so an
dem tefelein verzeichent ist [...].*
GNM, Hs. 36187.
Zitiert nach: HIRSCHMANN 1950, S. 331.

165   NÜRNBERG 1504
Sebald Schreyer stiftet das dritte Fenster mit den Bildern der
Mariengeburt und der Darbringung im Tempel in den Kreuzgang des Karmeliterklosters:
*Item Sebolt Schreier hat in dem closter Carmelitarum in Nurm-
berg, zu den Frauenbrudern genant, in irem creuzgank und in
der seiten gen dem aufgang der sunnen oder gegen dem sagerer
über, als man von dem chor zu der rechten hand in gemelten
creuzgank herausgeet, ein g l a s v e n s t e r, nemlich das dritt, von
acht plettern in zwein zeilen mitsamt dem pogen machen und
verneuen lassen, welcher pletter zwei nebenenander in der underen zeil von geprentem glas, nemlich in dem einen die materi
der opferung unser lieben frauen im tempel mit Schreyerschilt
und -helm und dem andern der geburt unser lieben frauen mit
Cammermeisterschilt und -helm und die andern alle von grossen scheuben gemacht sind. und solich fenster ist also gemacht
aufgesetzt worden vor weinachten im 1500 und vierden jare, in
welchem jare herr Erhardus Schurstab, dazumalen und kurzlich
davor angegangen prior gemelts closters, auf anregen des obgemelten Schreyers den vorgemelten creuzgang zu verneuen und
die materi oder legend von s. Annen unser lieben frauen und
des leidens Cristi in das glaswerk zu machen furgenomen hat.*
Es folgen Angaben und Beträge zu Eisenwerk, Windstangen,
Rahmen und Steinbearbeitung für die Fenster.
StAN, Rst. Nürnberg, Rep. 52a, Nr. 303 (Schreyer-Codex F),
fol. 102a.
Abgedruckt in: GÜMBEL 1908, S. 122f.

166   NÜRNBERG 1508
Sebald Schreyer stiftet ein weiteres Fenster mit den Bildern der
Verkündigung an Joachim und der Begegnung an der Goldenen
Pforte in den Kreuzgang des Karmeliterklosters:
*Item so hat der bemelt Sebolt Schreyer nachfolge und nemlich
in dem 1500 und achten jare, in welichem der obgemelt herr
Erhardus Schurstab mit tod abgangen ist, das negst f e n s t e r an
dem obgemelten Schreyerfenster, so das ander an der zal und
zunachst an sein des obgemelten herrn Erhardus priors und
Jeronimus Schurstabs seligen fenster, so das erst an der zal ist,
gleich dem andern machen und verneuen lassen, welicher ple-*

*ter zwai nebeneinander in der undern zeil in itzgemelten der
Schreyer anderm venster auch von geprentem glas, nemlich
in dem ainen die materi, als Joachim unter der gulden pforten
s. Annen begegnet, mit Schreyerschilt und -helm und mit Fuch-
sen und Eiben klein schiltlein und dem andern, als der engel
dem gemelten Joachim verkundet, wider haim zu Annen, seiner
haussfrau, zu geen, auch mit Schreyerschilt und -helm, unden
mit ainem klain Feuchtwangerschiltlein[18]. und hat dafur zalt
16 gld. rh. und ist sonst mit scheiben und anderm gleich dem
andern.*
StAN, Rst. Nürnberg, Rep. 52a, Nr. 303 (Schreyer-Codex F),
fol. 102a.
Abgedruckt in: GÜMBEL 1908, S. 123.

167   NÜRNBERG 1514
Sebald Schreyer stiftet ein dreiteiliges Fenster mit Butzen und
Wappen in das westlichste Fenster des Nordseitenschiffs der Karmeliterkirche:
*Item Sebolt Schreyer hat in der kirchen des closters unser lieben
frauenbruder, Carmeltarum genant, zu Nurmberg in der ab-
seiten gein miternacht und zu hinderst oder underst gen dem
undergang der sonnen ein d r i f a c h g l a s f e n s t e r, vier zeil hoch
on das formberk, verneuen und von venedischen scheuben ma-
chen lassen, außerhalb des mettln plats der undern zeil, darein
Schreyerschilt und -helm mit einem klain Camermeisterschilt-
lein geschmeltz oder geprennt ist. solich venster ist aufgesetzt
worden vor pfingsten im 1514 jar und hat auf das mal gecost
mitsamt zwolf neuen eisensteinglein, auch negeln und anderm
ob acht gulden rh. landsw.*
StAN, Rst. Nürnberg, Rep. 52a, Nr. 303 (Schreyer-Codex F),
fol. 102b.
Abgedruckt in: GÜMBEL 1908, S. 123.

168   NÜRNBERG 1516
Sebald Schreyer stiftet ein drittes Wappenfenster, zwischen den
Fenstern der Schürstab und Groland gelegen, in den Kapitelsaal
der Karmeliterkirche:
*Item Sebolt Schreyer hat im obgemelten closter Carmelitarum
in irem capitelhaus das dritt venster, zwischen der Schurstaben
und Groland venstern steende, so an der weiten in zwo zeil und
an der höh in drei zeil ausgeteilt ist, von venedischen scheuben
verneuen oder machen lassen und in den metteln zweien zeilen
an der höh hat er in ide ein kleine virung von geprentem glas,
nemlich in dem einen Schreyerschilt und -helm mit zweien kleinen schiltlein Fuchs und Eyben und der andern auch Schreyerschilt und -helm mit einem kleinen Cammermaisterschiltlein
setzen lassen. zu solchem venster sind komen 258 scheuben und
ist aufgesetzt worden vor weihnachten im 1516. jar und hat gecost ob funf gld. rh.*
StAN, Rst. Nürnberg, Rep. 52a, Nr. 303 (Schreyer-Codex F),
fol. 102b.
Abgedruckt in: GÜMBEL 1908, S. 123f.

169   NÜRNBERG 1526
Im Geschlechterbuch des Konrad IV. Haller wird eine Gemein-
schaftsstiftung von fünf Angehörigen verschiedner Linien der

17 Die Bezeichnung Sinbelglas von der Sphaera des Himmels war in
ihrer Bedeutung nicht eindeutig zu klären.
18 GÜMBEL, 1908, S. 123, Anm. 1, bemerkt, daß Schreyers Großvater Andreas mit der Tochter Johann Tuchers, „dictus de Feuchtwan-
gen", verheiratet war.

Familie in die Ottilienkapelle im Kreuzgang des Karmeliterklosters verzeichnet:
Item mer haben Ruprecht Haller, Jorg Haller von Bruckperg, Vlrich Haller vonn Greuenberg, Allexius Haller der elter vnnd Enndres Haller got zu seinem lob ein erlich vennster zu frawen bruedern in Sandt Ottilgen capellen lassen machen mit irer aller schilt vnnd helm vnnd darunter gesetzt yeder seiner frawen wappen.
Großgründlach, Haller-Archiv, CCH-I, fol. 261 (Transkription von Bertold Frhr. von Haller).

170   NÜRNBERG 1558
Kaufbrief des Karmeliterklosters (Auszug hinsichtlich der Teile, die dem Käufer zugehören, sowie der Teile, die beim Verkäufer verbleiben sollen):
Deßgleichen auch den Kreutzgang und garten darinnen. Sambt dem Capellein sanndt Ottilien Capellein genanndt. Mer den kor an der grossen kirchen, auch das Peichthaus sambt dem Sagerath unnd obern gepew darauf. Item die Wohnung inn ob gemeltem Hof [...].
Item was Nagel unndt Pandt in solchem Kloster [...] Sail, Ketten, Kellerleger, die stainen Elter unnd Fensterwerck, wie das alles jetzt vorangen were, sollt auch dem kauffer bleiben, ausgenommen alle Elter tafel pilder Epitaphien [...] Wappen, Schild, Stuhul, sambt der glocken im kirchen thurm sollten den herrn verkauffern zugeherig sein [...].
StAN, Rst. Nürnberg, Klöster in Nürnberg, Urkunden Frauenbrüder Nr. 9.
Mitgeteilt in: ULRICH 1979a, S. 17.

EHEM. KARTÄUSERKLOSTER

171   NÜRNBERG ANFANG 16. JH.
Kurze Nachricht über die Stiftung des Lukas Kemnater von vier Gewölben und vier Fenstern in den großen Kreuzgang der Kartause:
Item lucas kempneter hat 1 jar tag gestifft am 29 mart dat. 20fl, und hat vier gewölb und vier fenster laßen machen vor der Celle M.
StAN, Rep. 19a (E-Laden, Akten), Nr. 27, fasc. 55, fol. 2v; vgl. ebenso GNM, Hs. Merkel 735.

172   NÜRNBERG 1615–1724
Aufwendungen der Tucher-Stiftung für den Erhalt ihrer Fenster in Kirche und Kreuzgang des Kartäuserklosters über die Jahre hinweg:
Aus Anthoni Tuchers 5. Stiftungsrechnung geschloßen
Juny 1615: [...] dem Hieronymus Schetler, baumeyster im Allmußen, wegen des Tucherfenster in der Kirchen zu verglasen
19 fl.   3   12
Mehr zalt dem Lorennz Lengen [Lang] glaßmahler, für das Tucher-WappenSchildt und helm in das obbemelt Kirchenfenster 6 fl. und auf ieder seithen ein Tucherschildt mit einem runden Crantz umbfangen von einem 1 fl. thut sambt 6 kr drinckgelt
8 fl.   25
Fenster im Creutzgang [...] dem Hieronymus Schetler, baumeyster im Allmußen, für das Tucherisch fenster im Creutzgang zu verglaßen
5 fl.
Aus Tobia Tuchers 2. Stiftungsrechnung geschloßen July 1645.
1644 den 26. Octob. Franz Stengel, Glaßmahler unndt Glaßer,

von den Scheiben so von dem Wetter in unterschiedlichen Kirchenfenstern ausgeschlagen, wieder zu machen laut zettels zahlt wurden
f. 41   10
[Es folgen Trinkgelder für die Gesellen und die Bezahlung von Gerüst und Schlosser.]
Ao. 1724 den 23. Jun. M. Abraham Helmhack Glasern für das Tucherl(ische) Bemahlte Fenster in der Kirchen, so auch von dem HagelWetter verderbt worden, außzubeßern, laut Scheins
2 fl.   43
StadtAN, E 29/III (Tucher-Archiv), Nr. 14 (Tuchersche Monumenta, Auszug aus den Stiftungs-Rechnungen), S. 33f.

EHEM. KLARISSENKLOSTER ST. KLARA

173   NÜRNBERG 1473–76
In der deutschen Chronik vor. Sankt Klara in Nürnberg sind die Baumaßnahmen an den Konventsgebäuden 1473–76 vermerkt, ebenso der Hinweis auf die Stifter der Fenster im Kreuzgang:
Von dem großen paw unsers Closters.
Anno d(o)m(ini) XIIIIc lxxiii zu sant bartho(lo)me(us) tag wörd an gehebt der groß paw unsers Closters und bis in das lxxvi in demodvent [...]
[...] an die Fenster im Kreuczgang habe(n) die leut bezalt, der schilt darjnne(n) sind.
StAN, Rst. Nürnberg, Rep. 5a, Akten des Klaraklosters, Nr. 1 (Deutsche Chronik von Skt. Clara in Nürnberg), fol. 52.

174   NÜRNBERG 1516
Hinweis auf neu geschaffene, von verschiedenen Stiftern bezahlte Glasmalereien u.a. im neu errichteten Nachtgang des Dormitoriums und im Siechenhaus:
Item die 14 geprent venster kosten 28 gulden haben zalt die 6 elteren hern, wie dann ir schilt darin sind, weilwolt pirckeymer, hans imhof, merten tucher, sigmunat und cristof fürer, sebolt loffelholz, wilhelm schlüßelf. und fraw ursula kromerin. Item maister hans hat dz unter der stiegen lassen machen, und caspar paumgartner pawmeister die II auf dem gang lassen machen. [...] Item die hirßvögel haben ein gantze thrwen scheuben gleßel geschenckt, schatzt man umb [keine Angabe].
StadtAN, Rep. 89, Nr. 388, Baubüchlein von St. Clara 1408–1566, fol. 32v.
Im Wortlaut abgedruckt in: SCHOLZ 2004, Anm. 54.

175   NÜRNBERG 1522
Neustiftung von Glasmalereien in den Chor:
Item VII lib. XV dn de(m) glaß(er) fur die II hohe(n) fenst(er) wir gabe(n) aber dz prent pilawerck dar zw.
Item LXX dn fur das [...] fensterblei.
Item VIII # fur die II eyse(n) gytter für die fennst(er).
StadtAN, Rep. 89, Nr. 388, Baubüchlein von St. Clara 1408–1566, fol. 41.

176   NÜRNBERG 1628
Glaserrechnung über einen Betrag von 2 Gulden und 52 Kreuzern für Arbeiten in der Klarakirche durch den Glaser Bernhardt Schwartz. Betroffen war ein Tucher-Fenster auf der Nonnenempore, das geputzt und gewaschen wurde; vier neue Scheiben wurden eingesetzt bzw. neu verbleit.
Aus Antoni Tuchers 19. Stiftungsrechnung gezogen
1628. Weilen ein E. E. Rath die Claren Kirchen durchaus re-

noviren haben laßen, dz die Fenster alle von neuem gewaschen undt beßert haben müßen werden, derowegen durch Tobias Haller Pfleger daselbst, ich wegen des Tucherischen Fenster daselbst ersucht worden, also für daßelbe den 25. Octob. Dem Bernhart Schwartz Allmußglaßer vermög seines zettels bezahlt

f 2. – Kr. 52¹/₂

Und zum drinckgelt

7¹/₂ Kr
f. 3. –. –

StadtAN, E 29/III (Tucher-Archiv), Nr. 14, S. 77, und E 29/II, Nr. 1611 (Einzelbelege).

EHEM. PILGERSPITALKIRCHE ST. MARTHA

177   NÜRNBERG 1365 AUG. 15
Durch einen Beschluss des Rats wird den Bauherren der Pilgerspitalkirche St. Martha vorgeschrieben, dass der Bau die Maße von 28 Schuh in der Länge und 20 Schuh in der Breite nicht überschreiten dürfte:
Die Verantwortlichen [...] niht mer gemaurs schullen machen denn zu einem kore, der innerthalben der maur zweinzig schuhe weit sey und dreizzig lang sey, mit der korhauben und mit allem, und schullen daz ander werk daz selbst pawen und die hofrait, als sie hinden und vorn und neben begriffen hat, hu(e)lzein lazzen sein und furbaz beleiben, und kor oder haus oder waz dar zu geho(e)ret nit weiter und breiter, noch langer machen, noch darzu kauffen, da als weit die hofrait ietzunt ist ist auz gemerkt und gezilt. Ez schol auch niht weiter geweihet werden, dann als weit die maur und daz holizwerk innerthalben begriffen haben on gunst willen und rat der burger vom rat ze Nurnberg.
StadtAN, A 1, 1365-08-15 (mit Verweis auf die Originalurkunde, Papier, 2 Bl. Orig. im StAN, Rst. Nbg. [MA 1992], o. Nr.).

178   NÜRNBERG 1526
Konrad IV. Haller überliefert eine Haller'sche Fensterstiftung in St. Martha:
Item was die Haller sunst allenthalben in andern kirchen neben andern geschlechtern als nemblichen zun Predigern, zu <u>Sannd Martha</u> vnnd zu Sandt Seboldt von venstern habenn machen lassen, die stenen sunst vor awgen. Sollichs alles sollen die Haller wie angezeigt ist vleyssigklich mit peßrung got zu lob vnd iren nachkhomen zu eren gethreulichen handthaben vnnd halten.
Großgründlach, Haller-Archiv, CCH-I, fol. 261 (Transkription von Bertold Frhr. von Haller).

179   NÜRNBERG 18. JH.
Beschreibung der Wappen in einem Chorfenster:
Ein fenster neben dem Altar, welches bis auf die 3. untersten Flügel, völlig illuminirt ist. In einer Scheiben von solchen 3 Flügeln, zur rechten, befindet sich das Behaiml: und im 2. andren Scheiben darunter das Weigel: und Pfinzingische, im mittleren Flügel aber das Behaiml: und Tucherl. und in dem übrigen Flügel das Behaiml:, Geuderl. und Volkamerl. Wappen-Schildlein.
Daneben eine Federskizze, mit dem Vermerk, dass von Zeile 2 aufwärts inklusive Maßwerk alles *völlig gemahlet* sei.
StadtAN, E 11/II (Behaim-Archiv), Nr. 3280, fol. 7v.

180   NÜRNBERG 1770 SEPT. 6.
Anzeige über die beschädigten Fenster im Westen, oberhalb des Eingangs:

[...] annebst das Bley an diesem Fenster so mürbe, daß die Scheiben nach und nach herausfallen, ohne daß man neue einsetzen kann, mithin dieses alles einer ausbesserung und Wiederherstellung höchstens benöthigt ist, so hat man hiervon den Herren Älteren die geziemende Anzeige thun [...]. Es folgt die Bitte, die Kosten der Reparaturen nicht zu hoch ausfallen zu lassen.
StadtAN, D 12, Nr. 122.

181   NÜRNBERG 1770 NOV. 20.
Betrifft die Neuversetzung zweier Pömer-Wappen in das Westfenster und ein Fenster des Chores, als Andenken für die preiswürdige Renovierung des Westgiebels unter der Pflegschaft des Georg Friedrich Pömer:
Im großen Westfenster wurde dem Andenken des Hochadelig Pömerschen Geschlechts das Wappen des G.F. Pömer von 1770 in dieses Fenster neugemacht. Außerdem ein kleines Pömer-Wappen in ein Fenster zunächst des großen Altars im Chor zu versetzen.
StadtAN, D 12, Nr. 122.

182   NÜRNBERG 1843 AUG. 29
Schreiben des Oberleutnants Ludwig Zenker zu Ansbach, Mitglied der Historischen Vereine von Mittelfranken, Oberbayern und der Oberpfalz, mit der Bitte, das Stifterbild Conrad Waldstromers ausbauen zu lassen, um es abzeichnen und reinigen lassen zu können. Dabei wird auf die Expertise der Gebrüder Kellner und des Glasermeisters Glaser verwiesen. Das Ansuchen wird genehmigt.
LAELKB, PfA St. Martha (842), XVI, Fasz. 14.

183   MÜNCHEN 1859 MÄRZ 10
Kostenvoranschlag für die zu reparierenden Fenster sowie eine Auflistung der Fenster mit Preisen:
I. 81 Stück Fenster mit Glasmalereien neu zu verbleien per Stück 1 fl. 45 kr.

141 fl, 45 kr.

II. 10 Stück runde Scheibenfenster neu zu verbleien per Stück 1 fl. 30 kr.

15 fl –

III. Die anderen Malereien sowie an den Scheibenfenstern zu ergänzenden Stücke und Scheiben circa

20 fl –
Joh. Ostermayer, Glasermeister

Es folgt eine Auflistung der Fenster mit Preisen durch den Kgl. Hofantiquar Abraham Pickert mit einer Gesamtsumme von 4.630 Gulden.
LAELKB, PfA St. Martha (842), XVI, Fasz. 9.

184   MÜNCHEN 1859 NOV. 6
Die Genehmigung zum geplanten Verkauf des farbigen Fensterschmucks der Marthakirche wird auf allerhöchsten Beschluss Seiner Majestät des Königs nicht erteilt, da diese:
[...] es nicht [für] angemessen halten, daß ein Theil der in der St. Martha Kirche befindlichen Glasfenster dem Verkaufe unterstellt werden, vielmehr dringend wünschen, daß Mittel aufgefunden werden können, um die Restauration der Kirche in anderer Weise zu bethätigen.
Es folgen viele Bettelbriefe an die regionalen und überregionalen Gustav-Adolf-Vereine mit der Bitte um Spenden für die dringlichsten Reparaturen an der Kirche
[...] und auch deren Fenster, deren Gemälde die Gemeinde schon verkaufen wollte, nur um Geld zum Nothwendigsten zu erlangen, sind so ruinös, daß der Zug seit einigen Jahren fast nicht zu ertragen ist.
LAELKB, PfA St. Martha (842), XVI, Fasz. 9.

185   NÜRNBERG 1867 MAI 20
In einem Schreiben des Städtischen Baurats Solger an die Gemeinde St. Martha ist vom Neubau der Seitenschiffe resp. Emporen die Rede, die nicht länger verschoben werden könnten: *Indem alle anderen minder dringenden Reparaturen aus dem früheren Kostenvoranschlage weggelassen und dieser hierauf modifiziert würde, reducierten sich die Kosten auf 3.600 fl., worunter übrigens auch die unverschiebliche Reparatur der Chorfenster begriffen ist.*
Im Entwurf des erwähnten Kostenvoranschlags findet sich der folgende Posten:
Die schadhaften Chorfenster neu zu verbleien & auszubessern erfordert einen Aufwand von 150 fl.
Dieser Posten fehlt im späteren sogfältigen Kostenvoranschlag.
LAELKB, PfA St. Martha (842), XVI, Fasz. 9.

186   NÜRNBERG 1908 JAN. 22
Auf Anfrage der Kirchengemeinde zwecks Instandsetzung der in *sehr bußwürdigem Zustande* befindlichen Fenster der Spitalkirche an das städtische Bauamt wird diesem beschieden, das Pfarramt solle sich direkt an das Kgl. Bayerische Ministerium wenden, damit dieses das Kgl. Generalkonservatorium der Kunstdenkmale und Altertümer Bayerns zur Begutachtung veranlassen werde.
LAELKB, PfA St. Martha (842), XVI, Fasz. 14a.

187   MÜNCHEN 1909 MAI 7
Mit Schreiben des Kgl. Generalkonservatoriums der Kunstdenkmale und Altertümer Bayerns an das Kgl. Staatsministerium des Innern für Kirchen- und Schulangelegenheiten vom 7. Mai wird das Einverständnis zur sukzessiven Restaurierung der Fenster mitgeteilt. Grundlage für die Instandsetzung ist ein Kostenvoranschlag der Münchner Glasmalereianstalt Gustav van Treeck vom 13. Juli, der die erforderlichen Arbeiten auf 5.000 Mark beziffert.
Die Kirchenverwaltung St. Martha bittet daraufhin den Staat, 4/5 der Summe zu tragen, da die Kirchengemeinde nur 1.000 Mark aus eigenen Mitteln aufbringen könne. Andernfalls müsse überlegt werden, die Glasmalereien an ein Museum abzugeben. Dieser Gedanke wird von Generalkonservator Dr. Georg Hager sehr positiv bewertet, da er keine Chance sieht, dass der Staat gegenwärtig 4.000 Mark zur Restaurierung der Fenster zuschießen könne. Außerdem wäre eine Aufbewahrung im Germanischen Nationalmuseum in Nürnberg, und nur dieses käme in Frage, dem Wert der Glasgemälde zuträglich, denn jedwede Restaurierung würde diesen schmälern.
Auf Nachfrage erklärt sich der Direktor des Germanischen Nationalmuseums, Dr. Gustav von Bezold, bereit, die Glasgemälde in die Sammlung zu übernehmen. Aus welchen Gründen diese Möglichkeit dann aber doch nicht umgesetzt wurde, ist den Akten nicht zu entnehmen.
LAELKB, PfA St. Martha (842), XVI, Fasz. 14a.

188   MÜNCHEN 1911 JAN. 18
In einem Schreiben des Generalkonservatoriums an die Werkstatt van Treeck werden die viel zu massiven restauratorischen Eingriffe moniert, die nicht im Einklang mit den geltenden denkmalpflegerischen Vorgaben stünden:
Die Besichtigung der beiden restaurierten Fenster in der St. Marthakirche zu Nürnberg ergab, daß die bereits bei der Überwachung der Restaurierung in Ihrem Atelier wiederholt geäußerte Befürchtung, es werde namentlich in den Köpfen zu

viel Detail ergänzt, berechtigt war. Durch die gleichmäßige Ergänzung aller Köpfe hat der altertümliche Charakter gelitten. Ebenso erscheinen die einfassenden Ornamentstreifen durch zu weitgehende Ergänzung und Reinigung zu neu.
Unter Verwertung dieser Erfahrung ergibt sich als dringende Notwendigkeit, daß man sich bei den weiteren Fenstern in der Hauptsache nur auf die Konservierung *der alten Teile beschränkt, die Verbleiungen erneuert, später eingesetzte störende Buntgläser entfernt, an den alten Scheiben keine fehlenden Details einmalt und auch die Reinigung viel mehr einschränkt.*
Unser Referat wird der Inangriffnahme vor Restaurierung weiterer Fenster in Ihrem Atelier alle Einzelheiten noch genau mit Ihnen durchsprechen und auch während der Ausführung wiederholt nachsehen.
Wir erwarten, daß Ihre Anstalt unseren diesbezüglichen Weisungen auf das genaueste und sorgfältigste nachkommt.
Die K. Regierung von Mittelfranken, Kammer des Innern, Nürnberg, und die reformierte Kirchenverwaltung St. Martha haben von dieser Verfügung Abschrift erhalten.
Der K. Generalkonservator der Kunstdenkmale Bayerns
        gez. Dr. G. Hager.
LAELKB, PfA St. Martha (842), XVI, Fasz. 14a.

189   MÜNCHEN 1911 MÄRZ 23
Schreiben des Kgl. Generalkonservators an die Kirchenverwaltung St. Martha, worin verlangt wird, dass sich die Firma van Treeck vor einer Fortsetzung der Restaurierungsarbeiten zu einer Vertragsstrafe verpflichtet, sollte sie künftig den Weisungen des Generalkonservatoriums zuwider handeln:
Die Fortsetzung der Restaurierungsarbeiten an den Glasgemälden von St. Martha wird der Firma van Treeck nur unter der Bedingung anvertraut werden können, daß der Firmeninhaber der reformierten Kirchenverwaltung St. Martha gegenüber sich schriftlich zur Bezahlung einer angemessenen Vertragsstrafe verpflichtet, falls er die Weisungen des Generalkonservatoriums oder seines Beauftragten bei Ausführung der Restaurierungsarbeiten nicht beachtet. […]
Bei der Restaurierung dieser Glasgemälde stehen so hohe ideale und materielle Werte in Frage, da ähnlichen Erfahrungen, wie sie bei den beiden ersten Fenstern leider gemacht wurden, im Interesse der Kirche, im Interesse des Kunstschatzes der Stadt Nürnberg und des gesamten Landes mit aller Entschiedenheit vorgebeugt werden muß.
        gez. Dr. G. Hager.
Es folgt der Briefwechsel mit Kostenvoranschlägen für weitere Fenster, wobei bei der Gewährung der Zuschüsse stets betont wird, dass sich die Werkstatt van Treeck zur Zahlung einer Vertragsstrafe verpflichtet, wenn sie die Weisungen des Generalkonservatoriums nicht beachten sollte. Allerdings bemerkt der Generalkonservator Dr. G. Hager im folgenden Jahr 1912, dass die letzte Arbeit van Treecks gut ausgefallen sei.
LAELKB, PfA St. Martha (842), XVI, Fasz. 14a.

190   MÜNCHEN 1921
Kostenvoranschlag für die Konservierung des Schürstab-Fensters durch die Münchner Werkstatt Gustav van Treeck:
Zur Konservierung des sog. blauen Fensters links vom Chor mit dem Schweißtuch der Veronika und dem Wappen »Friedrich Stromer 1578«. Für die vollständige Wiederinstandsetzung unter Leitung des Bayerischen Landesamtes für Denkmalpflege
        6.500,– Mark
LAELKB, PfA St. Martha (842), XVI, Fasz. 12b.

191   NÜRNBERG 1921 JULI 8

Kostenvoranschlag zur Konservierung des Schürstab-Fensters durch den Nürnberger Glasmaler Heinrich v. d. Speck:
Nach eingehender Besichtigung käme die Neu-Verbleiung sowie die Reparaturen der durchlochten Glasteilchen, im Sinne der Vorschriften des General-Konservatoriums, ferner die Reinigung der Gläser, ohne Verletzung der alten Patinaschicht, der Preis billigst berechnet fertig an Ort und Stelle
M. 6.400. (einschließlich Gerüst etc.)
Die Firma van Treeck veranschlagte 6.500 Mark, ohne Gerüst und Nebenkosten.
LAELKB, PfA St. Martha (842), XVI, Fasz. 14a.

192   NÜRNBERG 1923 JUNI 9

Abrechnung des Glasmalers Heinrich v. d. Speck für die Restaurierung des Schürstab-Fensters und des Fensters neben der Kanzel (Marthafenster?) um die Gesamtsumme von 379.000 Mark, mit Leitern und Reparatur von Butzen insgesamt 454.000 M. Die hohen Summen sind Inflation und Weltwirtschaftskrise von 1923 geschuldet.
LAELKB, PfA St. Martha (842), XVI, Fasz. 14a.

193   NÜRNBERG 1923/24

Verschiedene Angebote zur Restaurierung der Obergadenfenster im Langhaus:
Am 14. August 1923 ergeht ein Angebot für die Instandsetzung der sechs Fenster über den Langhausemporen für insgesamt 78 US-Dollar. Dto. am 5. November 1923 für 330 Goldmark.
In einem Brief vom 24. Juli 1924 an das Staatsministerium für Unterricht und Kultus ist dann die Rede von 1.250 Mark für das Fenster über den Presbytersitzen und die sechs Langhausfenster im Obergaden, basierend auf einem Voranschlag von Heinrich v. d. Speck
für das Nötigste an Reparaturen der o.g. Fenster 485 M., mit Neuverbleiung 1250.
LAELKB, PfA St. Martha (842), XVI, Fasz. 14a.

194   NÜRNBERG 1979 JULI 16

Protokoll des Ortstermins vom 11.7.1979 in St. Martha, die anstehende Restaurierung der Farbverglasung betreffend. Anwesend waren Vertreter der Pfarrgemeinde, der Restaurierungswerkstätten Frenzel, Nürnberg, van Treeck und Mayer, beide München, der Stadt Nürnberg und des Bayerischen Landesamtes für Denkmalpflege, München:
Das Gespräch, das am 11.7.1979 im Pfarramt St. Martha stattfand, sollte für die geplante Konservierung und Restaurierung der Glasgemälde von St. Martha die damit verbundenen fachtechnischen und methodischen Fragen klären helfen. Vor dem Hintergrund sehr voneinander abweichender Kostenangebote der einzelnen Glasrestaurierungsfirmen entwickelte sich eine Diskussion, die sich vor allem um das Ausmaß absolut notwendiger Konservierungsmaßnahmen bewegte.
Unbestritten war der von Herrn Dr. Frenzel beschriebene Erhaltungsbefund, den alle Firmen übernommen hatten. Vom Leistungsverzeichnis (Dr. Frenzel) standen nur die »Routine«-Arbeiten betreffend Demontage, Ausstreifen, gegebenenfalls Ändern der Rahmen oder Ergänzen von fehlenden Splittern usw. außer Frage. Schwierigkeiten ergaben sich auch nicht in der Frage der Rückseitenbehandlung (Abnahme der lockeren Wettersteinschicht). Ebenso bestand Einigkeit darin, den Feuchtigkeitsgehalt der Luft auf Vorder- und Rückseite der Glasgemälde nach Möglichkeit auf 50% zu reduzieren, um die damit

zusammenhängenden Korrosionserscheinungen weitgehend zu verlangsamen. Zweifel wurden hinsichtlich der Realisierbarkeit solcher grundsätzlich erstrebenswerter Klimaverhältnisse angemeldet.
Kontrovers waren die Auffassungen in der Frage der mehr oder weniger limitierten Anwendung von Epoxiden zur Konservierung von Schwarzlotbemalung sowie von Halbtönen. Das Problem stellt sich durch die Eigenschaften der Epoxide. Im Gegensatz zu Acrylharz besitzen diese eine für die Sicherung der Malschichten zwar ausreichende Klebekraft, doch sie gilben in einem kleineren oder größeren Zeitraum (4 Monate bis 20 Jahre). Überdies ist der Ausdehnungskoeffizient der Epoxide wesentlich größer als der von Glas, so daß es zu Spannungen kommen kann. Dadurch ausgelöste Brüche geschehen jedoch nicht an der Klebefläche, sondern im Glas selbst. Andererseits gibt es derzeit keine andere Methode der Konservierung (für Schwarzlot usw.) als durch Epoxidharz. Die Alternative hieße, teilweise auf Konservierungsmaßnahmen zu verzichten, dies in der Hoffnung, daß sich der natürliche Verwitterungsprozeß relativ langsam vollzieht, einerseits die Anwendung eines Konservierungsmittels der Zukunft offenhält und zum anderen die vorprogrammierten Schäden einer irreversiblen Konservierungsmethode (durch Epoxide) vermeidet.
Von Herrn Dr. Mayer wurde eine sehr reduzierte Anwendung der Konservierung durch Epoxide propagiert. Ausschließlich die Schwarzlotbemalung (Konturen) sollte dadurch gesichert werden. Der mögliche Verlust der Halbtöne ist nach Auffassung von Herrn Dr. Mayer einer zu weitgehenden irreversiblen Konservierung vorzuziehen. Herr Dr. Frenzel dagegen sah nur die Möglichkeit einer Gesamt-Konservierung. Außerdem wäre das Ausmaß einer notwenigen Konservierung erst dann zu beurteilen, wenn eine vollständige Reinigung der Glasgemälde (Vorderseite) durchgeführt sei. Herr Dr. van Treeck teilte diese Meinung in den wesentlichen Punkten.
Diese unterschiedlichen Auffassungen einer Glasgemäldekonservierung, die sich auch auf die unterschiedlichen Kostenangebote auswirkt, konnten während des Gesprächs nicht ausgeglichen werden. Eine Entscheidung – in der einen oder anderen Richtung – aus denkmalpflegerischer Sicht wird in nächster Zeit zu fällen sein.
Um jedoch der grundsätzlichen Auseinandersetzung ihre letztlich einseitige theoretische Ausrichtung zu nehmen, wurde vereinbart, die Fortsetzung dieses Gespräches vor den Originalen (drei Scheiben verschiedenen Erhaltungsgrades) in der Werkstatt Dr. Frenzel durchzuführen.
I.A. gez. Dr. Christian Baur Konservator
München, Werkstätten Gustav van Treeck, Bayerische Hofglasmalerei, Protokolle St. Martha (C Nr. 6530).

195   NÜRNBERG 1979 SEPT. 3

Zur Fortführung des Gesprächs über die Glasgemäldekonservierung am 28.8.1979 in der Werkstatt von Dr. Gottfried Frenzel, Nürnberg, konnten drei originale Glasgemälde von St. Martha aus nächster Nähe begutachtet werden. Die Diskussion über die am besten geeignete Konservierungsmethode betraf im Wesentlichen die folgenden Punkte:
1) Reinigung der Glasgemälde-Vorderseite.
Herr Dr. Frenzel und Herr Dr. van Treeck vertreten die Auffassung, daß eine partielle Reinigung nicht möglich ist. Die Reinigung, die das Vorreinigen und Vorsichern einschließt, erfolgt trocken (mechanisch) sowie mit Aceton und muß das gesamte Glasgemälde umfassen, da sie als Voraussetzung für die Beur-

teilung der notwendigen Konservierungsmaßnahmen anzuse-
hen ist. Am Beispiel wurde demonstriert, daß vor der Reini-
gung Halbtöne der Glasmalerei in der Regel nicht von lediglich
verschmutzten Partien zu unterscheiden sind. In diesem Zu-
sammenhang warnte Frau Dr. Marschner vor der allzu großzü-
gigen Reinigung mit Aceton.
Aceton entzieht der durch Korrosion aufgequollenen Ober-
flächenschicht des Glases Wasser und führt dadurch zu einem
Netz von Mikrorissen in dieser Schicht (Schrumpfspannungen).
Diese Mikrorißzone erscheint als oberflächliche »Trübung« des
Glases, die allerdings durch die Aufrauhung der Glasoberfläche
infolge der Korrosion überdeckt wird. Im Fall der Kunstharz-
tränkung wird sie optisch teilweise wieder aufgehoben (nicht
jedoch vom Materialzustand her).
Herr Dr. Mayer möchte die Reinigung im wesentlichen auf eine
vorsichtige mechanische beschränken. Nach seiner Ansicht ist
die Beurteilung der notwendigen Konservierungsmaßnahmen
ohne weitergehende Reinigung möglich und folgt aus der ge-
nauen Betrachtung des vorhandenen Bestands.
Diese beiden Positionen in der Frage der Glasgemäldereinigung
und eines möglicherweise daraus abzuleitenden Umfangs an
Konservierungsmaßnahmen, konnten im Verlauf der Diskussi-
on einander nicht entscheidend nähergebracht werden.
2) Flächensicherung.
Da Einigkeit darin bestand, lockere Schwarzlotkonturen mit
Epoxidharz zu sichern, auch etwa darunter befindliche und sich
abhebende Feuerschmelzpartien (Glasoberfläche) zu festigen,
bewegte sich das Gespräch vor allem um das Ausmaß an notwen-
diger Flächensicherung: Herr Dr. Frenzel möchte eine durchge-
hende Flächensicherung, wenn möglich, vermeiden. Feste Teile
der Glasmalerei oder des Glases werden nicht gesichert. Ge-
lockerte Halbtöne müssen durch dünnes zwei- bis dreimaliges
Auftragen von Araldit gesichert werden. Bei Schwarzlotpartien
ist dieser Arbeitsvorgang statt zweimal bis zu zwanzigmal zu
wiederholen. Durch die hohe Fließfähigkeit der verwendeten
Lösung ist eine punktuelle Sicherung gelockerter Teil nahezu
unmöglich. Zu einer vollständigen Tränkung der Glasgemälde
darf es jedoch nicht kommen (Glanzeffekt, erhöhte Spannungen
zwischen Epoxid und Glas usw.). Ähnlich äußerte sich Herr Dr.
van Treeck. Epoxid soll so sparsam wie möglich, aber im Rah-
men des Notwendigen verwendet werden.
Herr Dr. Mayer strebt demgegenüber eine – wenn nur bedingt
realisierbare – punktuelle Sicherung lockerer Malerei an. Es ist
vom Rand der Gläser her mit der Sicherung zu beginnen; un-
bemalte Glasflächen und Halbtonbereiche bleiben ungesichert.
Auch diese Positionen in der Frage der Flächensicherung blie-
ben im Verlauf der weiteren Diskussion ohne Annäherung.
3) Doublierung.
Es bestand Einigkeit darin, daß das Jacobi-Verfahren für Dou-
blierungen [...] nicht infrage kommt. Beim »Knorr-Fenster« von
St. Lorenz in Nürnberg wird zur Zeit die Jacobi-Doublierung
mit viel Aufwand rückgängig gemacht. Stark gefährdete Gläser
müssen ausschließlich auf der Rückseite doubliert werden.
4) Sicherungsmaterial.
Frau Dr. Marschner regte an, das Thema Sicherung mit Epo-
xiden oder mit Acryl nicht schon jetzt grundsätzlich zugunsten
der Epoxide abzuschließen. Nach wie vor ist festzuhalten, daß
Epoxide in einem kürzeren oder längeren Zeitraum gilben.
Acryl gilbt dagegen nicht, besitzt jedoch geringere Klebekraft
als Epoxid.
Auf Gläsern mit bereits korrodierter Oberfläche müßte auch
die Klebekraft von Acryl ausreichen. Es wurde bereits darauf

hingewiesen, daß in Österreich Acryl für die Glasgemäldekon-
servierung Verwendung findet.
5) Preise.
Alle Firmen stehen zu den ermittelten Gesamtrestaurierungs-
kosten, die aus ihren Angeboten zu entnehmen sind. Es sind
jedoch unterschiedliche Aufwendungen für die einzelnen Fens-
ter zu erwarten (z.B. mehr Arbeit an den Langhausfenstern
als an den Chorfenstern). Eine Kostenaufstellung für die Re-
staurierung der einzelnen Fenster ist möglich. Die Mayer'sche
Hofkunstanstalt weist auf eine mögliche Überarbeitung ihres
Kostenangebots hin, da eine genaue Festlegung erst möglich ist,
wenn jedes einzelne Fenster vom Gerüst aus begutachtet wer-
den kann; grundsätzlich wird vom jetzigen bereits gegebenen
Kostenrahmen nicht erheblich abgewichen.
6) Zeitliche Verwirklichung der Restaurierung.
Von allen Firmen wird eine Restaurierungszeit von ca. vier Jah-
ren angenommen. Der Beginn der Maßnahmen sollte nicht vor
1980 erfolgen.
München, Werkstätten Gustav van Treeck, Bayerische Hofglasmalerei, Protokolle St. Martha (C Nr. 6530).

196 NÜRNBERG 1980 APRIL 15

Anlässlich eines Arbeitsgesprächs in der Restaurierungswerkstatt von Dr. G. Frenzel über spezielle Probleme in der Lorenzkirche werden auch Vereinbarungen hinsichtlich der anstehenden Restaurierung der Fenster in St. Martha besprochen. Im
Wesentlichen geht es um die Frage der Reinigung und des besten Kunststoffs zur Schwarzlotsicherung:
[...] ergab sich anschließend in kleinerem Kreise die Möglichkeit
zu einer Aussprache über die Restaurierung der Fenster von St.
Martha, zu der im Einverständnis aller Beteiligten auch Herr
Dr. van Treeck und seine Mitarbeiterin eingeladen wurden
zwecks Koordinierung der Arbeiten.
Es wurde Übereinkunft erzielt, daß beide Werkstätten zunächst
einmal Probefelder mit einer halbseitigen Reinigung erarbei-
ten und diese dann an einem noch festzulegenden Termin vor
Pfingsten 1980 (in München?) dem Gremium zur Begutachtung
vorlegen.
Über die Frage, welcher Kunststoff bei der Schwarzlotsicherung
in St. Martha zur Anwendung gelangen soll, wurde noch nicht
entschieden. Frau Dr. Marschner möchte diese Entscheidung
erst getroffen wissen, wenn hinreichende Versuche mit anderen
Materialien als ARALDIT 101/103 gemacht sind, was sowohl
in München, wie aber auch hier in Nürnberg geschehen kann.
Vielleicht könnten hier auch alle jenen Versuchsergebnisse he-
rangezogen werden, die sowohl in München, Deutsches Mu-
seum, Forschungslabor Dr. Kühn und der ETH Zürich, Dr.
Ferrazzini vorliegen über unsere Testreihen mit: [Es folgt eine
Aufstellung von neun modifizierten Mischungsverhältnissen
Araldit/Lösungsmittel.]
LoAN, Schriftwechsel Nr. 51–94 (ausgewählte Kopien Glas-
fenster).

197 MÜNCHEN 1980 JULI 23

Protokoll der Arbeitsbesprechung zur Glasgemälderestaurierung in St. Martha, Nürnberg, in der Werkstatt G. van Treeck
in München, wo anhand von zwei Probefeldern u.a. darüber
beraten wurde, wie tiefgreifend die Abreinigung der rückseitigen Korrosionsschichten gehen darf, welche Mittel zu verwenden und welche zu meiden sind sowie einmal mehr über die
Wahl geeigneter Materialien zur Sprungklebung und Schwarzlotsicherung:

[...]
1. An 2 Demonstrationsfeldern – halbseitig gereinigt – wurden die Reinigungsmaßnahmen, die anläßlich der letzten Zusammenkunft [am 11.6.1980] in Einzelproben erarbeitet und besprochen worden waren [...] im größeren Flächenzusammenhang vorgestellt: Werkstätte Frenzel Feld sVI 3a, Werkstätte van Treeck Feld nVI 3c.

Umfang und Methodik der Maßnahmen wurden bestätigt, ebenso die Übereinstimmung zwischen den Werkstätten, bezüglich: Reinigung der Innenseite mit allen Faktoren; Verschmälerung der Flanschen bei störenden Hilfsbleien, Entfernung von Deckbleien bezw. störenden Sprungbleien in wesentlichen Details (z.B. Köpfe).

Rückseitenreinigung: grundsätzliche Übereinstimmung im Vorgehen und Umfang; hierbei wurde festgelegt: Die Rückseitenreinigung, wie im Feld der Werkstätte Frenzel gezeigt, ist im Umfang die maximal mögliche; da man sich auf trockene Rückseitenreinigung beschränken wird, ist der Umfang eher geringer, keinesfalls weitergehend zu erwarten. Zwischen diesem und dem zurückhaltenderen Beispiel am Feld der Werkstätte van Treeck wurden Umfang und Methode der Rückseitenreinigung verbindlich abgestimmt. In der Diskussion wurde insbesondere noch darauf hingewiesen: der Reinigungsumfang schließt aus, daß die Glasoberfläche verletzt wird; der letzte Korrosionsschleier auf der Glasoberfläche stellt kein nennenswertes Feuchtigkeitsdepot dar; angesichts des weitgehend von der Witterung (vor Einbau der Schutzverglasung) abgewaschenen Korrosionsbelags ist zwischen gereinigten und ungereinigten Flächen, wie die Musterfelder zeigen, im Durchlicht der Scheiben kein gravierender optischer Unterschied sichtbar, von den vereinzelten geschwärzten Gläsern abgesehen. Angesichts der starken Verschmutzung der Innenseiten wirkt sich deren Reinigung optisch stärker aus.

2. Breiten Raum nahm in der Diskussion die Wahl der chemischen Lösungs- und Sicherungsmittel ein, an die Erörterungen vom 11. Juni anknüpfend.

2.1. Bezügl. Reinigung:

Nach Angaben von Frau Dr. Marschner soll aufgrund neuerer Erkenntnisse ACETON bei Reinigungsmaßnahmen möglichst ausgeschaltet werden; diese Feststellung wurde im einzelnen begründet: Aceton entzieht der Glasoberfläche Feuchtigkeit; die Austrocknung bewirkt Riß-/Craquelébildung, Trübung, im Mikrobereich, festgestellt z.B. an weißen Gläsern (Hohlglas) nach 5 min. Einwirkungszeit (grün weniger anfällig) bei 1000- bis 10000-facher Vergrößerung. Bei der mehr oder weniger ausgeprägt aufgequollenen Oberfläche angegriffener Gläser führt das ständige Aufnehmen und Abgeben von Feuchtigkeit um so schneller zur Lockerung der obersten Schicht und zu deren Abplatzen.

Zwar steht fest, daß alle Lösungsmittel zu einer gewissen Entwässerung der Glasoberfläche führen, abhängig von der Einwirkungszeit (wobei die Wirkung am Anfang am stärksten ist), jedoch gibt es eben Hinweise dafür, daß Aceton sich hierin am negativsten auswirkt, weshalb es unbedingt vermieden werden sollte. (Es wurde am Rande angemerkt, daß Craquelébildung eine Folge von früheren Restaurationsmaßnahmen sein könne, z.B. durch Nachbrennen oder bei Methode Jacobi: Erhitzung auf ca. 200°C im Vakuum, jedoch sei dies nicht recht beweisbar). Die Schmelz-Oberfläche ist bei den meisten Gläsern verloren, ansonsten zumindest angegriffen/aufgeschlossen; die Frage, welches Mittel diese Oberflächen am geringsten gefährde, sei mangels ausreichender Versuche nicht eindeutig zu beantwor-

ten. Es kommen jedoch grundsätzlich bei allen Reinigungsvorgängen die jeweils detailbezogen relativ harmlosesten Mittel zur Anwendung.

Die Rückseiten werden trocken gereinigt, als Hilfsmittel bei besonderen Anforderungen kommen höchstens Alkohol und Spiritus in Frage.

Wo auf den Innenseiten trockene Reinigung nicht ausreicht, steht z.B. Alkohol im Programm. Im besonderen Fall der Lösung von Kitt-/Sägemehl-Gemisch waren statt Aceton Spiritus und Methylenchlorid (Dichlormethan) zu erproben; Frau Hinkes nannte hierzu Ergebnisse: Spiritus 40 min., Äthanol 20 min., Methylenchlorid wesentlich kürzer. Man verblieb auch in dieser Frage mit dem Ergebnis, je nach Detailerfordernis die jeweils harmlosest-möglichen Mittel einzusetzen.

Es wurde in weiterem Zusammenhang ferner die Kombination EDTA angesprochen (die z.B. in der franz. Glasgemälderestaurierung seit langem angewandt wird, lt. Info. im staatl. Laboratorium der frz. Denkmalpflege in Champs/Paris 1976 gegüb. Werkst. v. Treeck), zur Lösung von Korrosion und Kalk-Krusten. Gegebenenfalls sollten hiermit Proben gemacht werden.

2.2. Bezügl. Sprungsicherung:

Am 11.6.80 war beschlossen worden, für Kantenanbindung nach wie vor Epoxidharz (Araldit) einzusetzen. Für diesen Sicherungsvorgang ist Aceton, auf den Kantenkontakt beschränkt, beizubehalten (Entfettung/Reinigung); alternativ steht auch hierzu Spiritus zur Verfügung, wenngleich in der Anwendung langwieriger. Für eine evtl.e Harzverdünnung bleibt man ebenfalls bei Aceton.

Hierzu wurde angemerkt, daß die Sicherung nicht zu umfangreich sein müsse aufgrund des Vorhandenseins der Schutzverglasung. Wie Herr Dr. Frenzel bestätigte, herrschen in St. Martha ziemlich konstante Klima-Bedingungen.

Ferner wurde festgehalten, daß nur durchgehende Sprünge geklebt werden, jedoch keine einseitig angerissenen, da sich durch die Anbindung Spannungen ergeben könnten, die zum Weiterlaufen der Sprünge führen könnten.

2.3. Nach wie vor ist die Frage des Mittels bei Bemalungs-/Flächensicherung noch endgültig zu entscheiden. Nachdem von der Verwendung von Epoxidharzen auf der Fläche im Falle eines den Ansprüchen genügenden anderen Mittels abgesehen werden soll, sind die Versuche mit Acrylharzen voranzutreiben.

Frau Dr. Marschner wies darauf hin, daß Epoxidharz im Falle seines Lösens auch die folgende Glasschicht mitnehmen würde, Acrylharz jedoch nur das lockere Schwarzlot. Die Ergebnisse der mit Paraloid/Xylol ausgeführten Proben sind noch nicht zurück, wie auf die Frage von Herrn Dr. Baur nach Anhaltspunkten für die Haftfähigkeit und Haltbarkeit der unterschiedlichen Harze erwähnt wurde.

Da sich ein weiteres, für die notwendigen Maßnahmen der Bemalungssicherung geeignetes Mittel nicht abzeichnet, ist insbesondere mit den beiden Acryl-Harzen PARALOID und VIACRYL, möglichst auch mit dem Viacryl etwa entsprechenden DESMOPHEN (Bayer) weiterhin ein gangbarer Weg zu suchen.

Als Lösungsmittel für diese Harze sind außer den von Herstellern bindend vorgeschriebenen Komponenten versuchsweise anzuwenden: Statt XYLOL und TOLUOL, die beide giftig und deshalb kaum verarbeitbar sind bei den intensiven Sicherungsvorgehen, seien zu erproben TETRAHYDRONAPHTALIN und TERPENTINÖL (rein) bei PARALOID.

Die Proben sollten auf einer Schale verdunsten, damit auf Rückstände geachtet werden kann. Bei Terpentinöl steht zu be-

denken, daß die Viskosität ungenügend ist und die Aushärtung zu lange dauert.

Auf die Frage, ob durch verschiedene Anwendungsbereich wie Kantenanbindung, Bemalungssicherung, etc. evtl. verschiedene Sicherungsmittel (Harze) innerhalb einer Scheibe verwendet werden könnten (dieser Frage stand man bisher allgemein eher ablehnend gegenüber), d.h. wenn z.B. Kantenanbindung mit Araldit, Bemalungssicherung mit Acryl o.a. durchgeführt wäre, wurden vonseiten des Landesamtes für Denkmalpflege keine Bedenken geäußert.

Man verblieb deshalb bei dem Beschluß, für Bemalungs- und jede Form von Flächensicherung Acrylharz in Betracht zu ziehen, wenn die weiteren Verarbeitungsversuche akzeptable Ergebnisse erbrächten. Auf diesem Gebiet soll zügig weitergearbeitet werden.

2.4. Dublierung: Hier ergab sich nochmal die Frage, ob diese Verfahren grundsätzlich angewendet werden soll, und falls ja, mit welchen Mitteln.

Erfahrungen gibt es einseitiger, nämlich auf die Rückseite der Gläser beschränkte Dublierung mittels Araldit oder anderem Epoxidharz, also ohne Berührung der Malerei (sozusagen Umgehung der Methode Jacobi). Den Faktor Gilbung bekäme man am ehesten unter Kontrolle, wenn die UV-Strahlung durch die Schutzverglasung absorbiert würde.

Die Dublierungsfrage stellt sich nur bei den durch Craquelébildung geschädigten Gläsern.

Frau Dr. Marschner bestand darauf, nach Möglichkeit von Dublierungen abzusehen und lieber eine Harzarmierung vorzunehmen, und bejahte die Frage Dr. Baur's, ob dort, wo eine Dublierung unumgänglich wäre, Acrylharz in Betracht zu ziehen sei.

Auch zu diesem Komplex steht die endgültige Beschlußfassung noch aus; die Werkstätten sind angewiesen, detailbezogen zu konkretisieren.

Résumé:

Offen gehalten werden bis zur endgültigen grundsätzlichen Beschlussfassung, möglichst bei der nächsten Arbeitsbesprechung, die Punkte Bemalungssicherung und Dublierung hinsichtlich der Mittel-Wahl.

Vorgezogen bezw. Weitergearbeitet wird an den Bereichen Rückseitenreinigung, Innenseitenreinigung, Bleinetz; alles, soweit keine detailbedingten Rückstellungen an Glas und Bemalung zu beachten sind.

Die diskutierten Fragenkomplexe Sicherungs- und chemische Hilfsmittel sind in der Bearbeitung bis zur nächsten Zusammenkunft voranzutreiben.

3. Anknüpfend an die letzte Besprechung:

Retouchen nur bei Sprüngen und störenden späteren Ergänzungen im Glasbestand; Acrylfarben oder Retouchenlack.

Keine Ergänzungen an der ursprünglichen Bemalung.

Sehr stark störende spätere Gläser sind auszuwechseln, soweit keine Gefährdung an Originalteilen daraus erwächst.

4. Bestandsordnung wie vorgeschlagen:

Fenster s VI lt. Dokumentation Dr. Frenzel.

Fenster n VI: Felder 2a / 4c; 1a/1b.

5. Für die in Erwägung gezogene Maßwerk-Ergänzung im Rahmen der überlieferten Gestaltung und Farbgebung sollen geeignete Vorschläge erarbeitet werden.

6. Für die im Zusammenhang mit einer Neuausführung der Schutzverglasung erwogene Verbesserung der Halte-Konstruktion legt die Werkstatt van Treeck Unterlagen vor.

Es soll geprüft werden, ob die Originalscheiben in Halterungen zu setzen sind, die keinen metall. Kontakt mit der Konstruk-

tion der Außenschutzverglasung aufweist. Eine solche Lösung hätte die wesentlichen Vorteile, daß Kältebrücken ausgeschaltet werden und daß ferner die Feldhöhen sich nach den Originalen richten können und nicht umgekehrt diese sich nach den Haltekonstruktionen der Schutzverglasung richten müßten.

7. Es wurde Übereinkunft erzielt, daß die Fenster n VI und s VI nicht mehr bis Ende des Jahres 1980 zurückgesetzt werden, nachdem die Festlegung der Sicherungsmittel für die Bemalung längere Zeit in Anspruch genommen hat und für diese wichtige Maßnahme eine ausreichende Ausführungszeit zur Verfügung stehen muß.

Gez. (Dr. P. van Treeck)

München, Werkstätten Gustav van Treeck, Bayerische Hofglasmalerei, Protokolle St. Martha (C Nr. 6530).

198   NÜRNBERG 1980 DEZ. 30

Werkstatttermin am 11.12.1980 im Institut für Glasgemäldeforschung und Restaurierung Dr. G. Frenzel, Nürnberg-Fischbach, bei dem hauptsächlich über die Vor- und Nachteile der diversen Materialien zur Schwarzlotsicherung beraten wurde:

Ergebnisprotokoll

Gemeinsam mit den beiden Instituten für Glasgemälderestaurierung einigte man sich darauf, die Schwarzlotsicherung nicht wie bisher üblich mit Epoxidharz, sondern mit Acryl (Paraloid) vorzunehmen. Die Entscheidung für das neue Sicherungsmaterial geschah unter der Voraussetzung, daß

a) noch geklärt wird, ob das Lösungsmittel »MMA« für Paraloid zu keiner Gilbung führen kann (Anfrage bei Fa. IM-Chemie durch Dr. Marschner) und

b) noch Versuche angestellt werden mit einem relativ dünnflüssig aufgetragenen Paraloid zur Sicherung stark korrodierter Teile. Im Rahmen dieser Versuche in der Werkstatt Dr. Frenzel soll ermittelt werden, ob die Haftungsfähigkeit von paraloid- gesichertem Schwarzlot auf Korrosionsschichten bei verändertem Verdünnungsgrad die bisher erzielten Ergebnisse verbessert.

Wenn die Fragen a) und b) positiv beantwortet sind, steht den Konservierungsarbeiten mit Paraloid nichts mehr entgegen.

Zuvor wurde über die Vor- und Nachteile von Epoxidharz und Acryl (Paraloid) ausführlich gesprochen.

1. Epoxidharz (Araldit):

Die Haftungsfähigkeit ist größer als die von Paraloid; andererseits gilbt das Material und versprödet nach einem größeren Zeitraum, zerfällt nach ca. 30 Jahren zu Pulver.

2. Paraloid:

Gilbt nicht, wenn das entsprechende Lösungsmittel verwendet wird, härtet schneller aus als Araldit, versprödet nicht, sondern löst sich als Film und kann mit Lösungsmittel wieder aufgeweicht und verklebt werden. Allerdings mußte festgestellt werden, daß Langzeiterfahrungen mit Paraloid auf Glas nicht vorliegen, daß auch die Simulierung von Langzeiterfahrungen durch aufwendige Versuchsreihen keine zweifelsfreien Rückschlüsse auf das tatsächliche Verhalten des Materials ergeben wird. Man muß sich daher mit den positiven Ergebnissen der bisherigen Versuche (mit Paraloid gefestigte Glasmalerei unter Einwirkung von Ultraschall) begnügen.

Zur Frage der Reinigung der Vorderseite der Glasgemälde mit Aceton wurde nochmals festgelegt, bis zum Vorliegen diesbezüglicher Untersuchungsergebnisse anstelle des eventuell schädlichen Acetons (führt zu Trübungen in der obersten Glasschicht) destilliertes Wasser oder Spiritus zu nehmen und nur in Fällen der erheblichen Verkürzung der Reinigungszeit (=Einwirkzeit des Lösungsmittels) sowie die Nach-einigung besonders resis-

tenter Partien mit Aceton vorzunehmen.
Es bleibt dabei, Kanten mit Aceton zu reinigen und mit Araldit
zu kleben.
Mit einer Rückseitendoublierung im notwendigen Umfang (mit
Paraloid) besteht Einverständnis.
Früher doublierte Gläser wieder von der Doublierung zu be-
freien, wurde wegen des unvermeidlichen Substanzverlustes
abgelehnt.
Die Frage, wie eine neue Außenschutzverglasung als Verbund-
Sicherungsglas angebracht wird und wie die neue Aufhängung
der restaurierten Scheiben aussehen soll, wurde noch vertagt. In
St. Martha selbst (voraussichtlich am 22.01.81) soll dieses Pro-
blem besprochen werden.
München, Werkstätten Gustav van Treeck, Bayerische Hofglasmalerei, Protokolle St. Martha (C Nr. 6530).

199   MÜNCHEN 1981 OKT. 23
Protokoll des Ortstermins am 7.10.1981 in der Werkstatt für
Glasgemälderestaurierung G. van Treeck in München, die Restaurierung der Fenster nord II und III durch die Werkstätten
van Treeck bzw. Frenzel betreffend:
Zunächst wurden Fragen der Maßwerksergänzungen bespro-
chen. Beim Rieter-Fenster ist z.B. nur noch eine originale
Maßwerkverglasung vorhanden, die sich in St. Sebald befin-
det. Vermutlich wurden im letzten Krieg nur die mittelalter-
lichen Maßwerkteile ausgelagert, so daß die Ergänzungen des
19. Jahrhunderts durch Kriegseinwirkungen verlorengingen.
Die jetzt erforderlichen Maßwerksergänzungen lassen sich aus
den originalen Resten, aus den Aquarellen von Eberlein, die
die mittelalterlichen Scheiben in der Anordnung des 19. Jahr-
hunderts abbilden und aus Fotographien entwickeln. Herr Dr.
Frenzel wird sich bemühen, sowohl seine eigenen Bestände nach
weiteren dokumentarischen Unterlagen zu durchsuchen als
auch in der Fotosammlung der Lichtbildstelle (Stadt Nürnberg)
nochmals anzufragen.
[Rekonstruktions- und Kostenvoranschläge sollen folgen.]
In weiterem Verlauf des Gesprächs wurde über die Platzierung
der einzelnen Glasgemäldefelder gesprochen, die im Laufe der
Jahrhunderte verschiedentliche Störungen erfahren hat. Mit
Hilfe der Eberlein-Aquarelle ist der Zustand bzw. die Ordnung
der Fenster des 19. Jahrhunderts erkennbar. Die Anordnung der
Felder im vergangenen Jahrhundert ist zwar nicht der des Mit-
telalters gleichzusetzen – sie bietet jedoch eine entscheidende
Hilfe zur Rekonstruktion der ursprünglichen ikonographischen
Zusammenhänge.
Das Fenster n III wirft keine Plazierungs- bzw. Korrekturfra-
gen in der Anordnung der Scheiben auf. Dagegen sind im Fenster
n II Störungen nachweisbar. Zunächst dürfte das ganze Fenster
ursprünglich die Chormitte eingenommen haben, da Groß der
wichtigste Stifter der Martha-Fenster war. Eine Versetzung des
Fensters n II in die Chormitte kommt jedoch nicht in Frage, da
dies kaum absehbare Konsequenzen für einige der Fenster hätte.
Es wurde überlegt, das später in das Fenster n II integrierte
Glasgemälde aus dem 16. Jahrhundert (2. Reihe von unten,
links) in die Mitte der untersten Reihe zu versetzen (die Mar-
garethen-Scheibe käme dann in die 2. Reihe, links). Obwohl
durch diese Änderung keine Wiederherstellung des mittelalter-
lichen Zustands erreicht werden kann, sprechen ästhetische Ge-
sichtspunkte für diesen Austausch von den zwei Scheiben.
Zur Konservierung des Groß'schen Fensters (n II): Der Zustand
der Glasgemälde ist sehr schlecht. Das Schwarzlot ist fast voll-
ständig verschwunden. Die Zeichnung ist dort, wo das Schwarz-

lot fehlt, zum Teil noch als Negativdruck ablesbar, zum Teil in
der Struktur der verunreinigten Scheiben erkennbar. Deshalb
muß die Reinigung noch sparsamer und vorsichtiger als bisher
ausgeführt werden, ausgehend von den Rändern. Jeder Naßef-
fekt, der durch Sicherungsmaßnahmen entstehen kann, ist mög-
lichst weitgehend zu vermeiden. Wo es zu verantworten ist, soll
auf Flächensicherung verzichtet werden. Es läßt sich allerdings
nicht vermeiden, kraterartige Ausbrüche mit verdünntem Acryl
partiell zu tränken.
Die Rückseitenreinigung der Scheiben ist durch beide Firmen –
wie bereits im Protokoll vom 13.7.1981 erläutert – im gleichen
Ausmaß vorzunehmen. Wie im Juli bereits besprochen, ist es zu
vermeiden, daß das Leinöl der Verkittung durch Spiritus gelöst
wird und einen Naßeffekt auf der Rückseite hervorruft.
Sprungblei im Inkarnatbereich werden entfernt, im übrigen
beschnitten.
Windstangen werden nicht abgenommen, nur im Einzelfall, wo
erforderlich und wo es ohne Gefährdung der Malerei möglich
ist.
Ergänzungen von Fehlstellen werden nicht neutral ausgeführt,
sondern in Farbe und Zeichnung nachbildend. Stark störende
Details der Scheiben können herausgenommen und ergänzt
werden.
Es wurde vorgeschlagen, verlorene Details der Schwarzlot-
zeichnung – soweit es möglich ist – auf einer eigenen (moder-
nen) Glasplatte rekonstruierend wiederzugewinnen und diese
in geringem Abstand zur originalen Glasmalerei zur besseren
Wirkung des gesamten Fensters anzubringen. Ein Versuch in
dieser Richtung ist zwar möglich, doch können auch reversible
(hier: abnehmbare) Nachbildungen der Zeichnung eine äs-
thetische Beeinträchtigung des Originals mit sich bringen. Im
Zweifelsfall sollte ein solcher Versuch nicht weiter verfolgt wer-
den. Bevor eine fragwürdige Entscheidung getroffen wird, ist es
richtiger, den letztlich unwiederbringlichen Verlust des mittel-
alterlichen Originals als gegeben hinzunehmen.
Alle übrigen Konservierungs- und Restaurierungsfragen, auch
die Ausführung und Art der notwendigen Dokumentation,
wurden bereits in den Jahren 1980/81 anläßlich der Maßnah-
men an den Fenstern s VI und n VI besprochen und in Proto-
kollen festgehalten.
München, Werkstätten Gustav van Treeck, Bayerische Hofglasmalerei, Protokolle St. Martha (C Nr. 6530).

200   NÜRNBERG 1983 MÄRZ 4
Protokoll des Ortstermins am 11.1.1983 in der Werkstatt für
Glasmalereirestaurierung Dr. G. Frenzel in Nürnberg zum
dritten Restaurierungsabschnitt, der 1982/83 den Chorfenstern süd II (Stromer-Fenster) durch die Werkstatt van Treeck
und süd III (Behaim-Fenster) durch die Werkstatt Frenzel gewidmet war:
Als 1. Besprechungspunkt wurde die Maßwerkrekonstruktion
bzw. -ergänzung an beiden Fenstern vorweggenommen. Es
wurden die Farbskizzen, die aufgrund der begrenzten Hinwei-
se in den Eberleinzeichnungen v. 1850 und der Erfahrungen bei
der Ergänzung der bisherigen Fenster von Fa. van Treeck an-
gefertigt worden waren, diskutiert. Den Blattornamenten bei
Eberlein in Fenster s II entschloß man sich, nicht zu folgen, da
diese Lösung stilistisch unwahrscheinlich ist. Insbesondere die
zuletzt ausgeführten Maßwerke der Fenster n II und n III hat-
ten ja das Gesamtkonzept schon eingegrenzt. Daraus ergeben
sich auch für die von Eberlein nicht vorgegebenen Felder (Vier-
pässe) und Fischblasen-Rosette) passende Lösungen. Man konn-

te sich aufgrund der dargestellten Alternativen bereits auf eine Fassung festlegen. In der nächsten Zeit sollen die endgültigen Entwürfe ausgearbeitet und den Kommissionsmitgliedern zur Bestätigung vorgelegt werden.

Dann wurden am Beispiel des Fensters s III (von Fenster s II waren diesmal keine Felder aus München zur Besprechung nach Nürnberg transportiert worden) die anstehenden Fragen der Restaurierung besprochen: Es ging dabei speziell um 2 Problempunkte, nämlich die Craquelée-Bildungen und die Übermalungen.

In weitem Umfang sind Gläser auf der ehem. Außenseite (Rückseite) von feinsten Haarriß-Netzen durchzogen; besonders stark sichtbar z.B. bei Feld s III 3b, wo das Craquelée in einigen Gläsern (z.B. Rot) bis zur Vorderseite durchgerissen ist. Durch die schon teilweise durchgeführten Rückseitenreinigungen fallen Risse deutlicher auf.

Diese Craquelée-Bildung ist in vielen Gläsern so weit fortgeschritten, daß eine Sicherung unumgänglich ist (vgl. den früheren Maßnahmenkatalog: Dublierungen). Bei den bisher restaurierten Fenstern der St. Martha-Kirche waren Craquelée-Schäden nur vereinzelt und im Ansatz vorhanden (Behandlung: Klebung der Hauptrisse zur Stützung der Gläser).

Nach Erörterung der möglichen Ursachen für die Entstehung der Rißbildungen, die allerdings keine sicheren Erkenntnisse ergeben konnte, deshalb aber den weiteren Forschungen anheimzustellen ist (Belastungen der Gläser auf der Südseite durch Temperaturschwankungen / Sonneneinwirkung; Nachbrennen bei früheren Instandsetzungen; Materialermüdung/ Erosion; Fortschreiten der Korrosion nach Gel- und Rißbildung in den Oberflächenschichten), wurde über die Möglichkeiten der Sicherung beraten. Angesprochen wurden Dublierungsverfahren mit Epoxid-Harz oder mit Silicon (-Kautschuk), letzteres z.B. in glasklarer Ausführung; im ersten Fall steht die erwiesene Gilbung, im zweiten die Verarbeitungs-Schwierigkeiten aus Konsistenz-Gründen hindernd im Wege. Eine Silikon-Beschichtung (statt Dublierung) hingegen bindet, wie angemerkt wurde, Staub und andere Fremdstoffe. Ferner wurden Klebemittel, die zur Herstellung von Verbundglas dienen, z.B. Plexigum etc., und insgesamt Acryl-Harze vorgeschlagen; soweit solche bei höheren Temperaturen zu verarbeiten sind, scheiden sie aus, darüberhinaus sollten Mittel dieser Spezies aber vor allem in Betracht gezogen werden wegen ihrer bekannten Vorteile (z.B. Gilbungsfreiheit, Reversibilität u.s.w.). Des weiteren wurde nach Stoffen gefragt, die in Form einer »Imprägnierung« denkbar wären, evtl. auch aus der Gemälde-Restaurierung bekannte Stoffe (zur Stützung der Gläser, Anbindung der Risse, Füllung der Hohlräume), sowie nach UV-härtenden Klebern.

Es wurde in diesem Zusammenhang beschlossen, daß eine systematische Überprüfung (Testreihe) der denkbaren, zur Verfügung stehenden Mittel bezw. Verfahren durchzuführen ist, um zu einer Festlegung auf eine vertretbare Sicherungsmethode zu kommen. Um die entsprechende Bearbeitung wurde Frau Dr. Marschner, Zentrallabor des BLfD, gebeten.

Übermalungen auf orig. Schwarzlot begegnen insbesondere an einigen Stellen des Fensters s III. Herr Dr. Frenzel erläuterte an Beispielen, daß hier eine Entfernung der Übermalung vor Sicherung der gefährdeten Reste der Originalbemalung ausscheidet, d.h. eine Übernahme des Jetzt-Zustandes notwendig ist. Ein Anbringen neuer Retouchen ist ebenfalls – gemäß dem bisherigen Konzept insgesamt ausgeschlossen. Es wurden Vermutungen über die Ursprungszeit der Übermalungen diskutiert (evtl. stammen sie von 1910) und die Frage wie weit sie einge-

brannt (und inzwischen evtl. wieder locker geworden) oder kalt aufgebracht worden waren. Es wurde darauf hingewiesen, daß die Restauratoren auch hier nur nach detailbezogener Erfordernis vorgehen können unter Ausnutzung der zur Verfügung stehenden Verfahren.

Die Teilnehmer wurden sich darüber klar, daß die zeitliche Abwicklung des laufenden Restaurierungs-Abschnittes von den weiteren Überlegungen und Prüfungen zur Craquelée-Sicherung berührt wird.

Bestätigt wurde, daß Umplazierungen bezw. Korrekturen in der Anordnung bei beiden Feldern nicht notwendig sind. – Die Feldmaße sind von den Werkstätten bereits mitgeteilt worden, soweit sie die Rahmenkonstruktion betreffen.

In allen anderen Fragen der Restaurierung / Konservierung ist auf die früheren Festlegungen zu verweisen.

i.A. (Bischeltsrieder) Werkstätten Gustav van Treeck

München, Werkstatt van Treeck, Protokolle St. Martha (C Nr. 6530).

201   NÜRNBERG 1983 OKT. 28

Besprechungsnotiz zu technischen Restaurierungsfragen in der Werkstatt Dr. G. Frenzel, Nürnberg, die Sicherung der von Craquelé betroffenen Gläser betreffend:

Die mechanische Rückseitenstützung der krakelierten Scheibenteile war beim letzten Werkstatttermin am 11.1.1983 [s. Protokoll vom 4. März 1983] als Problem offengeblieben. Durch Schnelltestreihen im Labor des BLfD sollte eine Materialauswahl getroffen werden, die die bisher verwendeten Epoxide als (gilbendes) Dubliermaterial ersetzen.

Die als günstigste im Labor ermittelten Materialarten wurden am 1.9. den Werkstätten Dr. Frenzel und Dr. v. Treeck durch das Labor des BLfD mitgeteilt:

Paraloid B 72 (Fa. Rohm and Haas, Deutschland GmbH, 6000 Frankfurt 97, Rheinstraße 29) oder

Paraloid N 80 (Fa. Roehm GmbH, Kirchenallee, 6100 Darmstadt 1)

jeweils verdünnt mit Toluol oder Xylol.

Bei der Umsetzung in die Restaurierungspraxis erwies es sich als günstiger, die rückseitige Kunstharzbeschichtung ohne das bisher übliche deckende Dublierglas, also offen, als Film unterschiedlicher Stärke aufzutragen. Bei dem Werkstatttermin wurde die bisherige Handhabung besprochen und festgestellt, daß auch die bis dato noch nicht behandelten krakelierten Glaspartien in dieser Form bearbeitet werden können. Als Richtlinie der Arbeiten wurde besprochen, daß gegenwärtig nur diejenigen Krakeleebildungen rückseitig behandelt werden sollen, bei denen eine mechanische Stützung bereits unumgänglich ist. Dagegen sollen erst im Anrißstadium befindliche Krakelierungen zunächst unbehandelt bleiben und an gut im Kirchenraum zugänglichen Scheiben regelmäßig auf einen evtl. Schadensfortschritt untersucht werden. Der Kunstharzauftrag an den zu behandelnden Glasrückseiten soll in rel. hochviskoser, jedoch noch gut verarbeitbarer Form erfolgen (ca. 30% Harzkonzentration). Damit soll das Eindringen des Harzes in die Haarrisse des Glases weitgehend verhindert werden, das zu evtl. Rißaufweitung führen könnte. Die Beschichtungsstärken sollen je nach restauratorischer Erfordernis variieren, jedoch so gering wie möglich gehalten werden. Sie sollen nach Aushärtung mechanisch (Glaspinsel) leicht angeraut werden, um den Lackeffekt auf den Scheibenrückseiten zu beseitigen.

München, Werkstätten Gustav van Treeck, Bayerische Hofglasmalerei, Protokolle St. Martha (C Nr. 6530).

202 MÜNCHEN 1984 Jan. 26

Protokoll der Besprechung vom 17.1.1984 in St. Martha zwischen dem Architekten Prof. Walter Weber, Nürnberg, Herrn Dr. Frenzel, Nürnberg, Herrn Dr. van Treeck, München, und der Restauratorin Frau Bischeltsrieder. Im Zentrum steht ein Anliegen der Kirchengemeinde, die Lesbarkeit an Partien mit erloschener Malerei durch Hinterlegung von Gläsern mit rekonstruierter Bemalung v.a. in den Köpfen zu verbessern:

Niederschrift

Frühere Diskussionen und insbesondere ein Anliegen der Kirchengemeinde aufgreifend, wurde auf Einladung von Herrn Professor Weber die Frage besprochen, ob die auf einigen Glasgemälden infolge der Bemalungsverluste doch stark beeinträchtigte Ablesbarkeit figürlicher Inhalte – hauptsächlich von Köpfen – durch Ergänzungen verbessert werden kann.

Als mögliches Verfahren, solche Komplettierungen in der Zeichnung durchzuführen, wurde von den Werkstätten das Hinterlegen solcher Details, d.h. speziell von Köpfen, deren Konturen bis zur Unkenntlichkeit abgewittert sind, genannt; die Hinterlegung würde durch Gläser erfolgen, auf denen die Ergänzung glasmalerisch ausgeführt ist und die punktweise am Blei angeheftet werden.

Direkte Retuschen auf den Originalgläsern werden als unvertretbarer Eingriff nach wie vor ausgeklammert.

Durch diese Verfahren wären primär die durch die Abwitterung der ursprünglichen Bemalung als zu hell störenden Gläser einstimmbar. Die in der Oberflächenstruktur der Original zumindest teilweise noch ablesbare ursprüngliche Zeichnung (Negativzeichnung) könte Grundlage für zeichnerische Ergänzungen sein; diese müßten auf jeden Fall aber auf die notwendige Aussage beschränkt bleiben und verfälschende naturalistische oder künstlerische Tendenz ausschließen.

Insbesondere im Waldstromer-Fenster (I), das als Chorschlußfenster im Blickpunkt liegt, fallen einige Köpfe – im rechten Feld des Abendmahls = 3c, ferner in den Feldern 1c, 2a und 2c und anderen – als besonders störende Fehlstellen auf. Da dieses Fenster in den nächsten Monaten restauriert wird, soll über die Ergänzungsfrage hier vordringlich entschieden werden. Es ist darüber hinaus zu prüfen, ob Verbesserungen im beschriebenen Sinn auch in den gravierendsten Fällen der links und rechts anschließenden Fenster nachträglich durchgeführt werden sollten.

Für das Schürstab-Fenster (n VI) wurde angeregt, in der unteren Zeile die verlorene Zeichnung der »Schürstäbe« durch eine Kaltretusche zu ergänzen; da es sich bei den betreffenden Gläsern um Ergänzungen des 19. und frühen 20. Jh.s handelt, stünde dem von der restauratorischen Seite kein Einwand entgegen.

Es wurde zur weiteren Entscheidungsfindung veranlaßt, Herrn Dr. Baur / LAfD um eine Beurteilung der Situation im Raum, vor Ausbau des Waldstromerfensters, zu bitten und die Frage der Ergänzungen dann baldmöglichst bei einem Werkstattgespräch zu entscheiden

Gez. (Dr. Peter van Treeck) Werkstätten Gustav van Treeck

München, Werkstätten Gustav van Treeck, Bayerische Hofglasmalerei, Protokolle St. Martha (C Nr. 6530).

203 MÜNCHEN 1984 Jan. 30

Schreiben des Oberkonservators Dr. Christian Baur an das Evang.-Reform. Pfarramt St. Martha:

Sehr geehrter Herr Pfarrer Wenzel!

Am 26. Januar d.J. bestand die Gelegenheit, das Waldstromer-Fenster (Chor I) vor dem Ausbau und bereits von dem aufgestellten Gerüst aus näher zu betrachten. Herr Dr. van

Treeck hatte uns bereits berichtet, die Evang.-Reform. Kirchengemeinde hätte den Wunsch geäußert, der partielle Verlust der Schwarzlotzeichnung im Waldstromer-Fenster möge etwa durch hinterlegte Folien mit ergänzender Zeichnung zum Teil ersetzt werden.

Obgleich ein solches Verfahren insgesamt reversibel ist, bestehen doch unsererseits Bedenken hinsichtlich einer ästhetischen Verfremdung der Glasgemälde, zumal im Zusammenhang der bereits restaurierten Nachbarfenster n II und n III (s II ist besser erhalten). Starke Fehlstellen haben das Groß'sche Fenster (n II) mit den Scheiben 4a-c, 5a-c, 6a-c und das Rieter-Fenster (n III): 1a-c, 2a-c und 3a-c. Verglichen mit dem Erhaltungszustand dieser Fenster stellt das Chorfenster I durchaus keine Ausnahme dar.

Bei näherer Betrachtung des Chorfensters I gibt es die eine oder andere Fehlstelle im Antlitz Mose (5c – im Inventar mit »5b« bezeichnet) – d.h. dort ist ein fremdes, nicht passendes Glasmalfragment eingesetzt. Hier muß man sich eine Lösung einfallen lassen. D.h. unsere Tendenz ist es, nicht mit Folien zu arbeiten, die eine verlorene Schwarzlotzeichnung ersetzen sollen, sondern für einzelne sehr aus dem Rahmen fallende Fehlstellen einen gangbaren Weg zu suchen, der unter Umständen Kalt-Retouchen einbezieht.

Der weitere Wunsch der Kirchengemeinde – wie durch das Schreiben von Herrn Dr. Frenzel übermittelt – die Scheiben des Depotfensters n V nach der Restaurierung in das Fenster s IV (das keine Glasgemälde aufweist) einzusetzen, läßt sich aus unserer Sicht verwirklichen. Da die Tradition des Fensters n V nur in die 50er Jahre zurückreicht und die Chorverglasung durch die Änderung insgesamt geschlossener erscheinen wird, ist der vorgesehene Tausch der Scheiben angebracht.

Die Anregung von Herrn Dr. Frenzel, die Rundscheibenverglasung des bisherigen Fensters n V, die zum Teil Butzen aufweist – neben den Glasgemälden – einheitlich durch Butzen zu ersetzen, sollte aufgegriffen werden.

Für eine nochmalige Besprechung der anstehenden Fragen hält sich der Unterzeichnete bereit.

gez. (Dr. Christian Baur) Oberkonservator

München, Werkstätten Gustav van Treeck, Bayerische Hofglasmalerei, Protokolle St. Martha (C Nr. 6530).

204 MÜNCHEN 1984 Mai 17

Schreiben der Werkstatt van Treeck an die Kirchengemeinde St. Martha mit Bezug auf den Ortstermin am 6.4.1984 in der Werkstätte van Treeck in München, die Retuschen auf Trägergläsern betreffend:

Der Erhaltungszustand der Binnenzeichnung d.h. der Konturen und der entsprechenden Halbtöne ist bei Fenster I extrem unterschiedlich. Teilweise fehlt auf den Farbgläsern jegliche Bemalung; teilweise ist noch erstaunlich viel Originalbemalung sichtbar. Das erweist sich in den Inkarnatsbereichen als besonders störend. Deshalb wurde angeregt, diesen Zerfall der Ablesbarkeit durch Retuschen auszugleichen. Für die Werkstattbesprechung wurden Lösungen zu dieser Frage ausgearbeitet.

Grundlage für die Möglichkeit zur Durchführung von Retuschen waren die deutlich erkennbaren Negativzeichnungen, d.h., die ehemalige, inzwischen abgesprungene Binnenzeichnung ist im gegenwärtigen Zustand als positive Glaslinie erkennbar. Die Glasoberflächen neben diesen Glanzlinien sind auch innenseitig stark korrodiert.

Die Zeichnungsspuren wurden auf verschiedenen Träger übertragen:

1.) Retusche auf dünnem weißen Glas
2.) Retusche auf dünnem fleischfarbenen Glas
3.) Retusche auf dickerem, rosa Glas
4.) Retusche auf transparenter Folie
Zu 1.) Die Retusche wurde rekonstruierend durchgeführt, d.h.,
die Kontur wurde nach der Negativzeichnung des entspre-
chenden originalen Inkarnatstückes übertragen. Die Retusche
wurde mit Schwarzlot aufgemalt und eingebrannt.
Zu 2.) Dasselbe Glasstück wurde zusätzlich mit fleischfarbener
Glasfarbe überzogen und nochmals gebrannt.
Zu 3.) Die Kontur wurde auf rosa getöntes Glas aufgebrannt.
Zusätzlich übertrug man versuchsweise die Halbtonzeichnung.
Zu 4.) Die Binnenzeichnung wurde mit Filzstift auf Transpa-
rentfolie übertragen.
Diese Versuche wurden fotografisch aufgearbeitet, d.h., die ver-
schiedenen Möglichkeiten konnten anhand von Dias durchge-
sehen werden.
Als Muster diente ein Inkarnatteil aus I 6c, dessen Bemalung
nur noch als Negativzeichnung erkennbar ist.
Die Doubliergläser sind exakt nach der Größe des originalen
Glasstückes zugeschnitten worden.
Die Übertragung der noch erkennbaren Negativkonturen sind
für den Bestand des Fensters von großer Bedeutung.
Die Kommission brachte dies deutlich zum Ausdruck und ent-
schied, daß Retuschen in den für den Bestand besonders wich-
tigen Partien durchgeführt werden sollen.
Als praktische Lösung erscheint die absolut detailgetreue Über-
tragung der Negativzeichnungen in sattem Schwarzlot auf ei-
nen Glasträger. Die Retuschen sollen eingebrannt werden. Man
solle auf alle Fälle von einer Rekonstruktion des Ursprungszu-
standes absehen, d.h., man solle von der Übertragung der ver-
lorenen Halbtöne absehen.
Die Doubliergläser werden mit Blei umrahmt und punktuell
auf dem Originalblei rückseitig aufgelötet.
München, Werkstätten Gustav van Treeck, Bayerische Hofglasmalerei, Protokolle St. Martha (C Nr. 6530).

205   MÜNCHEN 1985 JAN. 12
Aus einem Schreiben von Dr. Peter van Treeck an den zuständigen Architekten bei St. Martha, Prof. Walter Weber, geht
hervor, dass inzwischen fünf Chorfenster wieder an Ort und
Stelle zurückgeführt wurden. Retuschen auf Deckgläsern zu
besseren Lesbarkeit der Fenster, die bereits an Köpfen im Waldstromer-Fenster (I) vorgenommen wurden, sollten nun in einer
nachträglichen Maßnahme vor Ort auch an weiteren Fenstern
stattfinden. Der geplante Termin für den Wiedereinbau des
Ottnandt-Fensters (s V) nach Restaurierung durch die Werkstatt Frenzel im Oktober 1985 würde sich für diese letzten De-
tailarbeiten anbieten. Eine abschließende örtliche Besprechung
wird für das Frühjahr empfohlen.
München, Werkstätten Gustav van Treeck, Bayerische Hofglasmalerei, Protokolle St. Martha (C Nr. 6530).

EHEM. TUCHERHAUS IN DER GRASERSGASSE

206   NÜRNBERG 1833 AUG. 1
Schreiben des Königlichen Landgerichtsassessors von Petz an
Seine Kgl. Hoheit, den Bayerischen König, den Verkauf der
Glasgemälde aus dem Tucherschen Gartenhaus betreffend:
Die erhabene Vorsorge, womit Eure Königliche Majestät über
die Erhaltung der vaterländischen Kunstschätze wachen, macht
mich so kühn, Euer Königlichen Majestät in allertiefster Ehr-
furcht folgenden Vortrag zu erstatten.
Mein verstorbener Schwiegervater, der Freiherr Friedrich von
Tucher, befand sich im Besitze der in dem anliegenden Verzeich-
nisse beschriebenen Glasgemälde und Limosins, deren Werth er
erst in seinem letzten Lebensjahre kennen lernte, als es zu spät
war, diesen Schatz seiner Familie zu sichern. Nach seinem Tode
war die Veräußerung der zu seinem Nachlaße gehörigen Gegen-
stände umso unvermeidlicher, als ein Theil seiner zahlreichen
Familie aus Minderjährigen besteht.
Leider sollen auch jene herrlichen Kunstgegenstände, – erwor-
ben und erhalten durch die Kunstliebe und die Uneigennützig-
keit der Vorfahren, – veräußert und vielleicht für immer der
theuren Vaterstadt und dem Lande, dem diese anzugehören das
Glück hat, entzogen werden.
Der Schmerz, den ich, – obgleich nur durch Schwägerschaft dem
Geschlecht der Tucher verbunden, – bei diesem drohenden Ver-
luste empfinde, würde sich in die höchste Freude verwandeln,
wenn ich hoffen dürfte, daß Eure Königliche Majestät allergnä-
digst geneigt seyen, durch die Erwerbung dieser Gegenstände
Allerhöchste Ihren Kunstschätzen einen nicht unwürdigen Zu-
wachs zu verschaffen, und dem Vaterlande eine, zwar der Zahl
nach unbedeutende, jedoch dem inneren Werth nach höchst
schätzbare Sammlung der herrlichsten Glasgemälde und sel-
tensten Limosins zu erhalten.
Dieser Beweggrund wird vielleicht meine Kühnheit entschul-
digen, wenn ich mich unterfange, Euer Königlichen Majestät,
dem erhabenen Beschützer der Kunst, die Versteigerungsanzei-
ge in allertiefster Ehrfurcht vorzulegen und die Bemerkung bei-
zufügen, daß die Verfasser des in Nr. 19 und 20 des Kunstblattes
erschienenen Aufsatzes der Königliche Gallerie-Director Rein-
del und der Königliche Pfarrer Lösch sind.
Allerehrfurchtvollst beharret Euer Königlichen Majestät
allerunterthänigst-treu gehorsamter
Georg Christoph Wilhelm von Petz, Assessor.
Es folgt die Auflistung der Objekte mit Angabe der Schät-
zungen und der tatsächlich erzielten Preise sowie dem Vermerk
der jeweiligen Käufer am rechten Rand; siehe Fig. 878.
StadtAN, E 31/A 635 (Genealogische Papiere Petz), S. 4.

AUSZUG AUS HILPERT 1827

Zur leichteren Überprüfung der im Katalog angegebenen Verweise auf die Beschreibung der St. Laurenzer Kirche in Nürnberg 1827, von Pfarrer Johann Wolfgang HILPERT, wird die Handschrift im Archiv der Lorenzkirche nach dem mit Anmerkungen versehenen Transcript von Christian SCHMIDT und Georg STOLZ (Schriftenreihe des Vereins zur Erhaltung der St. Lorenzkirche in Nürnberg e.V., Band 1, Nürnberg 2001) in dem die Glasmalereien betreffenden Auszug auf den Seiten 654–677 wiedergegeben. Zur Lokalisierung der bei HILPERT mit Buchstaben bezeichneten Fenster vgl. den nachstehenden Grundriss.

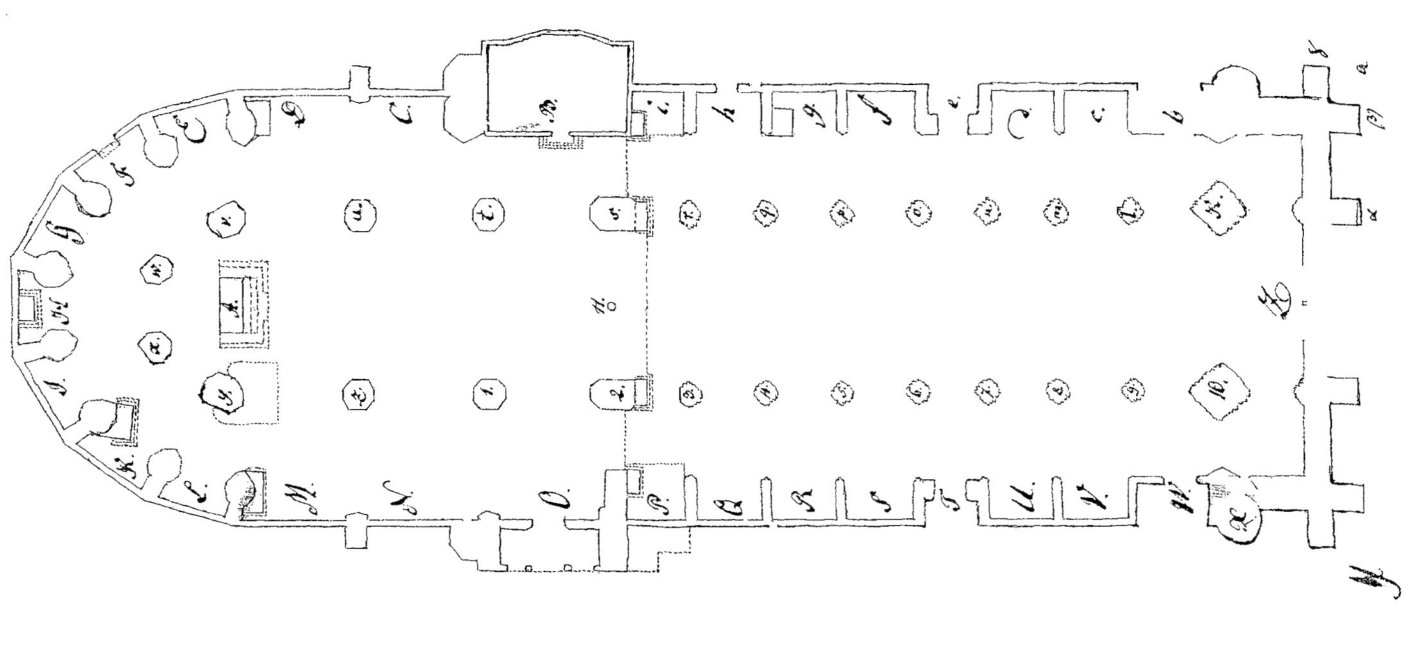

Glasmalereien
in der Lorenzer Kirche

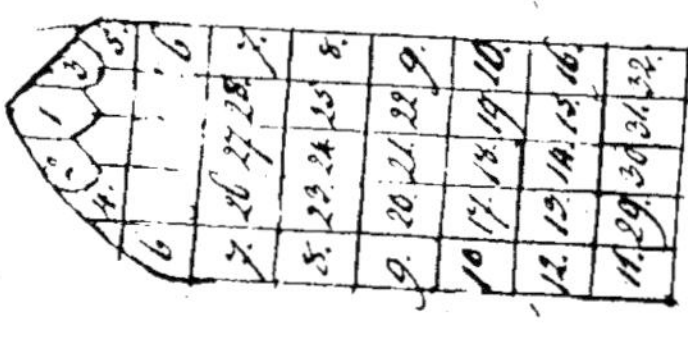

1.   Das Tucherl. Fenster C[201]. neben der Sakr-
steij ist nur zum Theil mit Glasmalereien versehen; nämlich auf folgende Weise:
Ganz mit Malereien sind folgende Felder von Nr. 1 - 16. geziert:
1.   Das Tucherische Wappen, und neben diesem
2. 3.   auf jeder Seite eine Fama, ebenso
4. 5.   auf jeder Seite ein Engelskopf in
      Wolken. In den Feldern
6 - 10. befindet sich eine Säule, auf welcher im
      Felde 6. ein Engel auf einer Kugel steht mit
      einem Füllhorn in den Händen; in den Fel-
      dern 9. u. 8. ist die Säule selbst mit Laub-
      werk umwunden, in dem Felde 10. ein Kind
      und das Postament in
16. u.12. wobey zu bemerken, dass in dem Postament
      12. die Jahrzahl 1601. in 16. die Jahrzahl 1481. steht.
11.   Hier knieet der Probst Sixt Tucher in geistlichem
      Habit vor einem Pulte, worauf ein Buch und ein
      Crucifix; vor ihm ist das Tucherl. Wappen ohne
      Helm. - Dieser Sixt Tucher erhielt die
      Probstei von Laurentius Tucher A. 1496. und trat
      sie 1503 an Antonius Kress ab. Er starb 1507. 24. Oct.
29.   Das Tucherl. Wappen mit der Helmzierde; darunter
      das Hegnerl. und Hallerl. alte Wappenschildlein. -
      Dieses ist das Wappen des Hans Tucher an der
      Hirschelgasse, der 1464. starb am Sontag nach Laurentius
30.   Dasselbe Wappen nebst einem rothen Ritterkreuz[202],
      Degen und Rad[203]; darunter das Ebnerl. und Hars-
      dorfl. Wappenschildlein. Dieses ist das Wappen des
      Hans Tucher am Michmarkt, der 1491. am
      Matthiastag verschied. Er ward in Jerusalem zum Ritter geschlagen[204]
31.   Dasselbe Wappen; darunter das Mendel´l. Wappen-
      schildlein[205]. - Dieß ist das Wappen des Berthold
      Tucher am Milchmarkt, der 1494. am Montag
      vor Sophia starb.
32.   Dasselbe Wappen mit dem Hirsfogel´l. Wappenschildlein.
      Dieß ist das Wappen des Sebald Tucher, der 1462.
      am Freitag nach Michaelis zu Bamberg starb.
In folgenden Feldern sind große runde violette Scheiben

201 Das sog. "Tucherfenster Süd" wurde 1601 anstelle der früheren Verglasung von 1481 eingesetzt. Arbeit des Jakob Sprüngli
     aus Zürich.
     FRENZEL G., Die Farbverglasung aus St.Lorenz-Nürnberg, 1968.
     ders., Zwei monumentale Nürnberger Fensterschöpfungen des Amalisten und Glasmalers Jocob Sprüngli aus Zürich,
     in: MVGN 75/1988, S. 91 ff.
     ders., Die ursprüngliche Chorverglasung von St. Michael in Fürth und ihre Stifter. In: Fürther Heimatblätter NF 19
     Jgg 1969 Nr. 5.
     FUNK V., Glasfensterkunst in St. Lorenz, Nürnberg 1995.
202 Pilgerzeichen, "Jerusalem-Kreuz"
203 Pilgerzeichen "Katharinen-Orden"
204 In der jetzigen Anordnung ist diese Scheibe mit Nr. 31 (1d) getauscht.
205 In der jetzigen Anordnung ist diese Scheibe mit Nr. 30 (1c) getauscht.

100

in Rautenkränzen eingesetzt, mit folgenden Wappen:

13. 2. Tucherl. Wappenschilder neben einander mit der
Jahrzahl 1639. - Wahrscheinlich Karl Tucher, der 1640.
am 27. Nov. starb.

14. Der Tucherl., Vogtl. u. Schwabl. mit 1639. - Wappen
des Johann Christoph Tucher, der am 20. Sept. 1632 starb.

15. Der Tucherl. und Vogtl. mit 1639 . - Wappen des Tobias
Tucher, der 81 Jahre alt am 6. April 1675 starb.

17. Der Tucherl., Rotengatterl. und Vogtl. mit 1639. -
Wappen des Georg Tucher, der am 5. März 1644 starb.

18. Der Tucherl. u. Imhofl. alte mit 1639. - Wappen des
Hieronymus Tucher, der am 17. April 1652 starb.

19. Der Tucherl., Oertel. u. Behaiml. alte mit 1639. -
Wappen des Thomas Tucher, der am 9. Februar 1646 starb.

20. Der Tucherl. und Behaiml. alte. - Wappen des Anton
Tucher, der 1636. starb am 14. Aug.

21. 2. Tucherl. Wappen des Philipp Jacob Tucher, der 1632
starb.

22. Der Tucherl. u. Paumgärtnerl. alte. - Wappen des Andreas Tucher, der 1440. starb.

23. Der Tucherl. u. Bucherl. - Wappen des Franz Tucher,
der am 9. Januar 1625 starb.

24. Der Tucherl. u. Imhofl. alte. - Wappen des Martin Hieronymus ?
Tucher, der 1536. starb.

25. Der Tucherl. u. Puschische Wappen des Nicolaus Tu-
cher der 1521. starb; oder Puschningerl. Wappen; dan[n] Paulus T. + 1614.

26. Der Tucherl. u. Tetzl'l. - Wappen des Christoph Tucher am Heumarkt,der am 27. August 1610. starb.

27. Der Tucherl. und Tetzl'l. (: Tetzelische :). - Wappen des
Adam Tucher, der am 7. April 1575. starb.

28. Der Tucherl. und Pfinzingl. schw. u. g. - Wappen des
Herdegen Tucher, der am 6. Juli 1618. starb.

....[206]

Am Fuss des Postaments in 16. steht auf Glas
ALLUS WALDI
ER ELTTER Aº 16.

Dieses Fenster, so wie das beij M. ließen die Herren
v. Tucher 1727. repariren. Dieses Fenster hat mehr
Kunstwerth, als die beyden folgenden. Es ist von zweij
Schweitzern, Namens Jacob und Friedrich Springlin aus Zürich gemalt, dessen Name
mit Diamant an der Seite eingeritzt ist.
Die Tucher gehören unter die ältesten rathsfähigen Familien; sind
schon 1198. hier gewesen.
Im Jahre 1836. wurde dieses Fenster gereinigt. Die v. Tucherl. Familie gab dazu einen Beitrag.

206 Die Dreipaß-Scheiben in den Feldern
         7 b Tucher-Valzner
         7 c Tucher-Behaim
         7 d Tucher-Pfinzing
     sind hier nicht aufgeführt.

101

2. Das Hirsfogel'l. Fenster D. hat blos in den 6. untern Feldern Malereien und zwar folgende[207]:

1. Das Hirsfogel. Wappen mit offonem Holm; darunter das
Eisenhutl. Wappenschildlein. - Wappen des Conrad Hirsvogels, der 1398. starb und der erste gewesen, der von Offenbau
nach Nürnberg gekom[m]en.

2. Dasselbe Wappen mit dem Geuderl. und Burkhl. Wappenschildlein. - Dieses ist das Wappen des Deocar Hirsfogel, der 1493. am Tag nach Johan[n]is starb.

3. 4. Das Geuderl. Wappen mit gekröntem Helm, und die
von einem Engel getragenen Hallerl. vermehrter und
Tucherl. Wappenschilde neben einander; unter den
ersten steht Jvlivs Gevder; unter den letztern
Anno M. D. XCII.
NB: Die Geuder haben schon 1200. in der Stadt gewohnt. Im Rath
seit 1349.

5. Oben folgende Inschrift:
Anno D[omi]ni 1456. ward
diß Fenster ein Gesetzt
hat gestiftet der Heinrich
Hirßfogel de[m] got gna[d].
Darunter befindet sich das Hirsfogel'. Wappen mit offen-
nem Helm. - Wappen des Heinrich Hirsfogel, der
1440. am 26. Oct. starb und beij den Parfüßern begraben ist.

6. Ein HE. Hirsfogel im Ordenshabit[208], hinter ihm
Das Hirsfogel'. Wappen mit offenem Helm; dabeij das
Tetzel'l. Wappenschildlein. - Wappen des Bar-
tholomäus Hirsfogel, der 1486. starb.
Julius Geuder, dessen Mutter Brigitta die letzte Hirsfoglin gewesen hat die Glasmalereien, die das ganze Fenster schmückten
und sehr schön waren,herausnehmen lassen und nur diese wenigen
gelassen.

3. Das Schlüsselfelderl. Fenster E. ist nur
theilweise mit Glasmalereien ausgefüllt. Die
Felder <u>Nr.</u> 1 - 25 sind ganzlich ausgefüllt und
stellen folgendes dar[209]:

1. S. Maria mit dem Kinde Jesus, zwischen
2. S. Johan[n]es Baptist. und
3. S. Margaretha.
4. -7. Zierrathen.
8. St. Christophorus.
9. Engel beij einer Orgel.
12. 10. Die Taufe unsers Heilandes von S. Johan[n]es Bapt.
10. 11. Der Allerhöchste.
11. Zweij Engel ein Buch haltend

M. br.in w.

207 Wohl wegen des geringen Farbfensterbestandes (6 Scheiben) wurde 1884 - gegen den Willen des Fensterrecht-Inhabers Geuder -
     in diesem Fenster das Kaiserfenster II zu Ehren des Dt. Kaisers Wilhelm I. eingesetzt. Da neugotisch wurde die Verglasung im 2.
     Weltkrieg nicht geborgen und zählt deshalb zu den Totalverlusten.
     STOLZ G., Pro deo - denk mal , a.a.O. S. 46 ff.
     Beim Wiederaufbau wurden die 6 alten Scheiben - vermehrt durch Leihgaben aus dem GNM - wieder eingesetzt. Jetziger Bestand
     siehe FEHRING / RESS, a.a.O., S. 95
208 Die ungewöhnliche Haltung des Mönches hat zu der Sage "Der erhängte Mönch" Anlaß gegeben.

102

12. Ein Engel mit euner Laute

13. Ein jugendlicher Heiliger dem die Maria erscheint

14. Ein Mann hinter einem vergitterten Fenster, ein andrer steht außen vor ihm

15. Eine männl. Figur und eine ....

15.16.17.18. Der Englische Gruß, nämlich in 16.15. Der verkünden-
de Engel, in 18 17 die Jungfrau Maria und dazwischen in
16 17 der H. Geist in Gestalt einer Taube.h

18. Christus, ds. Dornenrkönung

19. Die Jsraeliten, das goldene Kalb anbetend.

19. Ein Heiliger, eine Sä	Säule darauf ein Thier u. noch ein Mann

20. Zacharias

21. Die Krönung Christi

21.-23. Die angekleideten Ken[n]zeichen der 4. Evangelisten
mit Darbringung und Ausschüttung vieler Gaben,
nämlich[210]:

21.22 Johannes oder vielmehr der Adler.

22.23 Lucas u. Marcus oder der Ochs und Löwe mitein
ander haltend ....

23.24 Matthaeus, vielmehr der Engel

24. Christus mit Dornen gekrönt

25. Elisabetha

31-34. In diesen 4 Feldern sind große gelbe mit
Rautenkränzen eingefaßte Scheiben eingesetzt, in die
folgende Wappen gemalt sind.

30. Die Trinität

31 26 unter dem Schlüsselfelderl. alten Helm (2) offenen (1) das
Schlüsselfelderl. und Landauerl. neben einander.
Dieses ist das Wappen des Antonius Schlüsselfelder,
der 1493 am Maria Magdalenatag starb.

27.28.u. 39.40.
Die 4 Dürerischen
Apostel von Kellner

32 27. unter dem Schlüsselfelderl. doppelten Flügelhelm,
das Schlüsselbergerl. und Stockheimerl. Wappen
nebeneinander.- Wappen des Willibald Schlüsselfelder, der 1589 am 17. Mai starb.

35. Judas, Jakobus u. Johannes.

36. Joachim u. Anna.

37. Maria Salome u. St. Ambrosius.

38. Eustachius.

41. Salomo.

33 28. unter dem nämlichen Helm das Schlüsselfelderl.
und Imhofl. alte Wappen neben einander - Wappen des Wilhelm Schlüsselfelder, der 1549 am
23. October. starb.

34 29. Unter dem nämlichen Helm das Schlüsselfelderl.
und Tucherl. Wappen nebeneinander. - Wappen
des Carl Schlüsselfelder, der 1610. am 25. Dec:
starb.

Im Jahre 1836 wurde dieses Fenster gereinigt und restaurirt
auch wurden in die Felder 27. 28. 39. u. 40. Glasgemälde eingesetzt
Die bis dahin auf der Burg sich befanden. Kosten 1600 fl.

209 Zum Teil neue Anordnung der Scheiben:
FEHRING / RESS , a.a.O, S. 94
Funk V., Glasfensterkunst in St. Lorenz, a.a.O. S. 75 ff.
210 Ungewöhnliche Darstellung einer sog. "Hostienmühle"
RYE-CLAUSEN H., Die Hostienmühlenbilder, 1987, S. 146 ff.

103

4.   Das wunderschöne Volkamerische Fenster,
das wenige seines Gleichen hat oberhalb der
kleinen Kirchthür oben im Chor linker Hand,
ist in allen Feldern gemalt, und zwar in
den einzelnen Feldern auf folgende Weise:

1.   Der Allerhöchste und der h. Geist,

2.u.3. Engel gegen den Allerhöchsten gerichtet.

4 - 7. } Verschiedene Zierrathen und unter

8-13. } diesen im 16. u. 17. Feld ein Ecce

14-19. } homo und eine Mater Dolorosa.

34. 35. Der Patriarch Jacob liegt da im Königl. Habit.
Aus seiner Seite gehet ein Ast, der sich zur
Rechten und Linken in die Höhe ausbreitet und die
Felder 28. 29. 21. u. 24. ausfüllt. An den Zweigen
dieser Astes hängen Könige und zwar:

28. wie die beigefügten Inschriften andeuten: Aaron, Aba-
oc und Johel. (Joel?, Habakuk?, Amos?)

29. Dreij andere, deren Namen aber nicht angemerkt sind.
(Hosea, Micha, Maleachi)

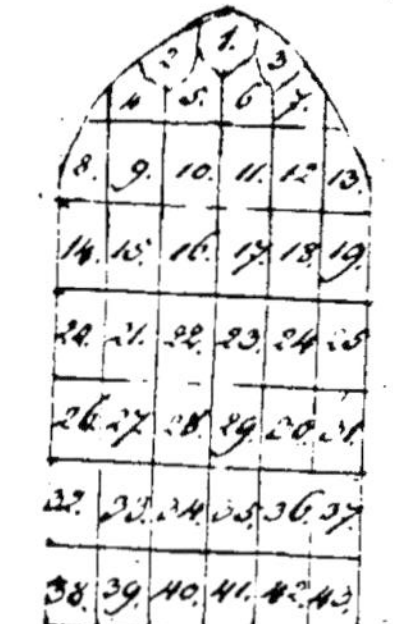

21. Dreij dergleichen, von denen nur zweij, nämlich Zacharias (Jesaias ?)
und Salomo näher bezeichnet sind, der dritte in einem
Buche lieset. - Diese Fenster schim[m]ern alle mit blendendem
Glanze von Sapphir und Rubinen.

24. noch dreij, von den wieder ander zweij, nämlich Zimphonia (Zephanias?)
und David bezeichnet sind. Es ist der ganze Stam[m]baum der
Mutter Gottes. (Jeremias, der dritte ?)

20. Zweij Heilige beijsammen; nämlich S. Ursula, gekrönt
und einen Pfeil in den Händen, und der Apostel S.
Johannes:

25. Ebenfalls zweij Heilige; nämlich S. Andreas mit dem
Kreuz und eine Heilge, die eine Blume in der Hand
hält, vor ihr ein Knabe mit dem Heiligenschein,
einen Blumentopf hinhaltend (: S. Dorothea :)

22. S. Catharina.

23. S. Maria mit dem Kinde Jesus auf dem Arm.

26.27.} Darstellung des Kampfes des h. Georg (Theodor?) mit dem
32.33.}   Lindwurm. Der Ritter kniet oben auf dem Ungeheuer
und wühlt mit dem Schwerde in seinen Eingeweiden
Neben ihm hält sein Knappe (?) S.Ives zu Pferde
sitzend in der einen Hand das Pferd, in der andern
den Helm des Ritters. Im Hintergrund stehet eine
Burg, über deren Mauern herab mehrere Personen
dem Kampfe zusehen; ausserhalb der Burg auch eine
weibliche Figur, die ein Lam[m] an der Hand führt und
voll Besorgniß auf den Lindwurm blickt.

30.31.} Die Hinrichtung des h. Sebastianus. Er ist an
36.37.} einen Baum gebunden und hinter ihm befestigt der
Henker den Strick. Vor ihm sind 4. Bogenschützen
und einer ist eben im Begriff unter der Leitung
einer anwesenden obrigkeitlichen Person einen
neuen Pfeil abzuschießen; dere[n] 4. Pfeile ste-
cken schon in seinem Körper. Im Hintergrund
liegt eine Burg, auf dem einen Schlot ist ein
Storchennest.

40. Zweij Heilige, nämlich S. Barbara, gekrönt, vor
einem Thurm und S. Apollonia mit der Zange.
Diese Heiligen beziehen sich auf. Apollonia Mendel u. Barbara Melber.

41. Zweij Heilige, nämlich S. Nicolaus mit 3. Benteln[211]
auf einem Buche und S. Sebald mit einer Kirche
in den Händen, unter dem letztern das Dänische
Wappen. Diese Heiligen haben Bezug auf Nicolaus Volkamer[212]
u... (Vielleicht hieß der kleine Sebald)

38.39.} Die Volkamerl. Familie, die dieses Fenster
42.43.} stiftete, nämlich 38. ein HE. Volkamer im violetten Kleide und gegenüber 43. seine Gemahlin,
eine geborene Apollonia Mendlin, mit dem Rosenkranz.
Beijde haben hinter sich ihre Wappen unter offenem
Helme. Dan[n] knien in 39. 2. junge Volkamer
im rothem Kleide (Hinter einem jeden ist das
Volkamerl. Wappen ohne Helm) und in 42.
des zweiten Gemahlin, mit einem Rosenkranz, eine
geborene Barbara Melber laut ihres Wappens; beij ihr
aber 2. Töchter. - Der alte HE. Volkamer in
38. hieß ~~Gottlieb~~ Peter und starb 1493; der
junge, dessen Gemahlin eine Melber war,
hieß Nicolaus und starb 1497[211]. Von einem
Sohn des Nicol. wissen die Geschlecht Tafeln nichts, auch nichts von einem
Bruder weil die kleine Figur nicht vor Nicolaus steht, scheint sich der Bruder aufzuzeigen.

In 38 u. 43.ist in den
Bögen daneben
S. Peter u. S.
Catharina dan[n] zu
Seit des erstern 2.
Figuren, zur Seite der
letzten 2 von den
ene bezeichnet ist
שצבחי ׳
ךפבכעש in Nr 43.

Dieses Fenster wurde 1730. im Septemb. ausgebessert; und
im Jahr 1818.gereinigt. Es hat die schönste Glasmale-
reij in allen Nürnbergl. Kirchen. Die übrigen Fenster
im Chor haben durch Reinigen sehr gelitten.

Nach Aug. Hahns Novellen Beill. 1829. Bd. I. pag. 64. hätte dieses
Fenster Paulus Volkamer gestiftet, was wohl falsch; nach p. 54.
hätte dieses Fenster und das Markgrafenfenster[213], welches
Bildnisse der Burggrafen v. Zollern zeigen soll, (?) der Stadt-
meister Vcit Hircfogel gemalt.

Da die 2. Enkelin. Veronica u. Apollonia V. Töchter des Nicol.
V. erst 1472. u. 1474. geboren sind, so ist das Fenster erst nach diesen
Jahr gemalt, also zwischen 1475 - 1492.
Vid. Morgenbl.1832. Febr, Kunsbl.Nr. 10 u. 11.
"	"	"
"	"	"
ℋ für M. 1833. Oct. "	"	" 86. u. 87, wo die Figur
gehalten wird. Sie Kom[m]t jedoch auch als
H. vor.

211 Goldene Kugeln

5. Das Kühnhoferische Fenster. G. ist wie das vorher-
gehende durchaus gemahlt und zwar ist in den
einzelnen Feldern folgendes vorgestellt:
1. Unser Heiland auf der Erdkugel stehend[214], neben welchem
2. } Personen, eine Heilige und ein Heiliger knieen[215].
3. }
4. } sind abermals 2. Personen knieend gemalt[216] und
7. }
5.6. Zierrathen
8. S. Christopherus. Diese Inschrift steht beij dem Heiligen,
der ohnehin ken[n]bar genug ist.
9. Sant Sixt, Papst[217], wie die Inschrift sagt.
10. Das Kind Jesus, vor welchen ein Hirt mit Schaafen[218].
11. Ohngefähr dasselbe.
12. Auf ähnliche Art. Hinter dem Kinde Jesus sind viele andere Kinder.
13. S. Nigalaus; Bischoff, laut der Inschrift.
14. S. us[219], Bischoff, } laut der Inschrift
15. S. Sebastianus, }
16. } Zierrathen zu den Feldern 22, 23. gehörig.
17. }
18. S. Veit.
19. S. estachius.
20. S. Barbara mit dem Kelch } Bey diesen
21. S. margaretha mit dem Drachen } Heiligen
22. Sancta maria mit dem Kinde Jesus } allen
23. Sanct Katerina } ist jedes-
24. S[anctus] Jörg Ritte[r] zu Fuß } mal ihr
25. Sanct[us] Leo[n]hard[us] } Name bei-
26. S. Pangraci[us] } gefügt.
31. S. Erasymvs
27-30. Zierrathen, die zu den Feldern 32 - 37. gehören und mit letztern ein Ganzes bilden.
32. Ein Engel auf der Zitter spielend.
37. Ein Engel auf einer Handorgel spielend.
33. S. augustinus, Bischoff. }
34. S. gregorivs, Papst } die Inschrift steht dabey
35. Sanctvs jeronimvs }

212 VOLCKAMER C.v., Die Genealogie der Familie "Volckamer von Kirchensittenbach" in 15 Tabellen, 1904. Demnach:
Fensterstifter Peter III., 1431 - 1493, verm. mit Apollonia Mendel.
Söhne: Berthold, + 1459, und Nikolaus, + 1512, verm. 1492 mit Barbara Melber.
Kinder des Letzteren: Sebald, + als Kind, Apollonia, geb. 15.6.1472, verm. mit Balthasar Wolf v. Wolfsthal,
Veronika, 19.8.1474 - 1519, verm. mit Markus Anspacher.
213 Bezieht sich auf das Markgrafenfenster in St. Sebald.
214 Thronender Christus
215 Maria und Johannes
216 Petrus mit Seligen an der Himmelspforte
217 Hl. Achatrius (oder Blasius)
218 Die 3 Visionen des Klosterschafers Hermann Leicht vom Kloster Langheim (Vierzehnheiligen)
FENZEL C., Dsa Kunhoferfenster in St.Lorenz zu Nürnberg. In: VzW NF 11 (Oktober 1969) S ff
219 Hl. Egidius

106

36. S. ambrosivs, Bischoff, laut der Inschrift.
38. Der Heilige Laurentius mit dem Rost, im Hintergrund Häuser.
39.Der Heilige Nikolaus mit 3. Beuteln auf einem
Buch[220], neben ihm Häuser.
40.   S. conradvs, Bischoff, laut der Inschrift.
42.   S. eKarivs; laut der Inschrift[221]
43.   Der heilige Sebald mit der Kirche.
41.   D. Kunhofer sitzt vor einem Pulte; hinter ihm
befindet sich sein Wappen. Ueber ihm steht folgendes:
Nach cristi gepurt Mo.CCCCo.LII. An sant Wil-
boltstag verschid der erwirdig und hochgelert Herr
Conrat Kunhofer Doctor all[er] facultete[n], thumprobst
zu rege[n]spurg vn[d] pfar[r]e hji zu sa[n]t lore[n]tze[n], de[m] got
         gnedig seij. .

Dieses Fenster wurde im Jahre 1837 mit bedeutenden
Kostenaufwand gereinigt und restaurirt.

107

6.   Das Fenster über dem Krell. Altärlein H. ist ebenfalls in allen Feldern mit Glasmalereien ausgefüllt.
Sie stellen in den einzelnen Feldern folgendes dar:
1. Der Erlöser, mit einem Kelch das Blut aus seiner rechten
Seite auffangend.
2. 2. Engel, der eine das Kreuz, der andere einen Pfosten
hinhaltend, desgleichen
3. 2. Engel, der eine mit dem Speer, der andere mit einem
Essig Geschirr und dem auf das Rohr gesteckte Schwam[m]
4-7. Zierrathen, zu den darunter befindlichen Feldern
gehörig.
8.[222]

12.und 13. Eine Schlacht. Eben haben beide Ritter mit den Lanzen an-
geran[n]t. Der in 13. scheint rücklings zu stürzen. Unter ihm,
vielmehr seinem Pferde liegen Menschen.
19. Sa. ellena, (nach der Inschrift) mit dem Kreuz.
20.Eine kranke Frauensperson, vor der eine Heilige steht.
25.Erasim[us] und Kolri laut der Inschrift.
26.
22.23.} Zierrathen, zu der Darstellung in <u>Nr</u>.34 u.35.gehörig.
28.29.}
30.u.31.In dem letztern, wie die Inschrift sagt:"Keiser
Karel" zu Pferd, im Zweikampf mit ....
d. in dem erstern Felde zu sehen.
32.   S. Christophorus.
38.   S. Andreas.
       (nach andern Friedr.III., regierte von 1439-1490)
34.u.35. Kaiser Friedrich IV. und seine Gemahlin
Eleonora mit Krone und Scepter stehen einander
gegenüber. Hinter ihnen befinden sich ihre Wappen,

220   Hl. Stephanus
221   Hl. Deocarus

220   Zur Ikonographie des Fensters vgl.:
      FEHRING / RESS, a.a.O., S. 90.

108

33. das Kaiserl. Wappen mit dem doppelten schwarzen
    Adler unter einem Federhelm und
36. Das Königl. Portugal'l. Wappen unter seinem
    Helm. In den übrigen Feldern ringsherum sind
    folgende auch in Fuggers Ehrenspiegel des Hauses Oest-
    reich beij K. Friedrich IV. stehenden Wappen (: vid.
    fol. 562 u. 572, sowie Wappen ad. fol. 48 :). Nur
    ist hier das Steyrl., im Fenster dagegen das Portenaul. Wappen.
37. Ein Engel trägt das Oesterreichl. rothe Wappen mit
    weißen Querbalken und das blaue mit 5 gelben
    Lerchen.
39. Ein Man[n] trägt das Crainl. und Tyrol. Wappen-
    schild.
40. Auch ein Man[n] das Burgauische und ~~Steyrl.~~ Portenauische.
41. Ein Engel das Habsburgl. und Pfyrdtl.
42. Ein Mann das Elsassl. und Kyburgl.
43. Ein Mann das Windischmarkl. und
    Mechelnl. Wappenschild.
    Dieses Fenster wurde im Jahre 1837. mit einem
Kostenaufwand von wenigstens 1100 fl. durch
die Glasmalerfamilie Keller[223] dahier unter
Aufsicht des Direktors Albr. Reindel[224] gereinigt und restaurirt. Beijden war auch die Restauration der übrigen Fenster übertragen.

109

7.   Das Knorrl. Fenster J. ist wie die vorigen in allen
Feldern gemahlt; nämlich:
    1.   Das Schweißtuch Christl
    2.u.3. Engel.
    4-7 Zierrathen.
    8.   S. Johan[n]es Baptista.
    9.   Ein Engel mit einer Handorgel.
    10.u.11. Die Krönung Mariae von Gott dem Vater,
          der von vielen Engeln umgeben ist.
    12.   Ein Engel mit einer Zitter.
    13.   S. Magdalena mit der Salbenbüchse.
    14.   S. Helena
    15.-18. Das Todenbett Mariae, um welches sehr viele
          Heilige stehen.
    19.   S. Margaretha mit dem Drachen.
    20.u.21.} 4. Engel, von denen umgeben ist der in
    23.u.24.}
    22.   befindliche Gott der Herr. Beij diesem liest man
          folgende Inschrift:
                Hic. est. filius. me[us].
                dilectus. in. quo. mi-
                hi. bene. complacui. ipsu[m].
                audite.
    25.   Ein Heiliger im Feuer stehend[225].
    26.   3 Engel.
    27.u.29. Moses und Elias; zwischen diesen
    28.   der Erlöser, mit folgen Worten auf einem Zettel
          um sich:
                Surgite. et. nolite. timere.
                Nem[in]i dixeritis visione[m].
    33.34.35. Darunter die 3. Jünger voll Schlafs; in
          <u>Nr</u> 34. Petrus aufwärts schauend mit den Worten
          ten:
                D[omi]ne. bonu[m]. e[t]. nos. hic. esse. Si.
                vis. faciam[us]. hic. ta[m]. tabernacula.
    30.   3. Engel
    31.   Ein Heiliger mit einem Schwerd. Paulus?[226].
    32.   2. Engel.
    36.   Ein Engel.
    37.   Der h. Sebald eine Kirche tragend, unter sich[227]
          das französische Wappen.

---

223   STOLZ G., Kellner Glasmalerfamilie, In: Stadtlexikon Nürnberg, 2000, S. 530.
      THIEME / BECKER, Allgemeines Künstlerlexikon Bd. XX, S. 120-122.
224   MENDE M., Reindel Albert (eigentlich Albrecht) Christoph. In: Stadtlexokon Nürnberg, 2000, S. 879

225   Eine Heilige
226   Hl. Kilian ?
227   Hl. Wolfgang

110

38. Ein Heiliger, mit einem Buche, worauf ....
    liegen (der h. Nicolaus)[228].
41. Der h. Laurentius.
42.} S. Kunigunda }   mit dem Bamberger Dom.
43.} S. Henricus   }
40. Vor einem Pult und Buch sitzt HE. D. und Probst
    Knorr in einem violetten Callot und Habit;
    hinter ihm ist sein Wappen ganz klein; aber im
    Felde:
39. wird es weit grösser von einem Engel gehalten.
    Uebrigens steht oberhalb dem Probste Knorr:
        Petrus. Knorre. Decretoru[m]. doctor. Sacre.
        Imperialis. aule. comes. preposit[us]. ecc[lesi]e.
        Sti. gumberti. Onoldspacensis. z. pleban[us] . hui[us].
        Ecc[lesi]e. Sti. Laurency ül. Mo.CCCCo.LXXVIo.
    Auch dieses Fenster wurde im Jahre 1837 ge-
reinigt und durchgehend restaurirt.

111

8.   Das Hallerliche Fenster K. ist gleichfalls in allen Feldern
gemalt und stellt die ganze Leidensgeschichte Jesu dar. Sie
ist auf folgende Weise un die einzelnen Felder ver-
theilt[229]:
32.33. Die Einreitung Jesu in Jerusalem, so daß in
    33. er selbst auf dem Esel reitet, in 32. die 12. Apo-
    stel hinter ihm gehen.
34.35. Die Haltung des Osterlam[m]s in dem erstern, die
    des Fußwaschens in dem letztern Feld.
36.37. Jesus am Oehlberg betend in erstern und
    die 3. Jünger voll Schlafs im letztern Felde.
26.27.

18.19. Jesus mit dem Kreuze nach Golgatha wandelnd.
8. 13. Zierrathen.
10.11. Jesus am Kreuze, die zweij Schächer zur
    Seite.
4.-7. Zierrathen.
1.   Eine Monstranz mit der Hostie zwischen
2 u. 3.   2. Engeln.
In den 6. untersten Feldern sind Hallerl. Wappen
und zwar folgende:

228   Hl. Stephanus

229   Zur ikonographie des Fensters vgl.:
    FEHRING / RESS, a.a.O., S. 92; dort auch Angaben zur Rekonstruktion der Scheiben 4a u. 5e.
    FRENZEL, G., Das Rieterfenster aus der St.Lorenzkirche in Nürnberg, Ausstellung GNM 14.12.1967 /

112

38.39.} Das Hallerl. alte Wappen mit Schild und
42.43.} offenem Helm.
40.41. Das mit dem Hallersteinischen und doppelten
Helmen vermehrte neuere Wappen; unter dem
erstern steht: Verneut. 1655.
Von Hallerstein schreiben sie sich und führen das vermehrte
Wappen seit 1528. Die Haller kamen unter Conrad III. von
Bamberg hieher, stam[m]en aus Prag in Böhmen und sind schon
im 13. Jahrh. im Rath.
Dieses Fenster wurde im Jahre 1838. gereinigt
und restaurirt.

113

9. Das Rieterl. Fenster enthält in allen Feldern Glasmalereien, wie die vorigen, und zwar sind hier Sce-
nen aus der Geschichte der Israellten zur Zeit
Mosis u. Josuae abgebildet; nämlich:
1. Die Erscheinung des Allerhöchsten im feurigen Busch.
Dabeij steht Exod. Co.III.
2.-7. Zierrathen.
8.
9. Der an dem Berge Gottes Horeb die Schaafe hütende
Moses. Dabeij steht Co.III.
10. Wie Moses seine Schuhe auszieht. Dabeij steht Co.IIII.
11. Das Wunder mit dem Stab. Dabeij steht Co.IIII.
12.u.13. Verabschiedung mit Yetro. Dabeij steht Co.IIII.
14. Reise Mosis mit Sephora und ihren 2. Söhnen.
Dabeij steht Co.IIII.
15. Wie ihm Gott auf dem Wege begegnet.
16. Beschneidung des kleinen Sohnes. Dabeij Co.IIII.
17. Aaron und Moses kom[m]en einander entgegen Dabeij
steht Co.IIII.
18. und 19. Sie erzählen alle Worte des Herrn den Aelte-
sten von den Kindern Ysrahel. Dabeij steht Co.IIII.
20. und 21. Moses tritt vor Pharao.
22. und 23. Darstellung des letzten Wunderwerkes in Tödung
der Erstgeburt beij Menschen und Vieh in Aegijpten.
Dabeij steht Co.IIII.
24. und 25. Wie die Kinder Israel allerleij Gefässe von den
Aegijptiern entlehnen. Dabeij steht Co.XI.

114

26.u.27. Wie der Pharao die Israeliten verfolgt und im rothen
Meer ersäuft. Dabeij Co.XIIII.

28. Wie Moses die 2. Gesetztafeln von Gott empfängt. Dabeij steht Co.XXIIII.

29. Wie er sie im Eifer zerbricht. Unter ihm steht Moyses.
Neben Co.XXXII.

30.u.31. Darstellung der Verehrung des goldenen Kalbes
von den Jsraeliten. Dabeij steht Co.XXXII.

32.u.33. Coleph und Josua die Weintrauben tragend. Dabeij
steht XIII.Co.

34.u.35. Moyses (nach der Ueberschrift) stellt an
seiner Statt den Josue (welcher Name über ihm
steht) dem Volk vor. Dabeij: Deutij lib[er] leui[ti]c[us]

36. Moses (steht so darüber) Tod und Begräbniß von
Engeln. Darneben Co.XXXIIII.

37. Der Israeliten Zug aus der Wüste über den Jordan.
Dabeij steht Co.IIII Josue.

38. Das Rieterl. alte Wappen mit Schild und offenem
Helm. Darunter das Mündel´. Wappenschildlein.
Wappen des Nicolaus Rieter, der 1404. starb.

39. Daselbe Wappen mit etwas neuerm Helm. Darunter
das Behaimliche Wappenschildlein. Neben dem Helm ein
Schwerdt von einem Zettel umwunden[230], worauf steht:
Porle Armte. Niente Nierv.
Wappen des Hans Rieter.

40. Wie das vorige Wappen; zur Seite dasselbe Schwerd. Darunter das Grundherrl. u. Seckendorfl. Wappenschildlein.
Wappen des Peter Rieter, der 1436 im H. Land war und 1462 starb.

41. Wie das vorige; rechts links ein Schwerd, wie beij den vorigen, links
rechts eine weiße Rose. Darunter das Lichtensteinl.
Wappenschildlein. Wappen des Sebald Rieter, der 1464 beij
h. Grab war und 1471. starb.

42. Unter einem offenem Helm, auf dessen beijden Seiten
sich das rothe ritterliche Kreuz und Degen, dan[n] Rad und

230   Insignien verschiedener Orden aus den Pilgerreisen in Heilige Land
      AIGNER Th., Die Ketzel. Freie Schriftenfolge d. Ges. f. Familienforschung in Franken, Bd. 12, 1961.

115

ein weißer Blumenkranz befindet, sind 2. Rieterl. alte
Wappenschilder, beij dem zur Rechten das Holzschuherl., beij
dem zur Linken aber das Truchsess von Pom[m]ersfeldenl.
Wappenschildlein.
Peter Rieter, der 1502 starb, hatte eine Truchsess v. Pom[m]ersfel-
den und eine Holzschuher.
Sebald Rieter, des vorigen Bruder, +   , war 1479 im h. Lan-
de und hatte eine Mendel.

43. In diesem Felde knieen 2. Rieter in Rüstung
vor der Jungfrau mit dem Kinde, die in den
Wolken erscheint. Darunter steht:
An[n]o D[omi]ni. Mo.CCCCo.LXXVIIII.
Dieses Fenster wurde 1732. im August reparirt. -
Abermals im Jahre 1836 wozu die Rieterl. Stiftung
84 fl. beitrug.
Die Zeichen des Schwerdes, des Kreuzes, des Blumen-
krugs ec. sind lauter Ordenszeichen und haben ihre Beziehung auf Wallfahrten nach dem gelobten Lande oder andere
heilige Orte.

1) Ein (mit der Spitze unten stehendes Schwerd). Um dasselbe ist
ein Zedel gewunden. Es deutet den Orden der Equitum Ensifero-
rum Cypri an. Kais. Friedrich III. sagt von diesem Orden, in dem
er selbst war: wer die Gesellschaft zu Cijpern hat, das ist ein Schwerd
blos mit einem Reim auf einem ploben Boden und soll getragen
werden ob dem Gürtel. Der Reim ist französisch: Pour loyauté
maintenir. Andere halten das Umwundene für ein S;
wie Bonani, welcher sagt, das Ordenszeichen war eine golden
Kette von lauter S; daran das silberne Schwerd mit einem
goldnen Gefäss hängt. (S bedeutet Silentium). In diesem S.
seien die Worte in französ. Sprache: Pro Fide Servanda.

2) Ein rothes Kreuz, von 4. andern kleinern gleicher Farbe
umgeben. Das Zeichen der Ritter des h. Grabes von Jerusalem.
Man trug es zu Ehren der 5. Wunden Jesu auf dem Man-
tel und dem Kleide. In ältern Zeiten war dieser Orden sehr
im Ansehen.

3) Der Blumenkrug deutet vielleicht auf den Arragonischen
Orden der Blumentöpfe, den auch K. Friedrich III. und sein Sohn
K. Maximilian I. getragen hat. Oder es ist der Orden S.
Maria von der Lilie, den König Gorcias v. Novarra
soll errichtet haben. Bonani schreibt von diesen Rittern:
Sie lebten unter der Regel des h. Basilii und hatten zum Ordens-
zeichen einen Blumentopf mit Lilien, nebst dem Bild der h. Jung-
frau. Zweck dieses Ordens war Vertheidigung des christl. Glaubens.

4) Das halbe Rad mit der Achse bedeutet wohl den Orden der
h. Katharina auf Sinai. Er ist auch eingegangen. Vid. Wills
Münzbel. Bd. IV.

116

10. Das Tucherl. Fenster M. ist nur zum
Theil gemalt; nämlich auf folgende Weise:
1. Die h. Dreieinigkeit; auf beijden
Seiten
2.u.3. das Tucherl. Wappen, gehalten
von
4. einem Engel mit einer Posaune
5. einem Engel mit einer Zitter
6.u.7. Zierrathen.
8. Eine Blumenguirlande, die im hängenden Bogen
von einer Ecke in die andre geht.
9.-15. Auf beijden Seiten sind die äussersten Felder
gleich gemalt und zwar in 9. ein Engel, in 10. u. 11.
Hallen, in 12. ein Engelkopf mit Verzierungen,
in 13. Verzierungen, in 14. eine Vase mit Blumen,
in 15. Hallen.
16. In diesem Felde befindet sich das Tucherl. Wappen
mit einem alten geöffneten Helm, darunter das
Grolandl., Holzschuherl. alte und Riedlerl[231]. alte Wappenschildlein. - Wappen des Berthold Tucher
am Weinmarkt, der 1454 am Montag
nach Walburgis starb.
17. Dasselbe Tucherl. Wappen ohne Wappenschildlein.

Dieses Fenster wurde im Jahre 1836 auf Kosten
der v. Tucherl. Familie gereinigt.

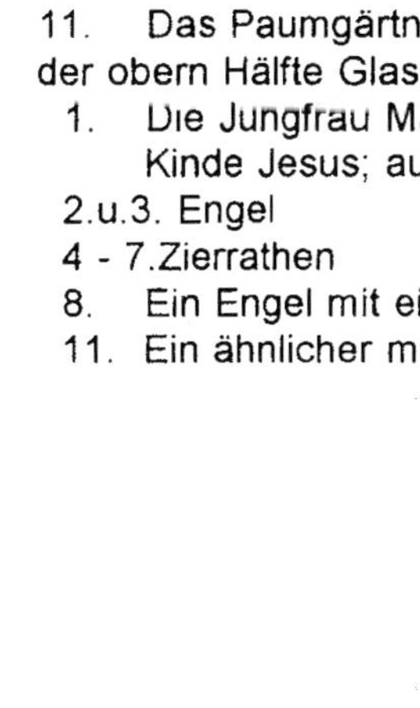

231   Wappen Held - Hagelsheimer

117

11. Das Paumgärtnerl. Fenster N enthält nur in
der obern Hälfte Glasmalereien, nämlich:
1. Die Jungfrau Maria gekrönt mit dem
Kinde Jesus; auf jeder Seite ein
2.u.3. Engel
4 - 7.Zierrathen
8. Ein Engel mit einer Laute
11. Ein ähnlicher mit einer Harfe[232].

232   Zur Ikonographie der hier nicht beschriebenen Scheiben:
FEHRING / RESS, a.a.O., S. 97
ULRICH E., Paumgartner-Fenster. In: St.LORENZ 76

12. In den obern Glasfenstern sind nur wenige Glasmalereien. In den Fenstern auf der Volkamerl. Empore
gerade über der sogenan[n]ten Brautthüre O. sind folgende Felder gemalt[233]:
1. Der h. Georg, den Drachen
    erlegend; zu Fuß.
2. Der h. Leonhard
3. Ein HE. Volkamer knieet
    beij einem Pult und siehet
    empor nach jenen Heiligen. Hinter ihm befin-
    det sich das Volkamerl. Wappen unter dem
    alten offenen Helm.
4. Der Allerhöchste sitzet auf einem gelben Thron und
    hält vor sich hin den Mittler am Kreuz.
5. In dieses Feld sind zweij kleine runde Scheiben eingesetzt,
    nebeneinander das Volkamerl. u. Tucherl. Wappen
    darstellend. Diese Scheiben beziehen sich ~~entweder~~ auf
    Hans Volkamer, der 1467. starb, ~~oder auf Hartwig
    Volkamer, der 1467 starb~~ und beij Lorenzen begraben
    liegt.

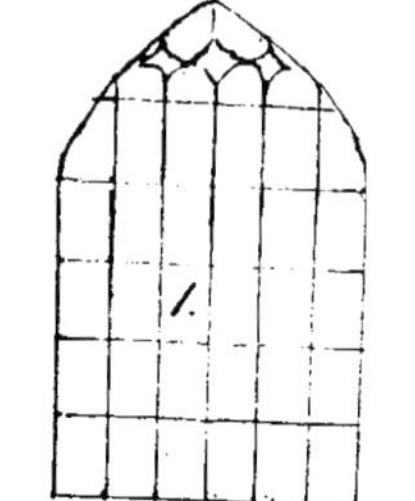
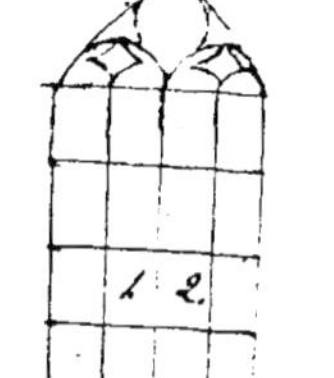

13. In dem Fenster über dem vorigen, dem ersten Chorfenster oben beij dem steinernen
Gang, sind folgende Glasmalereien[234]:
1. Das Volkamerl. Wappen mit einem al-
    ten offenen Helm; darunter in
2.u.3. das Paumgärtnerl. alte und das Gros-
    sische Wappenschildlein. Dieses ist das
    Wappen des Hans Volkamer am Roßmarkt, der
    1484. am Montag nach Judica starb.
4.u.5. ist blaues Glas eingesetzt.
6. In diesem Felde ist eine kleine runde gelbgefaßte
    Scheibe eingesetzt, das Volkamerl. Wappen darstel-
    lend, mit der Umschrift:
    Han[n]s Volkamer diese Scheiben einsetze[n] lasse[n] zeichen.
7. In diesem Felde ist der Scheurl. alte Wappenschild
    unter einer Krone zu sehen.

233   In den Fenstern der Volckamer-Empore befinden sich jetzt keine Glasgemälde mehr.
234   Im Obergadenfenster "O" (nVl) befinden sich jetzt keine Glasgemälde mehr.

14. In dem obern Chorfenster N. ist nur
1. Feld ausgemalt[235] und zwar stellt dasselbe
das Rothenhanl. Wappen unter seinem
alten offenen Helm vor, darunter das
Münsterl.? Wappenschildlein. - Wahr-
schein Wappen des Sebastian v. Rothenhan, Ritter,
Dr. luris, der 1522. starb; oder des Christoph Roten-
han, der 1497. mit Hans Birkel eine Capelle
im Creuzgang bey Aegydien bauen liess.

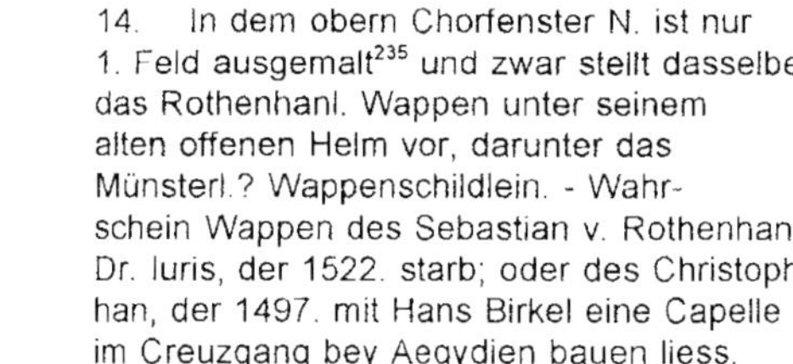

15. In dem obern Chorfenster M. findet
sich nur 1. Feld gemalt, und zwar
darin[n]en das Tucherl. Wappen mit
Schild und offenem Helm[236].

16. In dem obern Fenster L. sind 2. Felder
gemalt, und zwar zeigt sich in
1. Das Rieterl. alte unter seinem alten
    offenen Helm[237].
2. Das Volkamerl. Wappen unter
    seinem alten offenen Helm.
    Wappen des Paulus Rieter, der 1487. starb.

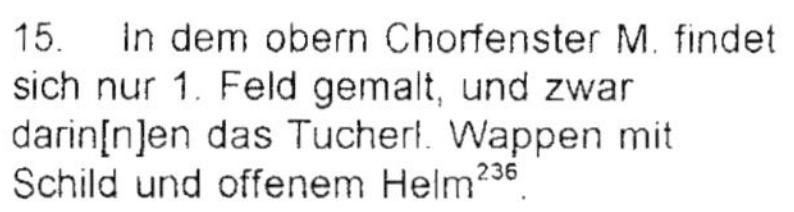

17. In dem obern Chorfenster K. ist nur ein Feld gemalt[238],
nämlich das bey der vorigen Abbildung mit 1. bezeichnete. Es stellt vor den h. Laurentius, unten
zu beiden Seiten aber das Hallerl. alte und Halen-
thauerl. Wappenschild. - Wappen des Kirchenmeisters
beij St. Laurent, Lorenz Haller, der 1499., dessen erste
Gemahlin aber, eine Hallentauer, 1482. starb.

M: w., 2 od. 3. Rosen

235   Im Obergadenfenster "N" (nVl) befinden sich jetzt keine Glasgemälde mehr.
236   Statt des genannten Tucher-Wappens sind hier drei Scheiben eingesetzt: 2a Knieender Stifter Dintner mit Wappen,
      2b Knieende Stifterin Poemer mit Wappen, 2e Knieender Stifter.
237   Neben dem genannten Rieter-Wappen (2b), bezeichnet 1476, befindet sich keine weitere Scheibe hier.
238   Im Obergadenfenster K (nlll) sind heute folgende Scheiben: 2a Knieender Stifter, 2b Wappen Haller, 2c Wappen Groland
      und 2d Knieende Stifterin (Nonne). Vgl.: S. 120, Fenster J.

120

18. In dem obern Chorfenster J. sind 4.
Felder ganz gemalt, in zwei runde
Scheiben eingesetzt[239].

1. Hier kniet ein Haller in Rüstung;
   vor ihm siehet man
2. sein Wappen (: alt :) unter dem alten
   offenen Helm.
4. Hier kniet seine Gemahlin, eine Groland und vor ihr
3. ist ihr Wappen unter dem alten offenen Helm.
   Wappen des Wilhelm Haller zu Ziegelstein, der ~~1489~~ 1504, dessen
   ~~erste~~ Gemahlin, eine Groland, 1487 starb.
5. Auf einer großen blauen, schwarz und gelb eingefaßten Scheibe der alte Hallerl. Wappenschild,
   oben mit 1511.
6. Auf einer ähnlichen Scheibe der Landauerl.
   Wappen des Wilhelm Haller, Sohn des Vorigem, der 1534
   starb.

19. In dem obern und zwar mittlern Chorfenster wird oben in der
Spitze das Stadtwappen mit dem halben schwarzen Adler,
dan[n] roth und weißen Querbalken, von 2. Engeln gehalten[240].

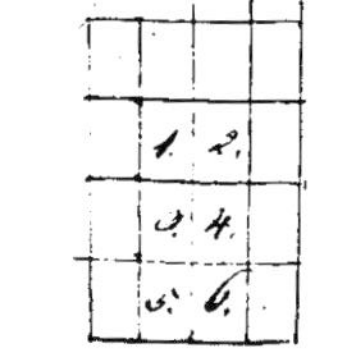

20. Von dem obern Chorfenster G. sind nur 2.
Felder gemalt; in 4. aber Scheiben eingesetzt[241]:

1. Pirkheimerl. Wappen mit dem alten offenen Helm; darunter das Imhofl. und Holzschuherl. alte Wappenschildlein. Wappen
   des Hans Pirkheimer, der 1476. starb.
2. Dasselbe Wappen; darunter das Dintnerl. und Hallerl. alte
   Wappenschildlein.
3. Auf einer großen weißen, grün und gelb eingefaßten Scheibe
   das Imhofl. alte und Pirkheiml. Wappen nebeneinander.
   Wappen des Hans Imhof, der 1520. am 2. Juli starb

239 Heute befinden sich hier:
         2a Allianzwappen Scheurl-Pirckheimer
         2b Allianzwappen Imhoff-Pirckheimer
         2c Allianzwappen Imhoff-Harsdörfer
         2d unbebekannte Allianz
240 Zur heutigen Verglasung des Chorhauptfensters I ("Ratsfenster") vgl.:
     FEHRING / RESS, a.a.O., S. 91
241 Im Obergaden fenster "G" (sll) sind heute:
         2a Wappenallianz Fürer-Ebner/Poemer
         2b Wappen Landauer, bez. 1511
         2c Wappen Haller, bez 1511
         2d Wappenallianz Loeffelholz-Tetzel/Heugel

121

4. Auf einer großen blauen Scheibe mit einem Rautenkranz das Imhofl. u. Harsdorfl. Wappen nebeneinander.
   Wappen des Willibald Imhof, der 1580. am 25 Jen[n]er starb.
   Er war ein Sohn des Vorigen.
5. Auf einer weißen großen Scheibe mit grüner Einfassung
   das Raiserl. (Kobold?) und Pirkheimerl. Wappen neben einander.
6. Auf einer ähnlichen das ~~Lingger~~ Link v. Schwabach. und Raiserl. (Straubl.?) Wappen nebeneinander.
   Ein Advocat Raiser war 1565. in Nürnberg.

21. In dem obern Chorfenster F. ist nur ein
Feld von gemaltem Glas[242]. Es stellt vor
unter dem Volkamerl. alten offenen Helm das Volkamerl. und Mendel. Wappen nebenein-
ander. - Dieß ist das Wappen des ~~Gottlieb~~ Peter
Volkamer, der 1493 starb.

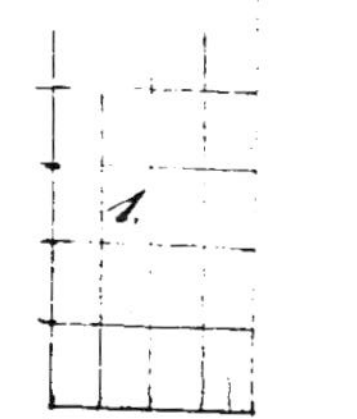

22. In dem obern Chorfenster E. sind 2. Felder ganz gemalt, in 2. Scheiben eingesetzt[243].

1. Hier ist vorgestellt der h. Nicolaus als
   Bischoff. Daneben
2. das Toplerl. Wappen mit seinem alten
   offenen Helm; darunter das Hallerl. alte
   und Truhenschmidl. Wappenschildlein.
   Dieß ist das Wappen des Nicolaus Topler, der 1484.
   am eraitag vor St. Veitztag starb.
3. Auf einer großen runden blauen Scheibe mit gelber Einfaßung das Toplerl. und daneben
4. auf einer ähnlichen Scheibe ohne Einfassung der quadrirte Fütterer-Grolandl. Wappenschild. - Wappen
   des Paulus Topler, der 1544. den 1, Febr. starb.

Toppler aus Rothenburg o/Taub. seit 1350. hier. Heinrich Toppler war von
1475 - 1479 im Rath. Ausgestorben 1687.

M. g., s.

242 Neben dem genannten Allianzwappen Volckamer-Mendel, um 1480 von Peter Hemel von Andlau im Feld 2b ist im Feld 2c ein
     Volckamer-Wappen (um 1476) eingesetzt.
243 Heute befinden sich im Obergadenfenster "E" (sIV) 2b Wappenallianz Oelhafen-Pfinzing, bez. 1501 (ehem. Heilig-Geist-Kirche)
         2c Wappen Groland, um 1476.

122

23. In dem obern Chorfenster D. sind nur
zweij Felder Glasmalereien[244]:
1. Unter dem Hirsfogel. alten offenen
Helm der Hirsfogel. und quadrirte
Hölzel-Paumgärnerl. alte Wappenschild, unten die Jahrzahl:
   Anno. Domini. 1540.
Wappen des Andreas Hirsfogel, der 1537. am 26. Sept. starb.
2. Das Geuderl. Wappen unter seinem gekrönten Helm;
dabeij das Hallerl. vermehrte und Tucherl. Wappenschildlein; unten:
   Jvlivs Gevder.
Dieser Julius Geuder starb 1594. am 27. August,

24. Von dem obern Chorfenster C. sind nur
die untern 5. Felder gemalt, und zwar
folgendergestalt[245]:
1. Der h. Laurentius unter einer ver-
zierten Decke, die die Hälfte des nächst-
höhern Feldes ein[n]im[m]t. Vor dem Heiligen
2. kniet ein HE. Pessler mit dem Rosenkranz, hinter sich führend:
3. sein Wappen mit einem alten offenen Helm.
Es ist dieß Siegmund Pessler, der 1512 am Montag nach Erhardtag starb.
4.u.5. Knieen seine zwei Gemahlin[n]en, die eine unter
sich das Pömerl., die andere das Dintnerl. Wappenschildlein habend.

25. In diesem Chorfenster B. sind die Felder
1. 3. 4. ganz gemalt; in das Feld 2. aber ist
eine Scheibe eingesetzt[246].
1. Das Köhler Cölerl. Wappen unter einem gekrönten
Helm mit dem ritterlichen rothen Kreuz
und Degen. Dieses fehlt. Dagegen ist die Scheibe pag: 143. N. 13a.
eingesetzt, das Muffl. u. Schlüsselfelderl. Wappen.
2. Auf einer großen violetten Scheibe im Rautenkranz der Kölerl. und quadrirte Münz-
sterer-Groland-Nützel-Müllerl. und mitten darin

123

der Dererl. Wappenschild mit der Jahrzahl darüber 1.5.9.1
Wappen des Jeremias Köhler, + 159...
Die Derrer stammen von Theres in Franken ab, sind schon 1300 hier, ausgestor-
ben 1706.
3. Das Köhler Cölerl. Wappen mit altem offenen Helm; darunter
das Nützel. w. Lilienwappenschildlein.
Köhler sind 1632 ausgestorben.
4. Das Guglische alte Wappen mit Schild und Helm.
NB: Marcus Christoph Gugel, der 1626 starb, hatt eine Köler.
Gugel seit 1600 hier aus Oettingen, seit 1760. im Rath.

Alle diese obern Fenster im Chor wurden 1734 im Aug.
und Sept. verneuert. - Die Cöler

26. In dem untern Kirchenfenster i. sind gegenwärtig nur noch folgende Glasmalereien
zu sehen[247]:
1. Unter Das Glockengiesserl. Helm desselben
vermehrte Wappen auf einer blauen Scheibe
2. Dasselbe Wappen nebst dem Sem[m]lerl. Wappen und unter dem
Glockengiess. Helm und der Umschrift auf einer weissen Scheibe:
Christoph Rosenhard Genand Glockengiesser
   Capitain A. 1632.
Ein Capitain Christoph Glockeng. hatte eine Schlauderspach, die 1685. als Wittwe
starb, wahrscheinlich seine dritte Frau, Eine Barbara Christoph Gl., + 1483.
3. Unter dem Glockengieserl. Helm das Glockengl. Wappen
und zu beyden auf einer Seiten das .... Wappen
mit der Umschrift:
  · · · · Rosenhart Genand Glockengiesser
   starb den 26. Novemb. A. 1613.
Nr. 2. u. 3. sind runde weiße Scheiben.
4. Auf einer 4.eckigten etwas kleineren Tafel, als der
Raum des Feldes, die im rechten Eck folgende Inschrift
führt: 15 Verneut 70
   Barbara
   Pairen Seligen
   Nachgelassenen Wittib
Jesus vor dem Hohenpriester. Ein Kriegsknecht giebt ihm einen Backenstreich.
5. Auf einer ähnlichen Tafel der Bischoff Hohenpriester und vor ihm
Jesus, der einen Backenstreich bekom[m]t der erstere, wie er sein Kleid zer-
reißt.
Diese 5. Glasmalereien sind aus der Jacober Kirche genom[m]en und
hier eingesetzt worden, nachdem man die Stromerl. u. Kressl.
Malereien, die ehedem hier waren weggenom[m]en hatte.
Geschah ums Jahr 1816.

NB: Diese Bayrin war eine
geborene Gammersfelder.

M: g.in r., r.in g.

---

244 Heutige Verglasung in "D" (sV): 2d Wappen Schürstab.
245 Im Obergadenfenster "C" (sVI) befinden sich heute keine Glasgemälde mehr.
246 Im Obergadenfenster "B" (sVII) befinden sich heute keine Glasgemälde mehr.

247 Heutiger Bestand vgl. FEHRING / RESS, a.a.O., S. 100.
248 Wappen der Familie Spörl. SCHÖLER E., Historische Familienwappen in Franken; J. SIEBMACHER's großes Wappen-
buch Bd. F. Tafel 52.

124

27. In dem Fenster h. zeigen sich noch folgende
Glasmalereien:
1. Der ~~Nützelische alte rothe~~ Löffelholzl. verm. u. Paumgärtnerl.(verm.) Wappen
~~mit dem weissen Lilien allein~~ neben
einander in einer runden Scheibe.   schild
2. Auf einer runden blauen Scheibe das
Nützel. vermehrte und Fürerl. alte
Wappen mit der Umschrift: H. Hans
Nützel. der Elter Loßunger und Schult-
häiß dieser Stadt. F. Felicitas Gebor[ne]:
Füererin. A[nn]o 1617.
3. Auf einer ähnlichen das Nützel. vermehrte und   quadrirte Imhofl. alte = Tucherl. Wappen mit der Umschrift:
Herr Gabriel Nützel.Fr. Magdalena Imhoff. Fr.
Catharina Tucherin. Ao. 1638.
4. Auf einer ähnlichen das Nützel. vermehrte und durch
die Höhe getheilte Hübner-Paumgärtnerl. alte, mit
der Umschrift:
H. Caspar Nützel. Fr. Margarete Hüebnerin, vnd
Urßula Baumgartnerin. Anno 1548.
5. Auf einer ähnlichen das Nützel. vermehrte und Ro-
tenburgerl. mit der Umschrift:
H. Joachim Nützel Loßunger. F. Magdalena Ein
Geborne Rotenburgerin A[nn]o. 1601.
Die untern 6. Felder sind ganz gemalt, nämlich in
6. ein HE. Staudigel mit 2. Söhnen und den Worten:
ora pro me. Alle dreij haben hinter sich das Staudigel. Wappen.
7. ein HE. Staudigel laut seines Wappens mit den
Worten: ora pro m. und seine Gemahlin, nach ihrem
Wappen eine geborene Eslerl.
8. Das Staudigel. Wappen unter seinem offenen Helm.
9. Das Nützel. alte Wappen unter seinem offenen Helm.
Conrad Nützel + 1349, hatte eine Staudigel v. Sündersbühl

125

10. Ein HE. Nützel, wie das beij ihm befindliche Wappen
anzeigt, mit den Worten: sancta mar. und seine
Gemahlin, mit dem Schopperl. Wappen. - i.e. Peter
Nützel + 13   vid. pag. 140.
11. Ein HE. Nützel, wie sein altes Wappen anzeigt, ora.
pro. ausrufend, und seine Gemahlin, nach ihrem Wappen eine Grundherr.
Wappen des Bertholdt Nützel (+ 1398.)

Die Esler sind 1349. aus der Stadt verjagt worden.

28. In dem Fenster g[249]. sind in den nämlichen 4. Feldern,
in denen sich beij dem vorigen die runden Scheiben
befinden, nämlich in 2. 3. 4. u. 5. gleichfalls 4. große
runde Scheiben, und zwar in
2. eine weiße, mit einem Rautenkranz eingefaßte, worauf unter dem Schmidtmairl. gekrönten Helm das
Schmidtmairl. u. Heugel. Wappen. Vid. Toden-
tafel pag. 185. Joh. Jobst. Schm; ein Sohn des Joh. Jobst <u>Nr</u> 5.
3. eine blaue, mit einem Rautenkranz eingefaßte,
worauf unter demselben Helm das Schmidtmairl.
u.Tucherl. Wappen. Vid. Todentafel pag:184.
Andreas Schm: ein Sohn des folgenden Andr.
4. wie die vorige; unter demselben Helm das Schmidtmairl. und Pfinzingl. schw. u. g. Wappen. Vid.
Todentafel pag. 183. Andreas Schm. ein Sohn des Wilh. Schm: pag 183
5. wie die vorige; unter demselben Helm das Schmidtmairl. und Nützel. alte Wappen. Vid. Toden-
tafel pag. 184. Joh. Jobst Schm: ein Sohn des vorigen Andreas.

Diese 4. Scheiben befanden sich ehedem in der dritten
Reihe des Schmidtmairl. Fensters c.

249 In einem Fenster befindet sich heute der sog Pfinzing-Stammbaum (ehem. Hl. Geist Kirche und nach deren Zerstör
hierher transferiert)
FEHRING / RESS, a.a.O., S. 102.

126

29. In den nämlichen 4 Feldern 2 - 5. sind in dem Fenster
f. große 4.eckigte Glastafeln eingesetzt[250], worauf in

2. das Gam[m]ersfeldl. Wappen unter seinem offenen
Helm; darunter aber das Harsdörferl. Wappenschildlein,
über welchem letzteren die Jahreszahl 1572.
Wappen des Siegmund Gam[m]ersfelder, der Maria, geb. Harsdörfer,
verwittwete Peck heirathete 1572, und 1603. starb.

3. In dieser Tafel knieet ein Man[n] der hinter sich das
Schwarzl. Wappen unter offenem Helm und dabeij das 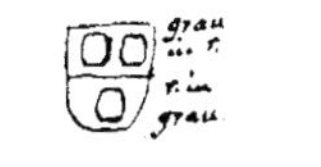
Rothl. Wappenschildlein hat.
Mairl.?

4. Maria mit dem Kinde Jesus.

5. Das Gam[m]ersfelderl. Wappen, wie in Nr. 2; darunter das Lochinger (?) Wappenschildlein mit der Jahrzahl 1532 und das Praunische mit 1543.
Wappen des Christoph Gam[m]ersfelder, Vater des obigen
Siegmund. - Eine Tochter des Siegmund Gam[m]ersfelder heirathete Hans VII. Praun, vid. pag. 136., und der Vater dieses
Hans VII., Stephan II. hatte eine Schwarzin, eine Tochter
(vid. pag. 136) von Sebald Schwarz und Anna Mairl., und als
diese 1542 gestorben war, nahm er 1543 eine Ayrer.

Gam[m]ersfelder waren Handelsleute aus Regensburg. Seit 1730. gerichts-
fähig; 1740. ausgestorben.

251

30. In dem Fenster d. sind die Felder der
beijden untern Reihen alle gemalt[252],
nämlich:

1. St. Johannes Baptista, ein Lam[m] auf
einem Buch; unter ihm das Löffelholzl. alte Wappen.

2. Das Löffelholzl. alte Wappen unter offenem Helm mit dem Hassfurterl. Schild-
lein. - Wappen des Friedrich Löffelholz, der 1439. starb.

3. Dasselbe mit dem Paumgärtnerl. alten Schildlein.
Wappen des Wilhelm Löffelholz, der 1475. starb. Seine 2te
Gemahlin war eine Hirsfogel.

4. Dasselbe mit dem Haidl. Schildlein. - Wappen des Hanss
Löffelholz, der Alte genannt, der 1455. starb.

5. Dasselbe mit dem Dintnerl. Schildlein. -Wappen des
Johan[n] Löffelholz, der 1509 am 15. Nov. starb (: vid. Todentafel pag. 147). Er hat dieses Fenster gestiftet.

M: r.in w., grau in r., r in grau.

250 Heute sind hier die Scheiben aus der ehem. Chorverglasung der Hl. Geist Kirche eingesetzt.
FEHRING / RESS, a.a.O., S. 104.
251 Es fehlt bei HILPERT das Fenster "e" (sXII - Bäckertüre / Bäckerempore).
Heute hier 4 Scheiben des ehem. Schnöd-Fensters nXI.
3b Beide Stifterehefrauen mit Wappen Schnöd-Holzschuher / Kleber
3c Stifter mit Wappen Schnöd
3d und 3e Je ein Stifter mit Wappen Schnöd.
252 sog. Loeffelholzfester
FRENZEL G., Glasmalerei um Albrecht Dürer. In: St.LORENZ 71 Ausstellungskatalog.

127

6. St. Catharina, unten das Löffelholzl. alte Wappen.

7.u.8. Der Englische Gruß, so daß in 7. die h. Maria,
in 8. der Engel erscheint.

9.10. Die Geburt Jesu im Stall, so daß in 9. die Mutter
mit dem Kinde, in 10. die Hirten zu sehen sind.

11.12. Die Beschenkung des Kindes durch die dreij Weisen aus dem Morgenland.
Einige runde Scheiben, die sonst in diesem Fenster waren,
sind jetzt im Fenster Q.
Der Stifter dieses Fensters ist Johann Löffelholz; dessen
Vater war Wilhelm, Großvater Hanss, und Urgroß-
vater Friedrich Löffelholz.

31. In diesem Fenster c[253] sind folgende Felder
gemalt:

1. Das Schmidtmairl. Wappen mit Schild
und Helm auf blauem Glas.

2.-} Proceß eine Heiligen, nämlich des
7 } h. Laurentius[254].

6.u.7. Wie S. Laurentius auf dem Rost gebraten wird.

8. Das Schmidtmairl. Wappen mit einem alten offe-
nen Helm und dem ~~Letscher.~~ Fränkil. Schildlein, dan[n] der Jahrzahl 1509. ~~Vid. Todentafel pag. 183.~~ Vid. par. 183. Ein Sohn
des Hans Schmidtm: Nr 10.

9. Dasselbe Wappen mit dem Letscherl.[255] Schildlein (NB.: ist
jezt ein anderes Glas eingesetzt.) Vid. pag. 183. Dieser Hans Schm: ist
ein Sohn des Hans Schm: Nr 8.

10. Dasselbe mit dem ~~Wiebelfetzerl.~~ Lochnerl. ~~Lochnerl.Eisenwangerl.~~ Schönfeldl. und
Perkmeisterl. Schildlein. Vid. Monument pag.47.

11. Dasselbe mit einem ganz weißen Schildlein.

12. Dasselbe mit dem Fütterl. u. Welserl. Schildlein. Vid. Todentafel pag. 183. Wilhelm Schm: war ein Sohn des Hans Schm:
und der Fränkin. Vid. Nr 8.

M: w. bl. g., eine Laube aus w. in s.

253 sog. Schmidmayer-Fenster
FRENZEL G., Schmidmayerfenster. Die Vita des Heiligen Laurentius. In: St.LORENZ 73, Schmidmayer-Fenster
MACHILEK F., Die Familie Schmidmayer im Nürnberg im 15./16. Jh. In: St.LORENZ 73, Schmidmayer-Fenster
254 In den Scheiben   4a Laurentius vor Papst Sixtus II.
4b Almosenspende des hl. Laurentius
4cd Laurentius vor Kaiser Valerian
4ef Laurentiusmarter (hierzu zwei Vorzeichnungen Dürers).
255 Wappen der Familie Marb. Vgl. Nr. 13

128

Marbl.   (Vid. Trechsels Johan[n]iskirchhof pag. 242)

13. Das Ratzische (?) Wappen unter seinem Helm mit
dem Schmidtmairl. Schildlein. (NB. Die Ratz, Ritter,
waren in Reichenschwand und Altdorf um 1515; hier 1545.)
Noch vier runde Scheiben, die ehemals in diesem Fenster
waren, sind jatzt in dem Fenster g. - NB. Dorothea Schmidtmair heirathete 1525 den Prediger Schleupner an St. Sebald.
Sollte diese gemeint seyn in obigem Wappen? Diese Dorothea
wäre eine Tochter des Hans Schm. Nr 10. gewesen, was kaum glaublich.
Sie war verheirathet mit Lorenz Keller, dan[n] mit Sebald Gärtner.

Eine Ursula Schm.,
Tochter des Hans Schm.
Nr 8. hatte zu erst zum
Gemahl Sebast. Marb,
dan[n] Sebast. Kemerer,
vid. pag. 188. Wahrscheinlich
bezieht sich dieses Wappen
auf den ersten Gem

32. In dem Fenster b. ist das bezeichnete Feld
gemalt[256]. Es enthält den Heiland, wie er
im Purpurmantel vor Pontius Pilatus
steht. Daraunter ist zu sehen das Fürerl.
alte Wappen mit offenem Helm und dem Ebnerl.
Schildlein. - Vid. Todenschild pag. 169.

33. In dem Rückfenster W[257] sind 6. gemalte
Scheiben eingesetzt.
  1. Eine Scheibe, worauf das Gundelfingerl.
      Wappen.
  2. Eine ähnliche, worauf das Teuffell. Wappen.
  3. Eine ähnliche, worauf das Graserl.
  4. Eine ähnliche, worauf das Pfinzingl. g. u. schw. Wappen.
  5. Auf einer großen gelben blauen Scheibe in einem gelbem
      Ring nebeneinander das Behaiml. alte und
      Glätzelmän[n]l. Wappen. Sonst, wie diese Schei-
      be noch im Fenster P. war, befand sich dabeij die
      Unterschrift:
      Albrecht Behaim Ward geboren 1248, starb 1320,
      liegt hier mit der Glatzelmän[n]in begraben.
  6. Auf einer ähnlichen Scheibe das Behaiml. und Pfin-
      zingl. g. u. schw. Wappen; ehedem, wie diese
      Scheibe noch im Fenster P. war, mit der Unterschrift:
          Herr Lucas Fridrich Behaim
          des Eltern Geheimen Raths
          Kirchenpfleger vnd Scholarcha
          starb 1648, den 28. Junij.
      Die Teuffel haben 1290 (1250) hier gewohnt, sind seit 1332 im Rath und ausge-
storben 1451. - Die Graser, seit 1395 im Rath, starben ab 1524 (oder 1481). -
Ein Rudolph Gundelfinger starb 1431.

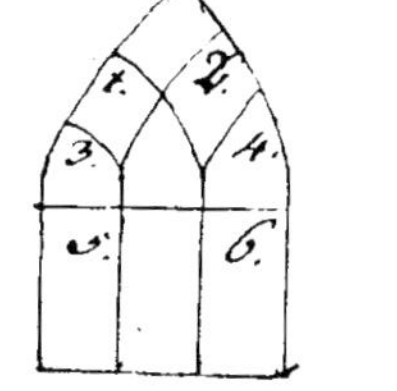

129

34. Von dem Fenster V.[258] sind nur 2. Felder
in der untersten Reihe gemalt, nämlich
  1. Unter dem alten offenen Stromerl.
      Helm befinden sich nebeneinander
      der quadrierte Stromer - Harsdörferl.
      und der quadrierte Stromer-Rieter
      alte u. Glockengiesserl vermehrte
      Wappenschild mit der Jahrzahl da-
      zwischen: 1505. und der Inschrift darunter:
          Orttolph vnd Ulman, die Strome[r].[259]
      Vid. Todentafel pag. 187
  2. Das Kolerl. Wappen mit offenem Helm und
      den Tucherl. 1505. und Schlüsselfelderl. Schild
      zu unterst:
          Jorg Koller. 1505.
      Der obige Ortholph III. Stromer, der eine Harsdörfer hatte,
      starb 1498 den 28. Juni.
      Georg Coler starb 1513.
      Die Coler (Forstmeister) waren schon 1006. in der Stadt und rathfähig vom
      Anfang an. Sie starben aus 1688.

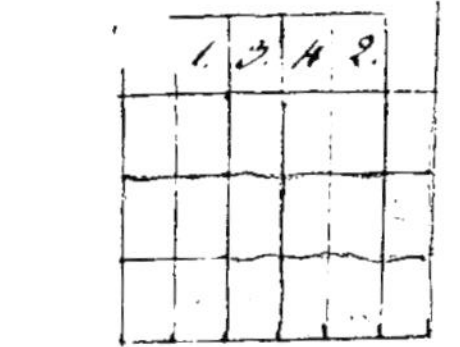

35. In dem Fenster U.[260] sind in 4. Feldern
Malereien, nämlich:
  1. eine eingesetzte große rund weiße
      Scheibe, worauf das Behaiml. vermehr-
      te Wappen mit zweij Helmen und der
      besondern Unterschrift:
      Herr Georg Christoph Behaim von Schwartz-
      bach, des ältern geheimen Raths, vorderster
      Losunger Schultheiß u. Pfleger der Reichs-
      vesten auch des Neuen Hospitals zum H. Geist, und Kloster
      St. Catharina, und St. Leonhard in dieser des H.
      Römischen Reichs freijen Stadt Nürn-
      berg, Starb den 31. Aug. a[nn]o. 1676[261]
  2. eine ganz gleiche Scheibe, mit der Unterschrift:
      Herr Georg Friedrich Behaim von Schwartz-
      bach, des Aeltern geheimen Raths, Scholarch
      Zinßmeister und Pfleger des Hospitals zu St.
      Martha in dieser des H. Römisch. Reichs
      freijen Stadt Nürnberg, starb den 4.
      December Anno 1681[262]
      Diese beijden Scheiben waren sonst in dem Fenster P.
  4. Das ganze Feld gemalt mit dem Muffel'. vermehrten
      Wappen und doppeltem gekrönten Helm; unten
      das Imhofl. vermehrte Wappenschildlein. - Wappen des
      Johann Christoph Muffel, der 1699. starb.

---

256 In Fenster "b" (sXV, Schmidmayer-Empore) befindet sich keine Farbverglasung mehr.
257 In Fenster "W" (nXV, Tugendbrunnentüre) befindet sich keine Farbverglasung mehr.

258 Im Fenster "V" (nXIV) befinden sich keine Glasgemälde mehr.
259 Heute im sog. Hirschvogelfenster "D" (sV).
260 Im Fenster "U" (nXIII) befinden sich keine Glasgemälde mehr.
261 Heute im ehem. Volckamerfenster "g" (sX) Scheibe 1f.
262 Heute im ehem. Volckamerfenster "g" (sX) Scheibe 2f.

130

3. Dasselbe Muffel. Wappen mit dem Behaiml. vermehrten Schildlein. - Wappen des Georg Carl Muffel,
der 1704. am 18. Dec. starb.

36. Das Imhofl. Fenster T.[263] ist mit folgenden
Glasmalereien versehen:
1. Das Imhofl. gehelmte Wappen.
2. Der Imhofl. alte und
3. Der Imhofl.- Stromerl. quadrierte Wappenschild
Wappen des Nicolaus Imhof, + 1415.
4. Der quadrierte Imhof- von Raynl. Wappenschild
5. Der quadrierte Imhof - Gienger v. Wolfs
eckl. und Imhofl. Wappenschild neben einander Vid. Todentafel pag. 177.
3. Der Imhofl. und quadrierte Imhofl.- Stromerl. Wappenschild nebeneinander.
6. Auf einer blauen Scheibe in Kleeform unter der
Imhofl. Helmdecke und der Ueberschrift:
Wilhelm Imhof der Elter
in der Mitte die Kressl. und Gössweinl., zu beijden
Seiten aber die Tetzel. (wobeij ein Stundenglas)
und Derrerl. Wappenschilde und unten dazwischen
1 6 4 8.
Vid. Monument pag: 48.
7. Auf einer ähnlichen Scheibe mit der Ueberschrift:
Johannes Hieronymus Im Hof der Jünger;
das Imhofl. Wappen und darunter die Pfinzingl.
schw. u. g. und Beckl. Wappenschilde, zwischen beijden ein Blumenkrug und auf beijden Seiten:
16   49.
Vid. Todentafel pag. 178.
9. Auf einer großen blauen Scheibe in einem Rautenkranz unter Imhofl. Helmzierde und der Jahrzahl 1642. neben einander das besonders gehelmte
Imhofl. alte und Henfenfeld - Pfinzingl. vermehrte
Wappen mit seinem Hörnerhelm, mit der Inschrift:
Georg Im Hof vnd Sibylla Catharina Seine Ehewirtin,
eine Geborne Pfintzingin.
Um jedes von diesen Wappen stehen im Kreise ihre Ahnen Wappen Schildlein herum, nämlich um:

131

a. folgende:

Imhofl. altes	Rehlingerl. vermehrt
Schmidtmairl.	Seytter v. Landsberg?
Reichl.	Grundherrl.
Muffel alt	Schwarzenburgl.
Lembl´l.	- - - - - - - -
Schatzl.	Frickingerl.
Pfinzingl. (Geyer u. Ring)	Abenbergl.
Grossl.	Ulstetterl.
Gundelfingl.	Pfisterl.
Volkamerl.	Windbergl.
Hallerl. altes	Pappenheiml.

b. folgende:

Pfinzing g. u. schw.	Holzschuherl. alt
Welserl.	Tetzel.
Tetzel.	v. Plobenl.
Grundherrl.	Gärtnerl.
Köpfl.	Löffelholzl. alt
Mendell.	Kressl.
Schürstabl.	Pfinzingl. g. u. schw.
Derrerl.	Pömerl.
Geuschmid, g. u. schw.	Muffel. Weigel.
Ebnerl.	Kolerl.

8. Auf einer ähnlichen Scheibe befinden sich folgende 3. Paar
Wappenschilde:
a. Oben werden von 2. Engeln gehalten der Imhofl. alte
und Löffelholzl. vermehrte mit der Ueberschrift:
Jeremiaß im Hoff.
b. Darunter stehen nebeneinander der Imhofl. u. Scheurl.   3. Brüder
alte mit der Inschrift:
Georg Pavlvs Im Hof
c. und der Imhofl. und Hallerl. vermehrte mit der Aufschrift:
Christoff Endres Im Hof.
Zu unterst steht aber: 1642
10.u.11. Zweij große Imhofl. alte Wappen mit offenem Helm;
neueres Gemälde.
12. Ein großes uraltes Imhofl. Wappen mit offenem
Helm und dem Grossl. Schildlein. Wappen des Hans
Imhof, der 1389 starb, und die Hauptlinie des Gechlechtes
dauernd fortpflanzte.
13. Ein ähnliches mit dem Schürstabl. u. Pfinzingl. (Geyer
u. Ring) Schildlein. - Wappen des Conrad Imhof, der 1396.
zu Venedig starb; dieß ist der Sohn des Vorigen.

M: r., w. bl. w. bl.

263 Bestand vgl. FEHRING / RESS, a.a.O., S.103

132

37. In dem Fenster S.[264] sind die untern 6. Felder
ganz gemalt.
4. Ein Kaiser mit dem Reichsapfel und den
Buchgstaben ..... L. L. E.
3. Eine Kaiserin als Heilige mit: I. E. R. E. I.
2. Ein Herr Schnöd, wie sein Wappen anzeigt,
und den Worten: ora pro ~~nobis~~ me, gegen
1. seine 2. Gemahlin[n]en, deren eine durch das alte Wappen
als eine Holzschuher, die andere als Klieber Winterbach
bezeichnet ist. Wappen des Conrad Schnöd, der 1370
starb.
5. Ein HE. Schnöd, wie sein Wappen anzeigt, mit den Worten: . . . . a pro me.
6. Noch ein HE. Schnöd mit den Worten: ora. p . . .
auf großen blauen gelbeingefaßten Scheiben zeigen sich
7. Das Schnödl. u. Stromerl. Wappen ohne Helm.
10. Das Schnödl. u. Ruhweinl. Wappen. - Wappen des
Schnöd, der 1411. starb.
11. Das Schnödl. u. Ebnerl. mit 1514.
Wappen des Jobst Schnöd, +
12. Das Schnödl. und ~~Staecker~~ Staiberl. Wappen. Wappen des Hans
Schnöd, der sich am 10. Febr. 1517. verheirathete.
Auf kleeförmigen Scheiben:
8. Der h. Christophorus zwischen dem Fürerl. und Imhofl.
alten Wappen mit der Umschrift:
Das. Poß. kompt. Alltag. Selber. woll.
Erwelen. Guts. Ain weiser. Soll.
Wappen des Christoph Fürer, der 1537. starb, und zu Gnaden-
berg begraben liegt.
9. Ein gekrönter Heiliger mit Scepter und Apfel (: Sigis-
mundus :) zwischen dem Fürerl. und Holzschuherl.
alten Wappen mit der Umschrift:
Glücksfal. Auff. Erd. Ain. Zeichen. Ist. Das.
Got. Mit. Straff. Vil. Herter. Mißt.
Wappen des Siegmund Fürer, der 1547. starb.

Die Schnöd sind schon 1198. in der Stadt als Edle und waren um
1240 - 1270. im Rath. Der Letzte ging 1558. nach Ulm.

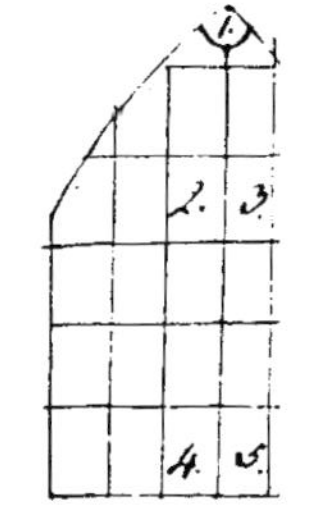
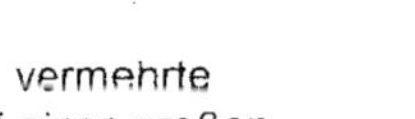

132

133

38. In dem Fenster R.[265] sind noch folgende Glasma-
lereien :
1. Das Nützel. und Löffolholzl. vermehrte
Wappen nebeneinander auf einer großen
blauen Scheibe im gelben Rand mit der
Umschrift:
Hr. Wolff Jacob Nützel, vorderst: Losunger,
Schultheiß, Fr. Cath: Ele: geb. Löffelh,
(: Dieser HE. Nützel starb 1725 :)
Die ganzen Felder sind gemalt in:
2. Das sehr alte Grundherrl. Wappen unter seinem offenen
Helm. Dieses Feld war sonst im Fenster P. Wappen
des Heinrich Grundherr, der 1348. starb u. eine Gläzelman[n] hatte.
3. Das sehr alte Steinlingerl. Wappen unter offenem
Helm mit dem Muffel. alten Schildlein. Dieses Feld
war sonst im Fenster U. - Wappen des Heinrich
Steinlinger, mit dem Catharina Mufflin 1397. vermählt wurde.
4. Das Schürstabl. sehr alte Wappen mit dessen Lam[m]s-
helm.
5. Dasselbe mit der Man[n]shelmzierde.
Steinlinger sind ein der alten Geschlechter 1197. Im Rath sind sie 1397.
Die Schürstab sind seit 1350 im Rath und abgestorben 1743
Die Grundherrn kamen 1140. vom Aischgrund in die Stadt, sind sehr
bald rathsfähig und adelig geworden unter Carl V.
Die Steinlinger sind sehr alt, seit 1397 im Rath, ausgestorben 1477. (1496)

39. In dem Fenster Q.[266] sind in 4. Felder große
blaue Scheiben mit gelbem Rand eingesetzt.
1. Der Muffel. alte und Lauffenholzer.
Wappen des Nicolaus III. Muffel, der 1469. starb.
Er führte die Pontificalia u. Krone nach Rom zur
Krönung Kaiser Friedrichs.
2. Der Löffelholz vermehrte u. v. Giechl. Wap-
penschild neben einander mit der Auf - und
Unterschrift:
Han[n]s Leffelholz verschidt Im
Anno 1545.
Vid. Todentafel pag: 147.
3. Der nämliche Löffelholzl. und Gugel. alte mit:
Hans Dietrich Löffelholz verschid
Anno 1565.
Vid. Todentafel pag: 147. Die Scheiben N. 2. u. 3. waren sonst in d.
4. Das Muffel. u. quadrirte Löffelholz-Tucherl.
Wappen. - Wappen des Gabriel Muffel, der 1498 starb.
Sohn des Nicolaus III. Muffel. Dieser Gabriel war 1478 in
den Rath gekom[m]en.

M: r. w. r.

264 Sog. Schnöd-Fenster (nXI). Bestand vgl. FEHRING / RESS, a.a.O., S. 103.

265 Sog. Schürstab-Fenster (nX). Bestand vgl. FEHRING / RESS, a.a.O., S. 102
266 Sog. Muffel-Fenster (nIX). Bestand vgl. FEHRING / RESS, a.a.O.

134

40.　In dem Fenster P.[267] sind gegenwärtig auf:
Zweij großen blauen Scheiben:
1.　Der Muffel. alte und Schlüsselfelderl.
Wappenschild, mit 1515. Wappen des Jacob
Muffel (: Sohn des Gabriel M. Nr 39 :) der 1526 starb.
2.　Der Muffel. alte und Ayrerl. - Wappen-
schild.
Auf 4. eckigten Scheiben fast von der Größe des Feldes:
3.　Das Muffel. alte Wappen unter seinem offenen Helm
mit dem Stromerl. Schildlein. - Wappen des Hans Muffel, der 1382. starb.
4.　Dasselbe Wappen mit dem ~~Perkinger Reichel.~~ Reichenl. Schildlein.
Wapen des Fritz Muffel, der 1389. starb.
Das sonst im ersten Feld der ersten Reihe befindlich gewesene
Grundherrl. Wappen ist jetzt im Fenster R.
Ferner befand sich in diesem Fenster das jetzt im Fenster
W. befindl. Pfinzingl. u. Behaiml. Wappen, sowie das
dort befindliche Behaiml. u. Glätzelmän[n]l.; endlich die
jetzt im Fenster U. stehenden Behaiml. beijden Scheiben
mit den Unterschriften.

　　Die Muffel sind seit 1332. im Rath. Von ihnen stam[m]en ab oder mit
ihnen gehören zu einem Stam[m] die Neumark (längst ausgestorben)
die Mendelein (abgestorben 1351) und die Weigel (abgestorben 1410)
Das Wappen der Muffel wurde vermehrt 1450.

41.　In dem obern Fenster im Schiff[268] der Kirche befinden sich gegenwärtig noch folgende Glasmalereien.
　　In dem obern Fenster R. ist ein einziges Feld
gemalt, und zwar enthält es ein Rieterl Wappen unter seinem alten offenen Helm mit dem
Schönl. Wappen Schildlein, wie letzteres auf einem
der Gemälde befindlich. Vid. pag.

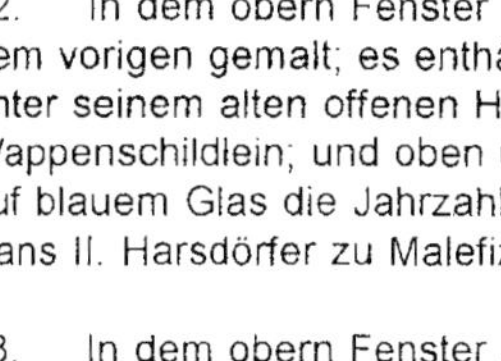

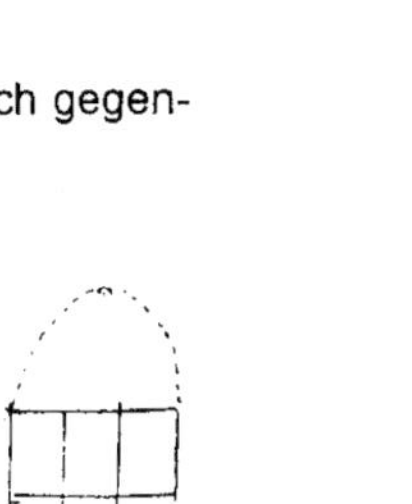

135

42.　In dem obern Fenster ~~T.~~U.[269] befand sich dasselbe Feld, wie beij
dem vorigen gemalt; es enthält das Harsdorfl. Wappen
unter seinem alten offenen Helm, mit dem Nützel. Lilien-
Wappenschildlein; und oben unter der steinernen Einfassung
auf blauem Glas die Jahrzahl: 1504. - Wappen des
Hans II. Harsdörfer zu Malefiz in Böhmen, der 1511 starb.

43.　In dem obern Fenster ~~U.~~ V.[270] ist in ein einziges Feld
eine große blaue Scheibe eingesetzt, worauf sich
das Pirkheimerl. Wappen befindet.
Dazu gehörte das Behaiml. Wappen (Vid. p. 145. Nr 19)

44.　In dem obern Fenster W.[271] ist in das bezeichnete
Feld eine große rothe Scheibe mit dem ~~Unstehtl.?~~ Winterl. oder
Wappen. (Winter waren hier um 1450)　　　　　Gelnauerl.

45.　Oberhalb des Portals Z. befindet sich der Stern[272], der in
steinernen Einfaßungen ganz mit gemaltem Glas,
größten theils Zierrathen, ausgelegt ist. Er ist 32. Fuß
hoch und breit.
1.　In der Mitte ist Gott der Vater und der h.
Geist, auch viele Egel herum und außen diesen zur Rechten der Volkamerl. Wappenschild.
2.　Das Lam[m] Gottes
3 - 6　Die 4. Evangelisten, nämlich zur Rechten St. Johan[n]es und S. Lucas, zur Linken S. Marcus und
S. Matthaeus.
7.　Der Volkamerl. Helm
8.　Der Volkamerl. Wappenschild.
9.　Ein Stern von neuerer Glasmalerei.

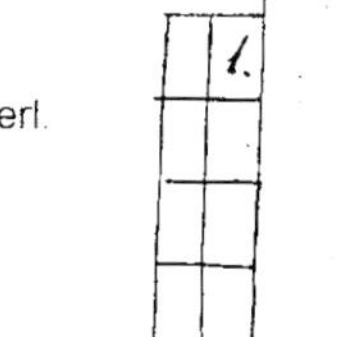

269　wie Anm. 268
270　wie Anm. 268
271　wie Anm. 268
271　Die hier beschriebene Verglasung wurde bei der Maßwerkinstandsetzung 1865 ausgebaut und durch eine neue Verglasung
　　　ersetzt, die - da neugotisch - im 2. Weltkrieg nicht geborgen wurde und deshalb zu den Totalverlusten zählt.
　　　Beim Wiederaufbau wurde für die Rosettenverglasung ein Wettbewerb ausgeschrieben. Der Fund von dokumentierenden
　　　Original- u. Einzelscheiben im GNM durch den die Glasrestaurierung betreuenden Kunsthistoriker Dr. Heinz Merten
　　　führte jedoch zu einer Rekonmstruktion unter Mitverwendung der Originale.
　　　FRENZEL G. + ULRICH E., Die Westrose von St. Lorenz. In: St.LORENZ 77 MVzE Nr. 19, S.4 ff.
　　　STOLZ G., Der Rose Gerechtigkeit. In: StLORENZ 77 MVzE Nr. 19, S 22 ff.

267　Sog. Grundherren-Fenster (nVIII). Bestand vgl. FEHRING / RESS, a.a.O., S. 100.
268　In den Langhaus-Obergadenfenstern befinden sich keine Farbverglasungen mehr.

136

136

46. In dem Fenster c.[273] befindet sich ein gemaltes
Feld, nämlich
1. mit dem Schmidtmairl. Wappen unter
seinem alten offenen Helm und darun-
die Jahrzahl: 1510.
2. Auf einer eingesetzten großen grünen Scheibe mit einem violetten Rand der quadrirte Fütterer - Welser. Wappenschild
Vid. Todentafel pag. 183.
Fütterer u. Welser sind seit 1504 im Rath. Die erstern starben 1586 aus.

47. In dem obern Fenster d.[274] sind auf mehrern großen
Scheiben folgende Wappen:
1. Auf einer blauen das Ayrerl. Wappen. Dazu ge-
hörte sonst unter 4. das Praunl. Wappen (Vid. p. 145), i. e. Gilg Ayrer v. Landseck + 1551.
2. Auf einer ähnlichen gelb eingefassten das
Praunl. Wappen. Dazu Nr 4., i. e. Stephan II. Praun,
der eine Schwarz und eine Ayrer hatte. Er + 1578.
3. Auf einer gelben der Praunl. u. Gam[m]ers-
felderl. auch Praunl. u. Oehlhafl.? neben
Seckler
und unter einander. Hans VII. Praun + 1608. hatte eine
Gammersfelder und Friedrich III. Praun, dessen Sohn eine Oel-
hafen, die 1633. starb zur ersten Frau. Er starb 1650. HansVII. war ein Sohn Stept
Die Praun von Zürich sind 1380. hieher gekom[m]en.

Oelhafen: ein gelber
Löw mit gelbem Hafen in blauem Feld.
Seckel: ein schräggetheilter
Schild mit Löwen oben
g in s, unten s. in g., ein-
en rothen Beutel
haltend.

4. Auf einer blauen gelb eingefaßten der quadrirte
~~Gutthäter ? Schwarzl.~~ Ayrerl. und über dem Wappenschild in der
Scheibe: 1574. Ein Gutthäter hatte eine Ayrer.
5. In der Mitte auf blauem Glas: 1510. Dieses Fenster
Ist ursprünlich von Hans Ayrer, der wohl eine Hallor hatte (vid. pag. 145.) Her-
kom[m]en, daher 1510.; hernach hat Gilg Ayrer und Stephan Praun sich desselben
genom[m]en und mit Vorwissen HE. Hieron. Paumgärtners, damals Kirchenpfleger
auf ihre Kosten ihre Wappen darein machen lassen. d. 14. Oct. 1571.

Hopfer: ein grüner
Man[n] im gelben Feld
auf einem schwarzen
Berg auf einem Fuss
stehend
Gutthäter: ein gelber
Man[n] halb in schwarzem
Feld hinter einer
rothen Mauer.

Die Schwarz waren Handelsleute von 1504 - 1533. Ein Jeremias Hopfer ehelichte 1561. eine Clara Ayrer und lebte mit ihr bis 1577., worauf sie
als Wittwe 1578 Hans Gutthäter heirathete.
48. In dem obern Fenster g.[275] ist das mittlere Feld der
andern Reihe von unten gemalt. Es stellt vor den
h. Laurentius auf einem rothen Sessel mit gelben
Stollen; in der Hand hat er ein offenes Buch und unten
neben sich ein weißes Schild mit weißem Kreuze.

137

49. In dem obern Fenster h.[276] befinden sich folgende Glasmalereien:
1. In dem mittlern Feld der andern Reihe das Kiefhaberl. Wappen unter seinem alten geschloßenen
Helm, mit dem Ortolphl. und . . . Wappen-
Schildlein.
2. Im rechten Feld auf 2. blauen kleinen Scheiben neben einander das Kiefhaberl. und Staiberl.
Wappen.
3. Im driten Feld auf 2. ähnlichen Scheiben das Kiefhaberl. und Radeneckerl. Wappen. - Eine Marg. Rade-
necker war 1364. Aebtissin bey St. Clara.
Kiefhaber sind seit 1475 hier. Ein Hans Kiefhaber + 1550. Einen
Ulrich K. vid. pag. 102.

273 In den Langhaus-Obergadenfenstern befinden sich keine Farbverglasungen mehr.
274 wie Anm. 273
275 wie Anm. 273
276 wie Anm. 273

138

Ueber die Glasmalereien vid. Convers. Lex. Bd. 5. pag. 676.
Die Schmelzmalerei erfand Johann v. Eyk zu Ende des 14.
Jahrh. Ihre höchste Blüthe erreichte sie im 15. u. 16. Jahrh.
In Nürnberg zeichneten sich aus Johann Brechtel
(+ 1521)
Veit Hirsfogel geb. 1461, gest. 1525, der erste in der Schönheit d. Farben.
Augustin   "   "   1560, fil. ant. ein sehr guter Maler.
Veit   "   "   1553, frat.ant.   "   "   "
Sebald   "   "   1589, fil. ant.
Martin Krinaberger lebte ums Jahr 1525.
Hans Taucher,   gest. 1561.
Georg Wiedman[n],   "   1589.
Hans Ess   "   1594.
Später kom[m]en Glasmaler bis 1730 vor. Vid. Doppel-
maiers Nachrichten[277].

277 Vgl. auch THIEME / BECKER, Allgemeines Künstlerlexikon der bildenden Künste, Bd. 5.

139

Verzeichnis
der Glasmalereien, sie sich ehedem in dieser
Kirche noch befunden haben.

1.   In dem Fenster i befanden sich sonst folgende gemalte
Scheiben:
a.   eine große blaue Scheibe, mit einem gelben Rand in dem
      ersten Feld der untern Reihe, mit der Umschrift
      Anno Domini. 1346. starb. Heinrich. Stromer.
                dem Got genad.
      der Stromerl. Wappenschild allein.
b.   im zweiten Feld auf einem länglichten blauen Glas ne-
      ben und unter einander auf kleinen Scheiben die
      (Wolf Stromer + 1552) Stromerl. u. Imhofl. alter
      (Endres Str. + 1449) Stromerl. u. Schnödll.
      (Wolf Jacob Str. + 1614) Stromerl. u. Scheurl'l. altes geheimtes
      (Fritz Friedr. Stromer + 1580) Stromerl. u. Tucherl. Wappen Schilde, auch
      in diesem letzten: A. 1559.
c.   in dem dritten Feld auf einer großen blauen Scheibe
      in einem schwarzen Rand mit gelbem Laubwerk das
      Glasnäpfl. Wappen. Dieses Wappen hatte Bezug darauf,
      daß Conrad Heinrich Stromer (: + 1346 :) eine Glasnapf, die Tochter Con-
      rad Glasnapfs, der 1316 im Rath war, zur Gemahlin hatte. Conrad Glasnapf + 1329. u. ist
      beij St. Lorenz begraben. Die Familie starb bald aus mit Michael Glasnapf circa 1360.
d.   in dem fünften Feld auf 2. kleinen blauen Scheiben
      aneinander die Kressl. u. Harsdörfl. Wappenschilde.
      Wappen des Georg Jacob Kress, der 1734 starb.
e.   in dem fünften Felde der zweiten Reihe die Kressl. u.
      Tetzell. Wappen mit der Umschrift:
      Christoph Hironymus Kres von Kressenstein und
      Dorothea Rosina geborne Tetzlin. 1655.
                (: + 1696 :)
f.   in dem sechsten Felde der Kressl. u. Waldstromerl. alte
      Wappenschild.
g.   in dem fünften Felde der dritten Reihe auf einer weißen   Vater des
      Scheibe der Kreßl. u. Viatisl. mit der Umschrift: G. J. Kress
      Wilhelm Kress von Kressenstein vnd Clara Geborne   sub d.
      Viatesin in Nürnberg. 1650.
                (: + 1675 :)
h.   in dem sechsten Felde auf 3. blauen Scheiben, oben der
      Kressl. und darunter der neben einander der Hallerl.
      alte und Öffnerl. Wappenschild. - Wappen des
      Christoph Kress, der 1529 ? zu Rothenburg starb.

i. in dem fünften Felde der vierten Reihe auf einer einzigen
gelben Scheibe mit einem Rautenkranz der Kressl. u.
Kolerl. Wappenschild. - Wappen des Joh: Wilhelm Kress,
der 1658 starb.

2. In dem Fenster h. waren sonst noch folgende runde Scheiben:
a. In der andern Reihe ersten Felde auf einer großen blauen
gelb eingefaßten Scheibe nebeneinander der Nützel. schw.
Adler u. Kuedörferl. Wappenschild, mit der Umschrift:
Anno Dominij. 1197. Werner Nützel: F: Christina Eine Geborene
Küedorfferin.
b. Im zweiten Feld der Nützel. weiße Lilien und Schopperl. auf einer ähnlichen Scheibe mit der Umschrift:
Phetter. Nützell. Loßunger
1389.
c. Im dritten dasselbe Nützel. und quadrirte Pömer-
Münzmeisterl. mit
Berthold Nützll. 1449.
d. Auf einer grünen gelb eingefaßten Scheibe im vierten
Feld derselbe Nützel. und Hirsfogel. mit
Gebrihell. Nützell. Loßunger
1489.
e. In fünften auf einer blauen der Nützel. und Held-
tische mit
Casber. Nützell. Losunger.
1525.
worunter auf 2. kleinen Scheiben der Nützel. u. Hübnerl.
f. Im sechsten Felde auf einer gelbgefaßten grün und
blauen Scheibe der nemliche Nützel. und quadrirte
Gross-Fürerl. Wappenschild mit
Gabrihell Nützll. 1532.
g. In der dritten Reihe auf großer blauer Scheibe mit
gelbem Rand das Nützell. weiße Lilien u. Holzschuherl. alte Wappen mit der Inschrift
Hanns Nützl. 1534.
h. Auf ähnlicher Scheibe das vermehrte Nützel. und
Tetzel. Wappen mit der Umschrift:
Herr Gabriel Nützel. Fr. Maria Jacobina eine
Geborne Tetzlin Ao. 1660.

3. In dem Fenster g. befanden sich sonst in dem 3. u. 4.ten
Feld der zweiten Reihe von unten sehr alte Volkamerl.
und Nützel. Stromerl. Lilienwappen, beijde unter ihren offenen
Helmenn; auch Trachtl. Wappen.

4. In dem Fenster f. sah man sonst:
a. in dem ersten Felde der untersten Reihe einen Heiligen
sitzend;
b. in dem sechsten das Stromerl. Wappen mit einem
alten geschloßenen Helm
c. in dem ersten Feld der andern Reihe auf einer
gelbeingefaßten großen blauen Scheibe nebeneinander der Stromerl. und quadrite Glasnapf - Geu-
schmidtl. gelb u. schw. Wappenschild; umher geschrie-
ben: Heinrich Stromer starb Anno 1346.
d. im zweiten Feld eine ähnliche, worauf der Stromerl.
und quadrite Mucken - Schürstabl., mit der
Umschrift: Barthelmes. Stromer starb. anno. 1388.
e. im fünften Feld der Stromerl. und v. Plobenl. Wappenschild auf einer ähnlichen Scheibe; unten auf weissem
Glas mit   Anno. 1500.
Vid. Todentafel. pag. 188.
f. im sechsten Feld der Stromerl. u. Imhofl. alte Wappenschild auf einer ähnlichen Scheibe mit:
Wolf. Stromer.
15.15.
Vid. Todentafel. pag. 188.
g. im dritten Feld der Stromerl. u.   Wappenschild auf einer ähnlichen Scheibe mit
Endres Stromer starb 1403
h. im vierten Felde desgleichen der Stromerl. und
Wappenschild mit:
Friedrich Stromer starb 1517.

5. In dem Fenster d. der dritten Reihe viertem Felde war auf
einer großen blauen Scheibe in einem Rautenringe der
Löffelholzl. und Imhofl. alte Wappenschild mit der
Inscription auf gelbem Glas:
Hanß Wilhelm Löffelholtz verschiedt
1600.
Vid. Todentafel. pag. 147.

142

6. In dem Fenster b. war ehedem auch das linke Feld gemalt und zwar hat es dargestellt: den Welterlöser, wie
ihm die Dornen Krone auf sein Haupt gesetzet und mit
einer Stange von 2. Kriegsknechten tief eingedrücket
wird. Unten das Fürerl. gehelmte Wappen mit dem
Pömerl. Schildlein. - Vid. Todentafel pag. 169.

7. In dem Fenster unter dem Thurm zur Linken des Eckes
a. befand sich in dem obern rechten Feld auf einer
großen rothen Scheibe in einem grün umwundenen
Ring nebeneinander die Stockheimerl. und Bal-
dingerl. Wappen Schilde. Statt Baldinger wahrscheinlich
Sauerman[n]; Wappen des Hans Stockamer.

8. So in dem andern Thurmfenster zur Rechten des Portals Z. in dem obern rechten und linken Feld:
a. auf einer rothen Scheibe das Kötzlische
b. auf einer blauen Scheibe das Köpfische alte Wappen.

9. So in dem Fenster zur Linken des Portals Z. oben in
der steinernen Einfaßung:
a. ein großer Oertel. Wappenschild.
b. darunter in dem ersten rechten Feld auf einer
kleinen Scheibe der Tetzell.
c. in dem linken Felde der Oertel. Wappenschild.

10. In dem Fenster unter dem Thurm zur Linken des Eckes X.
war in der obersten steinernen Einfaßung das Deichslerl.
mit dem Helm bedeckte Wappen; darunter in dem
b. ersten rechten Feld das Deichslerl. und in dem
c. linken das Sauerzapfl. Wappen auf 2. gelben Scheiben
d. in dem 2ten u. 3ten Felde unten 2. Deichslerl. Wappenschilde.

11. In dem Fenster W. war sonst noch:
a. zwischen dem Graserl. und Pfinzingl. Wappen in
der Mitte das Pirkheimerl.
b. da, wo jetzt das Behaiml.-Glatzelmän[n]l. Wappen, war
früher auf einer großen gelben Scheibe in einem
Rautenkranz das Tetzell. Wappen.
c. gegenüber im dritten Feld auf einer großen
blauen, gelb eingefaßten Scheibe, das Pirkheimerl.
und Löffelholzl. alte Wappen neben einander.

143

12. In dem Fenster V. befanden sich sonst noch:
a. in dem ersten Feld der untersten Reihe unter dem
Stromerl. alten Helm der quadrirte Stromer - Imhofl.
alte und Stromer - v. Plobenl. Wappenschild nebeneinander, mit der Unterschrift:
Endres. und Hans. die Strom[er].
Vid. Todenschilde pag.188.
b. auf großen blauen, schwarz und gelb eingefaßten Scheiben das Stromerl. Wappen in dem 2. 5. und 6. Feld.

13. In dem Fenster U. waren sonst noch
a. in der zweiten Reihe drittem Felde auf einer großen
blauen gelb eingefaßten Scheibe der Muffell. alte
und Schlüsselfelderl. Wappenschild. - Wappen des Jacob Muffel, der 1526 starb. Ist jetzt im obern Fenster B.
b. im vierten Felde eine ganz gleiche Scheibe.
c. in der ersten Reihe 4.ten Felde das Muffel. alte Wappen
unter seinem offenen Helm mit dem Reichel. Schildlein; i. e. Fritz Muffel + 1389.
d. im 5ten Felde dasselbe Wappen mit dem Stromerl. Schildlein.
e. im 1.ten Felde das sehr alte Steinlingerl. Wappen
unter offenem Helm mit dem Muffel. alten Schildlein.
Das Letztere befindet sich jetzt im Fenster R. Die
beijden vorhergehenden im Fenster P.

14. In dem Fenster R. befanden sich sonst auch noch folgende
kleine Scheiben:
a. mit dem Schürstabl. u. Behaiml. i. e. Georg Schürst. +. 1479.
b. dem Schürstabl. u. Hirsfogell. i. e. Hans Schürst. +. 15
c. dem Schürstabl. u. Imhofl. alten, i. e. Peter Schürstab u. Margarethe + 1394.
d. dem Schürstabl. u. Tetzell., i. e. Franz Schürst. +. 1534.
e. dem Schürstabl. u. Koboldtl. Wappen, i. e. Jeronimus Sch. + 15
Vid. Lor. Ehebuch. 1547
Die Schürstab kamen 1140. aus Siebenbürgen hieher, und sind seit 1350. im Rath.
Sie starben 1668, nach andern 1584 aus, nach andern 1743.

15. In dem Fenster Q. befanden sich noch auf großen blauen
Scheiben:
a. Der Muffel., Steinlingerl. u. Kolerl. Wappenschold. Nicolaus Muffel + 13
b. Der Muffel. und Rieterl. mit Degen und Ordensband. Nicolaus IV. Muffel +

16. In demselben Fenster waren ehedem auch noch folgende
gemalte Wappen:
b. in besonderer Einfaßung das Pfinzingl. g. u. schw.
Wappen mit dem Henfenfeldl. Mittel Schildlein und 2.
Helmen, dan[n] der Unterschrift:
Christoph Pfintzing
von Henfenfelt
1623.
c. das Harsdorfl. unter seinem Helm gemalte Wappen, darunter
Susanna Christoff
Pfintzingin Ein geborne
Harstörfferin 1623.

d. auf einer kleinen Scheibe das Pfinzingl. g. u. schw. mit
dem Hörner Helm und das Imhofl. alte Wappen mit
offenem Helm.

e. auf einer ähnlichen dasselbe Pfinzingl. mit doppelten
Helmen und das Geuderl. Wappen mit seinem gekrönten Helm. - Carl Seifried Pfinzing, der 1570 starb.

f. In großem Format das Pfinzingl. (Geijer u, Ring) und
Muffel. alte Wappen.

g. Dasselbe und der Oesterreicherl. Wappenschild auf einer
großen blauen Scheibe aneinander, unter welchem auf
einer Glastafel zu lesen:

Anno Domini
MCCCCVII jar am Jars
Obent do starb Endres
Pfinzing dem Got gene-
dig seij.

Die Pfinzing sind unter Conrad III. nach Nürnberg gekom[m]en. Sie sind gleich
anfangs in den Rath gekom[m]en, haben seit 1479. das vermehrte Wappen und
sind 1764.. ausgestorben. Mit ihnen verbunden waren die Geuschmidt, die 1350
aus der Stadt kamen.

16. In dem Fenster P. waren sonst noch folgende Wappen:

a. In dem sechsten Feld der ersten Reihe ein uraltes Behaiml. Wappen mit seiner Helmzierde und dem Wil-
mersdorfl. Schildlein; darunter

A[nno]: Do[min]i: 1293.
Wappen des Albrecht Behaim +. 1207. ?

b. Im vierten Feld ein Behaiml. altes Wappen
unter seinem offenen Helm nebst dem Pilgram v. Eybl.
Schildlein und dieser Inschrift:

Fritz Behaim der Elter starb
an St. Sewaltstag Anno
1295.

c. Im fünften Feld auf einer großen mit einem gelben
Ring eingefaßten Scheibe, der Heldtl. und quadrirte Arbeitl. und Schawl. Wappenschild. Pag. 167

d. Im zweiten Feld das Clätzelmän[n]l. sehr alte Wappen.
Vid. pag. 133.

17. In dem obern Fenster T. befand sich sonst in dem 2.ten
Feld der andern Reihe von unten hinauf der Schrayerl.
gehelmte u. das Eisvogel. Wappen. Ein Caspar Schraier soll 1160 unter Friedrich I.
mit nach Mailand gezogen seijn und dort große Thaten gethan haben.
In Rathsbüchern finden sie sich nicht.

18. In dem obern Fenster U. befand sich sonst im ersten Feld
der vierten Reihe der v. Wathische Wappenschild auf einer
großen gelben Scheibe. - Die von Wath stam[m]en aus St. Gallen
und kamen 1428. hieher. Ein Endres v. Wath war Kirchenpfleger meister bey S. Lorenz von 1428 - 1441, ein zweiter von 1514 bis 1516.

19. In dem obern Fenster V. befand sich sonst noch in dem
ersten Feld der vierten Reihe auf einer großen gelben
Scheibe das Behaiml. alte Wappen.

20. Im obern Fenster d waren sonst noch in dem

a. 2ten Feld der andern Reihe das Ayrerl. u. vermehrt-
te Hallerl. Wappen klein aneinander. Die Jahrzahl 1510.
ist noch zu sehen. - Hans Egid Ayrer hatte eine Haller; er starb
16.. V.p. 136.

b. 3.ten Feld derselben Reihe das Praunl.

21. Im obern Fenster i. war sonst im mittlern Feld der
andern Reihe das Biedermannl. Wappen mit seinem
alten offenen Helm, mit dem Schmidtmairl. Wappenschildlein. (Ich finde keine Schmidtmair mit einem Biederman[n]
verheirathet, wohl aber mit einem Rottmund v. Rottenburg. (Vid.num 9.h.p.)

Ausserdem sollen noch folgende Wappen gemahlt in
den Fenster vorgekom[m]en seijn:

1) Beij den Muffeln ein Schildlein der Wagner.

2) Das Glenkersheimerl. Wappen auf der Imhofl. Empor
und neben dem Oertlischen Wappenschild.

3) Das Wappen der Ottn, namentlich des Cunz Ottn
oben über der alten Orgel.

4) Das Wappen der Reichswirth, vielleicht mit dem
Muffell.

5) Der Rothan Wappen in einem obern Fenster
der Kirche. Ist noch da, im obern Chorfenster N.

6) Das Wappen der Münzmeister beij der Chorglocken. Diese Familie
war im Rath von 1350 - 1421. Sie kamen mit Heinrich II. von
Amberg hieher.

7) Im Fenster N.
a. Eines mit dem Paumgärtner u. Haydl. Wappen
i. e. Nicolaus Paumgärtner + 1482.
b. Eines mit dem Paumgärtner u. . . . . . Wappen
c. Eines mit dem Paumgärtner u. Dichtel. Wappen
i. e. Hieronymus Paumg. + d. 8. Dec. 1565.
d. Eines mit dem Paumgärtner u. Oertell. Wappen
i. e. Hieronymus Paumg. + d. 18. Dec. 1602.

8) ~~Das Wappen derer von Watt in einem Fenster in der Höhe~~

9) Das Wappen der Rotmundt in einem obern Fenster beij
der alten Orgel.

10) Das Topplerl. Wappen mit dem Jägerl. Schildlein und der Jahrzahl 1574.
dabeij war zu lesen: Maria, Wolf Toplerin, eine geborne Jägerin.

TAFELN

Abb. 1. Kaiserfenster. Chor I. Nürnberg, um 1476/77 (Werkstatt Michael Wolgemut). – Kat. S. 111–132.

Abb. 2, 3. Hl. Thomas (Neuschöpfung Kellner 1836) / Reichswappen. Chor I, 2a, 2b. – Kat. S. 122.

Abb. 4, 5. Engel mit den Wappen von Österreich / Wilder Mann mit den Wappen Krain und Tirol. Chor I, 1a, 1b.
Nürnberg, um 1476/77 (Werkstatt Michael Wolgemut). – Kat. S. 121.

Abb. 6. Kaiser Friedrich III. und Kaiserin Eleonore von Portugal. Chor I, 2c/d. – Kat. S. 122f.

Abb. 7, 8. Wilder Mann mit den Wappen Burgau und Portenau / Engel mit den Wappen Habsburg und Ffirt. Chor I, 1c, 1d.
Nürnberg, um 1476/77 (Werkstatt Michael Wolgemut). – Kat S. 121.

Abb. 9, 10. Wappen Portugal / Hl. Christophorus. Chor I, 2e, 2f. – Kat. S. 124.

Abb. 11, 12. Schildknappe mit Wappen Elsass und Kyburg / Schildknappe mit Wappen Windischmark und Oberösterreich. Chor I, 1e, 1f.
Nürnberg, um 1476/77 (Werkstatt Michael Wolgemut). – Kat. S. 122.

Abb. 13. Erprobung des wahren Kreuzes. Chor I, 4a/b. – Kat. S. 126f.

Abb. 14, 15. Enthauptung des Perserkönigs Cosroe / Zweikampf des Kaisers Heraklius mit dem Sohn Cosroes. Chor I, 3a, 3b. Nürnberg, um 1476/77 (Werkstatt Michael Wolgemut). – Kat. S. 124f.

Abb. 16. Zuschauer bei der Erprobung des wahren Kreuzes (Ausschnitt aus Abb. 13).

Abb. 17. Architekturbekrönung über dem Kaiserpaar. Chor I, 3/4c/d. Nürnberg, um 1476/77 (Werkstatt Michael Wolgemut). – Kat. S. 122f.

Abb. 18. Schlacht Karls des Großen gegen die Awaren vor Regensburg. Chor I, 3e. Nürnberg, um 1476/77
(Werkstatt Michael Wolgemut). – Kat. S. 125f.

Abb. 19. Schlacht Karls des Großen gegen die Awaren vor Regensburg. Chor I, 3f. Nürnberg, u n 1476/77
(Werkstatt Michael Wolgemut). – Kat. S. 125f.

Abb. 20. Kaiser Heraklius vor Jerusalem. Chor I, 4e. Nürnberg, um 1476/77 (Werkstatt Michael Wolgemut). – Kat. S. 127.

Abb. 21. Kaiser Heraklius bringt das Kreuz zurück nach Jerusalem. Chor I, 4f. Nürnberg, um 1476/77
(Werkstatt Michael Wolgemut). – Kat. S. 127.

Abb. 22, 23. Bekehrung Kaiser Konstantins / Taufe Kaiser Konstantins. Chor I, 6a, 6b. – Kat. S. 129.

Abb. 24. Siegreiche Heimkehr Kaiser Konstantins nach Rom. Chor I, 5a/b (Kellner, 1836 / Wolgemut, 1476/77). – Kat. S. 127f.
Nürnberg, um 1476/77 (Werkstatt Michael Wolgemut) und Werkstatt Kellner, 1836.

Abb. 25. Taufe Kaiser Konstantins in Anwesenheit hoher Geistlichkeit. Chor I, 6c/d. – Kat. S. 129f.

Abb. 26. Auffindung des wahren Kreuzes. Chor I, 5c/d. – Kat. S. 128.
Nürnberg, um 1476/77 (Werkstatt Michael Wolgemut).

Abb. 27. Übergabe des Kreuzes, der Lanze und des Essigschwamms an Kaiserin Helena. Chor I, 5e. Nürnberg, um 1476/77
(Werkstatt Michael Wolgemut). – Kat. S. 128f.

Abb. 28. Übergabe des Kreuzes, der Lanze und des Essigschwamms an Kaiserin Helena. Chor I, 5f. Nürnberg, um 1476/77
(Werkstatt Michael Wolgemut). – Kat. S. 128f.

Abb. 29, 30. Engel mit Leidenswerkzeugen. Chor I, 7b und 7e. Nürnberg, um 1476/77 (Werkstatt Michael Wolgemut). – Kat. S. 131.

Abb. 31. Schlacht an der Milvischen Brücke. Chor I, 6e/f. (Kellner, 1836, Wolgemut, um 1476/77). – Kat. S. 131.

Abb. 32. Schmerzensmann und Engel mit Leidenswerkzeugen. Chor I, 1BC, 1CD und 1DE. Nürnberg, um 1476/77 (Werkstatt Michael Wolgemut). – Kat. S. 131f.

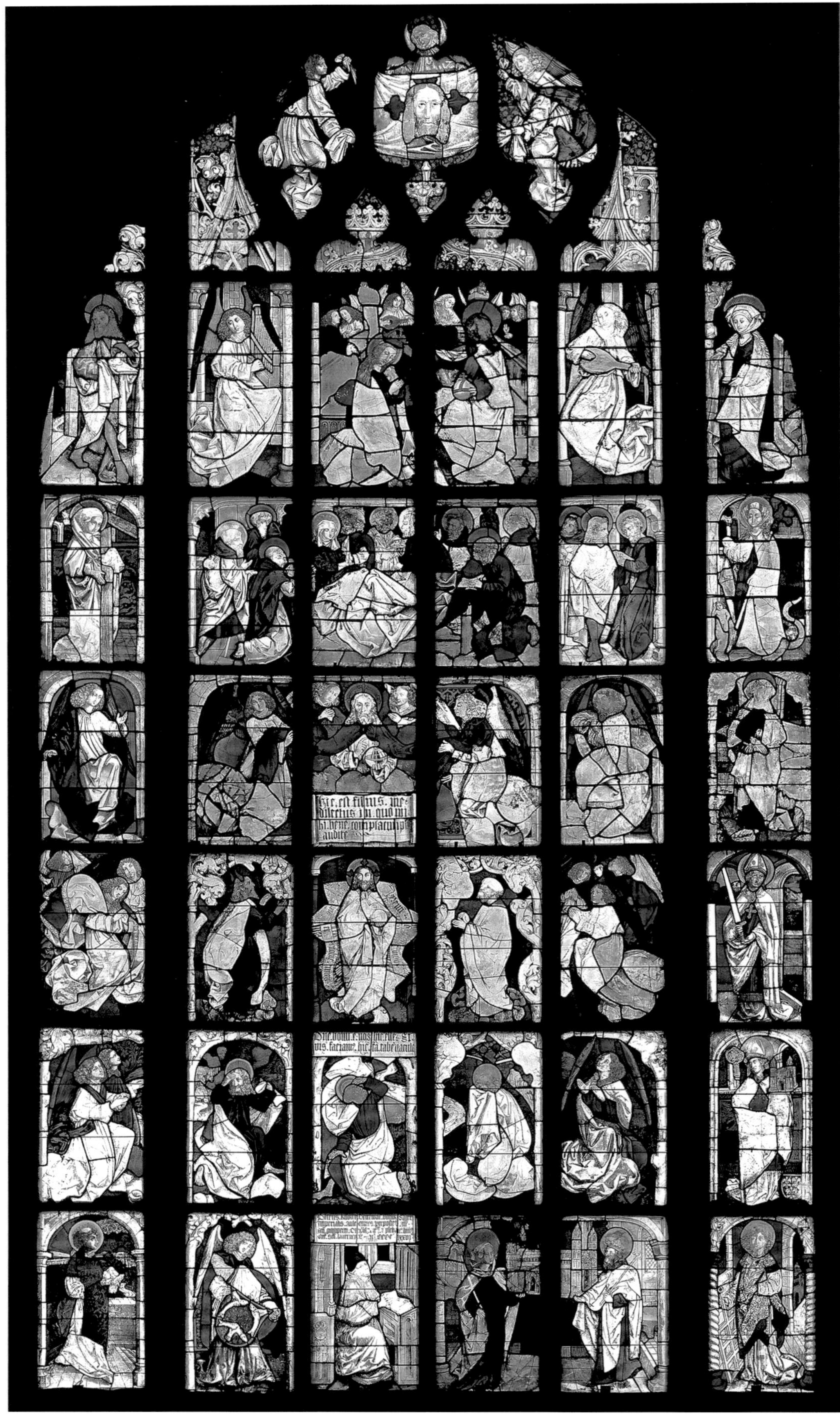

Abb. 33. Knorr-Fenster. Chor nord II. Nürnberg, 1476 – Kat. S. 133–152.
(Werkstatt Michael Wolgemut, weitreichend ergänzt von Kellner, 1836).

Abb. 34. Kaiser Heinrich und Kaiserin Kunigunde mit dem Kirchenmodell des Bamberger Domes. Chor n II, 1d/e.
Nürnberg, 1476 (Werkstatt Michael Wolgemut). – Kat. S. 143.

Abb. 35, 36. Hl. Stephanus / Engel mit dem Wappen Knorr. Chor n II, 1a, 1b. Nürnberg, 1476 (Werkstatt Michael Wolgemut). – Kat. S. 141f.

Abb. 37. Stifterbild des Pfarrers Dr. Peter Knorr. Chor n II, 1c. Nürnberg, 1476 (Werkstatt Michael Wolgemut). – Kat. S. 142f.

Abb. 38. Hl. Laurentius. Chor n II, 1f. Nürnberg, 1476 (Werkstatt Michael Wolgemut). – Kat. S. 143f.

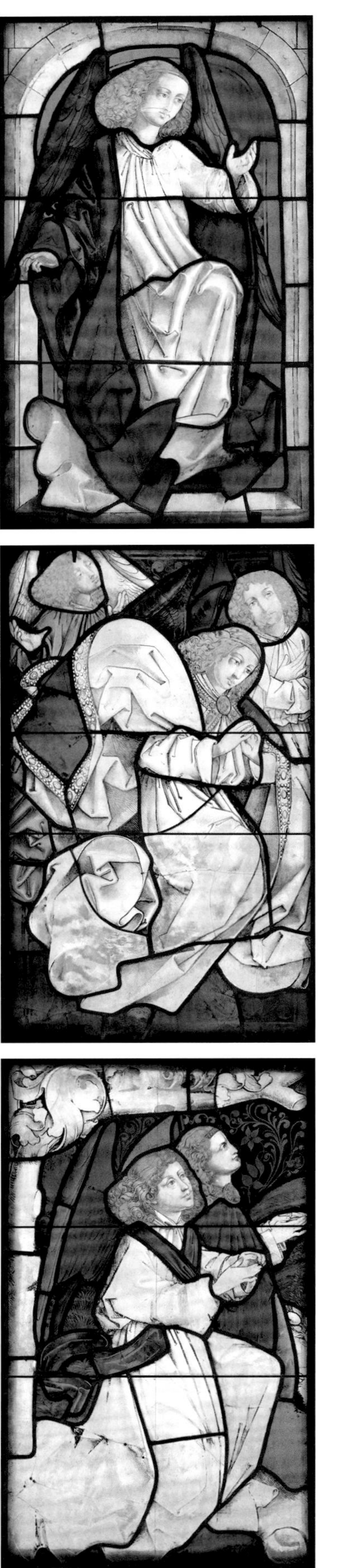

Abb. 39–44. Engel zuseiten der Verklärung. Chor n II, 2–4a / 2–4e. Nürnberg, 1476 (Werkstatt Michael Wolgemut). – Kat. S. 144–146.

Abb. 45. Verklärung auf dem Berg Tabor (Montage). Chor n II, 2–4b–d. Nürnberg, 1476 (Werkstatt Michael Wolgemut). – Kat. S. 144–147.

Abb. 46, 47. Hl. Afra / Hl. Helena. Chor n II, 4f und 5a (Wolgemut, 1476 / Kellner, 1838). – Kat. S. 148f.

Abb. 48, 49. Hl. Gumbertus / Hl. Kilian. Chor n II, 2f und 3f (Wolgemut, 1476 / Kellner, 1838). – Kat. S. 147f.

Abb. 50. Hl. Margareta (oder Martha). Chor n II, 5f (Wolgemut, 1476 / Kellner, 1838). – Kat S. 150.

Abb. 51, 52. Musizierende Engel zuseiten der Krönung Marias. Chor n II, 6b und 6e (Wolgemut, 1476 / Kellner, 1838). – Kat. S. 150f.

Abb. 53, 54. Apostel zuseiten des Todes Marias. Chor n II, 5b und 5e (Wolgemut, 1476 / Kellner, 1838). – Kat. S. 149.

Abb. 55. Krönung Marias. Chor n II, 6c/d (Wolgemut, 1476 / Kellner, 1838). – Kat. S. 151.

Abb. 56. Tod Marias. Chor n II, 5c/d (Wolgemut, 1476 / Kellner, 1838). – Kat. S. 149.

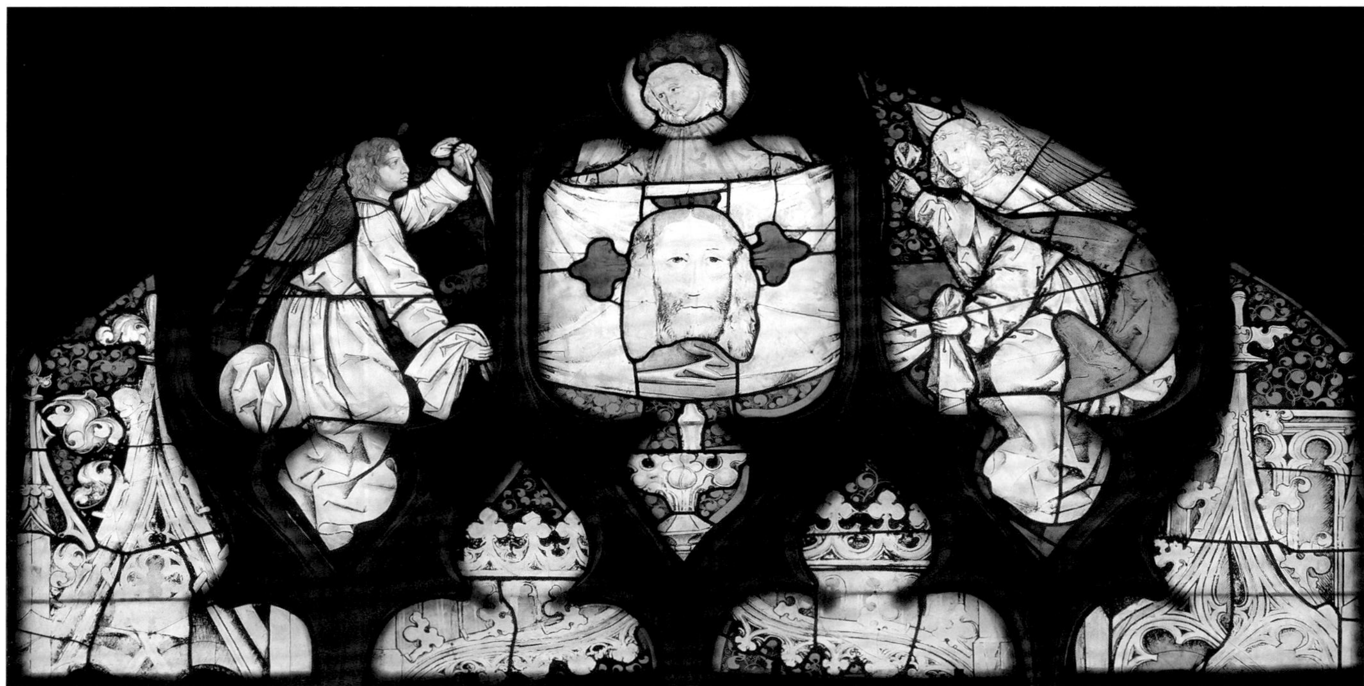

Abb. 57. Maßwerkspitze mit Architekturbekrönung und den Engeln mit dem Vera Icon. Chor n II, 7b–e, 1BC, 1CD und 1DE.
Nürnberg, 1476 (Werkstatt Michael Wolgemut). – Kat. S. 152.

Abb. 58, 59. Hl. Johannes der Täufer / Hl. Magdalena. Chor n II, 6a und 6f. Nürnberg, 1476 (Werkstatt Michael Wolgemut). – Kat. S. 150f.

Abb. 60. Konhofer-Fenster. Chor süd II. Nürnberg, um 1477/78 (Werkstatt Michael Wolgemut). – Kat. S. 153–175.

Abb. 61. Laute spielender Engel. Chor s II, 2a. Nürnberg, um 1477/78 (Werkstatt Michael Wolgemut). – Kat. S. 165.

Abb. 62. Hl. Laurentius. Chor s II, 1a. Nürnberg, um 1477/78 (Werkstatt Michael Wolgemut). – Kat. S. 163.

Abb. 63, 64. Hl. Augustinus / Hl. Gregor d. Gr. Chor s II, 2b, 2c. Nürnberg, um 1477/78 (Werkstatt Michael Wolgemut). – Kat. S. 165.

Abb. 65, 66. Hl. Deocarus / Hl. Konrad. Chor s II, 1b, 1c. Nürnberg, um 1477/78 (Werkstatt Michael Wolgemut). – Kat. S. 163.

Abb. 67, 68. Hl. Hieronymus / Hl. Ambrosius. Chor s II, 2d, 2e. Nürnberg, um 1477/78 (Werkstatt Michael Wolgemut). – Kat. S. 166.

Abb. 69, 70. Stifter Dr. Konrad Konhofer / Hl. Sebaldus. Chor s II, 1d, 1e. Nürnberg, um 1477/78 (Werkstatt Michael Wolgemut). – Kat. S. 163f.

Abb. 71, 72. Hl. Erasmus / Engel mit Portativ. Chor s II, 3f und 2f. Nürnberg, um 1477/78 (Werkstatt Michael Wolgemut). – Kat. S. 166f.

Abb. 73, 74. Hl. Pankratius / Hl. Stephanus. Chor s II, 3a und 1f. Nürnberg, um 1477/78 (Werkstatt Michael Wolgemut). – Kat. S. 164, 166.

Abb. 75, 76. Hl. Barbara / Hl. Margareta. Chor s II, 4a, 4b. Nürnberg, um 1477/78 (Werkstatt Michael Wo gemut). – Kat. S. 168.

Abb. 77, 78. Hl. Georg / Hl. Leonhard. Chor s II, 4e, 4f. Nürnberg, um 1477/78 (Werkstatt Michael Wolgemut). – Kat. S. 168f.

Abb. 79. Mystische Vermählung der Hl. Katharina. Chor s II, 4/5c/d. Nürnberg, um 1477/78 (Werkstatt Michael Wolgemut). – Kat. S. 168.

Abb. 80. Hl. Aegidius (Detail aus Abb. 83).

Abb. 81, 82. Hl. Christophorus / Hl. Sixtus. Chor s II, 6a, 6b. Nürnberg, um 1477/78 (Werkstatt Michael Wolgemut). – Kat. S. 171f.

Abb. 83, 84. Hl. Aegidius / Hl. Sebastian. Chor s II, 5a, 5b. Nürnberg, um 1477/78 (Werkstatt Michael Wolgemut). – Kat. S. 169f.

Abb. 85. Die erste Erscheinung des Hirten Hermann Leicht von Langheim. Chor s II, 6 z.
Nürnberg, um 1477/78 (Werkstatt Michael Wolgemut). – Kat. S. 172.

Abb. 86. Die zweite Erscheinung des Hirten Hermann Leicht von Langheim. Chor s II, 6d.
Nürnberg, um 1477/78 (Werkstatt Michael Wolgemut). – Kat. S. 172.

Abb. 87. Die Erscheinung der Vierzehn Nothelfer. Chor s II, 6e.
Nürnberg, um 1477/78 (Werkstatt Michael Wolgemut). – Kat. S. 172f.

Abb. 88. Hl. Veit (Detail aus Abb. 90).

Abb. 89. Hl. Nikolaus. Chor s II, 6f. Nürnberg, um 1477/78
(Werkstatt Michael Wolgemut). – Kat. S. 173.

Abb. 90, 91. Hl. Veit / Hl. Eustachius. Chor s II, 5e, 5f. Nürnberg, um 1477/78 (Werkstatt Michael Wolgemut). – Kat. S. 171.

Abb. 92. Maßwerkspitze mit Weltenrichter und Maria mit Johannes dem Täufer als Fürbittern (Deesis). Chor s II, 1BC, 1CD und 1DE.
Nürnberg, um 1477/78 (Werkstatt Michael Wolgemut). – Kat. S. 173–175.

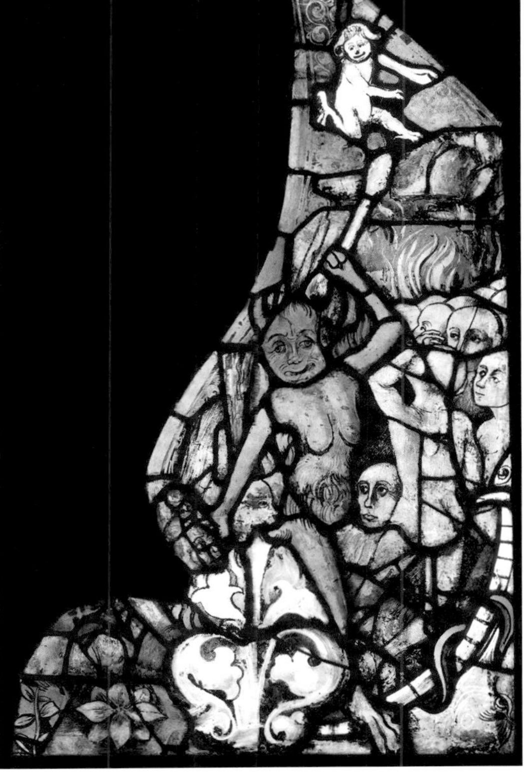

Abb. 93, 94. Hl. Petrus mit dem Zug der Seligen ins Paradies / Verdammte im Höllenschlund. Chor s II, 7b, 7e.
Nürnberg, um 1477/78 (Werkstatt Michael Wolgemut). – Kat. S. 173.

Abb. 95. Haller-Fenster. Chor nord III. Bamberg(?), um 1480. – Kat. S. 175–196.

Abb. 96. Einzug Christi in Jerusalem. Chor n III, 2a/b. Bamberg(?), um 1480. – Kat. S. 185.

Abb. 97, 98. Wappen Haller. Chor n III, 1a, 1b. Nürnberg, 1557/58. – Kat. S. 184.

Abb. 99. Fußwaschung. Chor n III, 2c/d. Bamberg(?), um 1480. – Kat. S. 185f.

Abb. 100, 101. Wappen Haller von Hallerstein. Chor n III, 1c, 1d. Nürnberg, 1655. – Kat. S. 184f.

Abb. 102. Gebet am Ölberg. Chor n III, 2e/f. Bamberg(?), um 1480. – Kat. S. 186.

Abb. 103, 104. Wappen Haller. Chor n III, 1e, 1f. Nürnberg, 1557/58 – Kat. S. 185.

Abb. 109. Kreuztragung. Chor n III, 4e/f. Bamberg(?), um 1480. – Kat. S. 190.

Abb. 110. Verhör durch Pilatus. Chor n III, 3e/f. Bamberg(?), um 1480. – Kat. S. 188.

Abb. 102. Gebet am Ölberg. Chor n III, 2e/f. Bamberg(?), um 1480. – Kat. S. 186.

Abb. 103, 104. Wappen Haller. Chor n III, 1e, 1f. Nürnberg, 1557/58. – Kat. S. 185.

Abb. 105. Geißelung Christi / Dornenkrönung und zweite Verspottung Christi. Chor n III, 4a, 4b. – Kat. S. 188f.

Abb. 106. Verhör durch Hannas. Chor n III, 3a/b. – Kat. S. 186f.
Bamberg(?), um 1480.

Abb. 107. Ecce Homo. Chor n III, 4c/d. Bamberg(?), um 1480. – Kat. S. 189.

Abb. 108. Verhör durch Kaiphas und Verspottung Christi. Chor n III, 3c/d. Bamberg(?), um 1480. – Kat. S. 187.

Abb. 109. Kreuztragung. Chor n III, 4e/f. Bamberg(?), um 1480. – Kat. S. 190.

Abb. 110. Verhör durch Pilatus. Chor n III, 3e/f. Bamberg(?), um 1480. – Kat. S. 188.

Abb. 111. Verspottung Christi (Ausschnitt aus Abb. 108).

Abb. 112. Kreuztragung (Ausschnitt aus Abb. 109).

Abb. 113. Beweinung Christi. Chor n III, 5a. Bamberg(?), um 1480. – Kat. S. 190f.

Abb. 114. Beweinung Christi. Chor n III, 5b. Bamberg(?), um 1480. – Kat. S. 190f.

Abb. 115. Kalvarienberg. Chor n III, 5/6c/d. Bamberg(?), um 1480. – Kat. S. 191f.

Abb. 116, 117. Christus in der Vorhölle / Auferstehung Christi. Chor n III, 6b, 6e. Bamberg(?), um 1480. – Kat. S. 193f.

Abb. 118. Grablegung Christi. Chor n III, 5e/f. Bamberg(?), um 1480 (Feld 5e Kopie von 1973). – Kat. S. 193.

Abb. 119. Monstranz, von Engeln verehrt. Chor n III, 1BC, 1CD und 1DE. Bamberg(?), um 1480. – Kat. S. 195f.

Abb. 120. Volckamer-Fenster. Chor süd III. Straßburger Werkstattgemeinschaft, um 1480/81. – Kat. S. 197–220.

Abb. 121. Stifterbild Peter Volckamer. Chor s III, 1a. Straßburger Werkstattgemeinschaft, um 1480/81. – Kat. S. 210.

Abb. 122. Stifterbilder der Barbara Volckamer geb. Melber und ihrer Töchter Veronika und Apollonia. Chor s III, 1e. Straßburger Werkstattgemeinschaft, um 1480/81. – Kat. S. 211.

Abb. 123, 124. Hll. Nikolaus und Sebald / Hll. Apollonia und Barbara. Chor s III, 1c, 1d. Straßburg, um 1480/81. – Kat. S. 210f.

Abb. 125, 126. Stifterbilder des Nikolaus Volckamer mit Sohn Sebald / Apollonia Volckamer geb. Mendel. Chor s III, 1b, 1f. Straßburger Werkstattgemeinschaft, um 1480/81. – Kat. S. 210f.

Abb. 127. Hl. Apollonia (Detail aus Abb. 124).

Abb. 128. Hl. Barbara (Detail aus Abb. 124).

Abb. 129. Schlafender Stammvater Jesse (Detail aus Abb. 132).

Abb. 130. Drachenkampf des Hl. Georg. Chor s III, 2/3a/b. Straßburger Werkstattgemeinschaft, um 1480/81. – Kat. S. 212.

Abb. 131. Marter des Hl. Sebastian. Chor s III, 2/3e/f. Straßburger Werkstattgemeinschaft, um 1480/81. – Kat. S. 215.

Abb. 132. Wurzel Jesse. Chor s III, 2/3c/d. Straßburger Werkstattgemeinschaft, um 1480/81. – Kat. S. 213–215.

Abb. 133. Wurzel Jesse (Salomon, Zacharias). Chor s III, 4b. Straßburger Werkstattgemeinschaft, um 1480/81. – Kat. S. 213–215.

Abb. 134. Mystische Vermählung der Hl. Katharina. Chor s III, 4c. Straßburger Werkstattgemeinschaft, um 1480/81. – Kat. S. 213–215.

Abb. 155. Mystische Vermählung der Hl. Katharina. Chor s III, 4d. Straßburger Werkstattgemeinschaft, um 1480/81. – Kat. S. 213–215.

Abb. 136. Wurzel Jesse (David, Sophonias). Chor s III, 4e. Straßburger Werkstattgemeinschaft, um 1480/81. – Kat. S. 213–215.

Abb. 137, 138. Hll. Johannes Evangelist und Ursula unter Baldachin / Hll. Dorothea und Andreas unter Baldachin. Chor s III, 4/5a und 4/5f. Straßburger Werkstattgemeinschaft, um 1480/81. – Kat. S. 215f.

Abb. 139. Architekturgesprenge mit Schmerzensmann und Schmerzensmutter, Gottvater mit Engelschören. Chor s III, 5–7b–e, 1BC, 1CD, 1DE.
Straßburger Werkstattgemeinschaft, um 1480/81. – Kat. S. 216–220.

Abb. 140. Gottvater (Detail aus Abb. 139.

Abb. 141. Engel (Detail aus Abb. 139).

Abb. 142. Hl. Dorothea (Detail aus Abb. 138).

Abb. 143. Apollonia Volckamer (Detail aus Abb. 122).

Abb. 144. Rieter-Fenster. Chor nord IV. Nürnberg oder Regensburg(?), um 1479. – Kat. S. 221–244.

Abb. 145. Die Kundschafter mit der Traube. Chor n IV, 2a/b. Nürnberg oder Regensburg(?), um 1479. – Kat. S. 238.

Abb. 146, 147. Wappen Rieter mit Beischilden. Chor n IV, 1a, 1b. Nürnberg oder Regensburg(?), um 1479. – Kat. S. 240f.

Abb. 148. Moses erteilt Josua den Befehl, das Volk Israels über den Jordan in das Gelobte Land zu führen. Chor n IV, 2c/d. – Kat. S. 238.

Abb. 149, 150. Wappen Rieter mit Beischilden. Chor n IV, 1c, 1d. – Kat. S. 241f.
Nürnberg oder Regensburg(?), um 1479.

Abb. 151, 152. Begräbnis Moses / Josua führt die Israeliten in das Gelobte Land. Chor n IV, 2e, 2f. – Kat. S. 239f.

Abb. 153, 154. Wappen Rieter mit Beischilden / Stifter Sebald und Peter Rieter vor Maria. Chor n IV, 1e, 1f. – Kat. S. 242–244.
Nürnberg oder Regensburg(?), um 1479.

Abb. 155. Durchzug durch das Rote Meer. Chor n IV, 3a. Nürnberg oder Regensburg(?), um 1479. – Kat. S. 235f.

Abb. 155. Durchzug durch das Rote Meer. Chor n IV, 3b. Nürnberg oder Regensburg(?), um 1479. – Kat. S. 235f.

Abb. 157. Gott schickt zehn Plagen über Ägypten. Chor n IV, 4c/d. Nürnberg oder Regensburg(?), um 1479. – Kat. S. 234f.

Abb. 158, 159. Moses empfängt die Zehn Gebote / Moses bringt die Gesetze zu den Israeliten. Chor n IV, 3c, 3d. – Kat. S. 236f.
Nürnberg oder Regensburg(?), um 1479.

Abb. 160. Die Israeliten fordern Gold- und Silbergeräte von ihren ägyptischen Nachbarn. Chor n IV, 4c/f. – Kat. S. 235.

Abb. 161. Tanz der Israeliten um das Goldene Kalb. Chor n IV, 3e/f. – Kat. S. 237f.
Nürnberg oder Regensburg(?), um 1479.

Abb. 162. Moses und Aaron vor dem Pharao. Chor n IV, 4a. Nürnberg oder Regensburg(?), um 1479. – Kat. S. 233f.

Abb. 163. Moses und Aaron vor dem Pharao. Chor n IV, 4b. Nürnberg oder Regensburg(?), um 1479. – Kat. S. 233f.

Abb. 164. Moses hütet die Herden seines Schwiegervaters Jitro. Chor n IV, 6a/b. Nürnberg oder Regensburg(?), um 1479. – Kat. S. 229f.

Abb. 165. Moses kehrt zurück nach Ägypten. Chor n IV, 5a/b. Nürnberg oder Regensburg(?), um 1479. – Kat. S. 232.

Abb. 166, 167. Berufung Moses / Verwandlung des Hirtenstabs in eine Schlange. Chor n IV, 6c, 6d. – Kat. S. 230f.

Abb. 168, 169. Zippora beschneidet ihren Sohn / Aaron geht Moses entgegen. Chor n IV, 5c, 5d. – Kat. S. 232f.
Nürnberg oder Regensburg(?), um 1479.

Abb. 170, 171. Rückverwandlung des Hirtenstabes / Abschied Moses von Jitro. Chor n IV, 6e, 6f. – Kat. S. 231.

Abb. 172. Moses und Aaron vor den Ältesten der Israeliten. Chor n IV, 5e/f. – Kat. S. 233.
Nürnberg oder Regensburg(?), um 1479.

Abb. 173. Gott erscheint Moses im brennenden Dornbusch (Berufung Moses). Chor n IV, 6/7b–d, 1BC, 1CD und 1DΞ.
Nürnberg oder Regensburg(?), um 1479. – Kat. S. 229.

Abb. 174, 175. Israeliten (Details aus Abb. 160 und 172).

Abb. 176. Moses (Detail aus Abb. 158).

Abb. 177. Kundschafter (Detail aus Abb. 145).

Abb. 178. Depotfenster Chor süd IV mit Beständen unterschiedlicher Provenienz (sogenanntes Schlüsselfelder-Fenster). – Kat. S. 245–255.

Abb. 179. Hl. Christophorus. Chor s IV, 6a. Nürnberg, um 1480
(Werkstatt Michael Wolgemut, von Kellner 1838 ergänzt).
Kat. S. 251.

Abb. 180. Taufe Christi. Chor s IV, 6b. Nürnberg, um 1480
(Werkstatt Michael Wolgemut, von Kellner 1838 ergänzt).
Kat. S. 252f.

Abb. 181. Rundwappen mit Allianz Schlüsselfelder/Landauer.
Chor s IV, 1b. Nürnberg, um 1600. – Kat. S. 248.

Abb. 182. Rundwappen mit Allianz Schlüsselfelder/Imhoff.
Chor s IV, 1c. Nürnberg, um 1600. – Kat. S. 248.

Abb. 183. Verhör des Hl. Christophorus. Chor s IV, 6c. Nürnberg,
um 1480 (Werkstatt Michael Wolgemut, von Kellner 1838 ergänzt).
Kat. S. 252.

Abb. 185. Rundwappen mit Allianz Schlüsselfelder/Stockamer.
Chor s IV, 1d. Nürnberg, um 1600. – Kat. S. 249.

Abb. 184. Sturz eines Götzenbildes. Chor s IV, 6d. Nürnberg, um
1480 (Werkstatt Michael Wolgemut, von Kellner 1838 ergänzt).
Kat. S. 253.

Abb. 186. Rundwappen mit Allianz Schlüsselfelder/Tucher.
Chor s IV, 1e. Nürnberg, um 1600. – Kat. S. 249.

Abb. 187. Architekturbekrönung der Erstverglasung, in der Maßwerkspitze Restscheiben unbekannter Provenienz: Maria mit Kind, Johannes der Evangelist und die Hl. Margareta. Chor s IV, 7b–e, 1BC, 1CD und 1DE. Nürnberg, um 1480 bzw. 1500 und 1838. – Kat. S. 255f.

Abb. 188. Besuch des Täufers im Gefängnis(?). Chor s IV, 6e. Nürnberg, um 1480 (Werkstatt Michael Wolgemut, von Kellner 1838 ergänzt). – Kat. S. 253.

Abb. 189. Hl. Johannes auf Patmos. Chor s IV, 6f. Nürnberg, um 1480 (Werkstatt Michael Wolgemut, von Kellner 1838 ergänzt). – Kat. S. 254.

Abb. 190. Reste einer Hostienmühle (ehem. Lorenz-Tucher-Fenster süd VI). Chor s IV, 2–4b–d. Nürnberg, um 1481 (Werkstatt Michael Wolgemut, von Kellner 1838 ergänzt). – Kat. S. 284–288.

Abb. 191. Dornenkrönung (ehem. Karmeliterkreuzgang?).
Chor s IV, 3e. Neuschöpfung Stephan Kellner, 1839. – Kat. S. 249.

Abb. 192. Ecce Homo (ehem. Karmeliterkreuzgang?).
Chor s IV, 4e. Nürnberg, um 1506. – Kat. S. 250.

Abb. 193. Wappen Nützel. Chor s IV, 2e. Nach 1614. – Kat. S. 249.

Abb. 194. Rundwappen mit Allianzen Grundherr/Ebner,
Schlüsselfelder/Tucher, Schlüsselfelder/Stockamer und
Grundherr/Tucher. Chor s IV, 5b–e. Um 1600. – Kat. S. 250f.

Abb. 195. Ecce Homo (Ausschnitt aus Abb. 192).

Abb. 196. Tucher-Fenster. Chor nord V. Nürnberg, um 1590/91 (Werkstatt Hans Stain nach Entwurf von Jost Amman). – Kat. S. 256–258.

Abb. 197. Gnadenstuhl, umgeben von Engeln mit Tucher-Wappen und musizierenden Engeln (Ausschnitt aus Abb. 196).

Abb. 198. Wappen Berthold Tuchers mit Beischilden Held/Holzschuher/Groland und Tucher-Familienwappen (Ausschnitt aus Abb. 196).

Abb. 199. Hirschvogel-Fenster. Chor süd V (Restscheiben der Erststiftung von 1456 und Glasgemälde unterschiedlicher Herkunft).
Kat. S. 259–269.

Abb. 200, 201. Wappen Hirschvogel mit Beischild Tetzel / Wappen Hirschvogel mit Beischilden Geuder und Eberhart. Chor s V, 1a, 1b. – Kat. S. 263.

Abb. 202, 203. Wappen Hirschvogel mit Beischild Eisenhuter / Wappen Hirschvogel mit Stifterinschrift. Chor s V, 1e, 1f. – Kat. S. 264.
Nürnberg, 1456 bzw. 1. Hälfte 16. Jahrhundert.

Abb. 204. Wappen Geuder.
Chor s V, 1c. Nürnberg, 1592. – Kat. S. 263.

Abb. 205. Engel mit Wappenallianz
Haller/Tucher. Chor s V, 1d.
Nürnberg, 1592. – Kat. S. 263f.

Abb. 206. Wappen Geuder mit Beischilden
Haller von Hallerstein und Tucher.
Chor s V, 6c. Nürnberg, 1592. – Kat. S. 264.

Abb. 207. Wappen Koler mit Beischilden
Tucher und Schlüsselfelder.
Ehemals im Stromer-Koler-Fenster
(Lhs. n XIV). Chor s V, 6b.
Nürnberg, 1505. – Kat. S. 379.

Abb. 208. Wappenallianz Hirschvogel/
Hölzel-Paumgartner.
Ehemals im Obergaden Chor SÜD V, 3c.
Chor s V, 6d. Nürnberg, 1540.
Kat. S. 309f.

Abb. 209. Wappenallianz Stromer/
Harsdörffer und Stromer/Glockengießer.
Ehemals Stromer-Koler-Fenster
(Lhs. n XIV). Chor s V, 6e.
Nürnberg, 1505. – Kat. S. 379f.

210. Allianz Nützel/Groß-Fürer, s V, 7b.

211. Allianz Nützel/Holzschuher, s V, 1BC.

212. Allianz Nützel/Hirschvogel, s V, 7d.

213. Allianz Nützel/Schopper, s V, 2b.

214. Allianz Nützel/Held, s V, 2c.

215. Allianz Nützel/Holzschuher, s V, 2d.

216. Allianz Nützel/Pömer, s V, 2e

217. Allianz Nützel/Groß-Fürer, s V, 7e

218. Allianz Nützel/Holzschuher, s V, 1DE.

219. Rundwappen Nützel. Chor s V, 1CD.
Nürnberg, um 1400–1420.

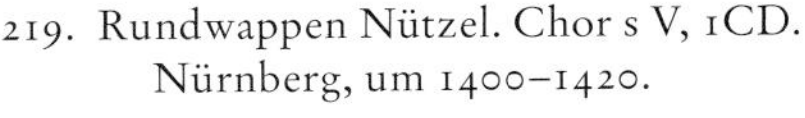
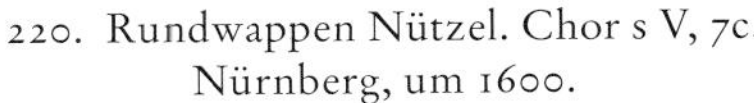

220. Rundwappen Nützel. Chor s V, 7c.
Nürnberg, um 1600.

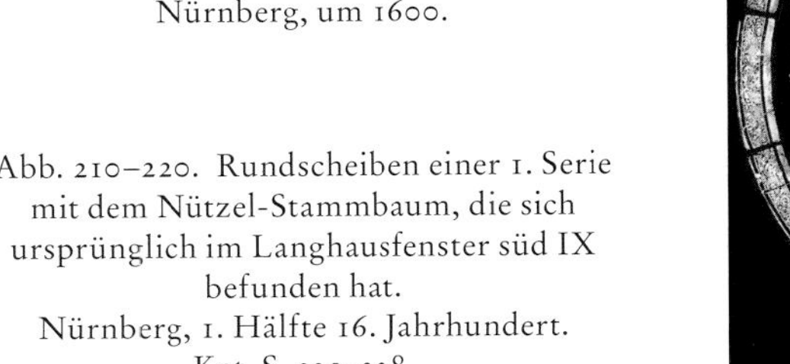

Abb. 210–220. Rundscheiben einer 1. Serie
mit dem Nützel-Stammbaum, die sich
ursprünglich im Langhausfenster süd IX
befunden hat.
Nürnberg, 1. Hälfte 16. Jahrhundert.
Kat. S. 335–338.

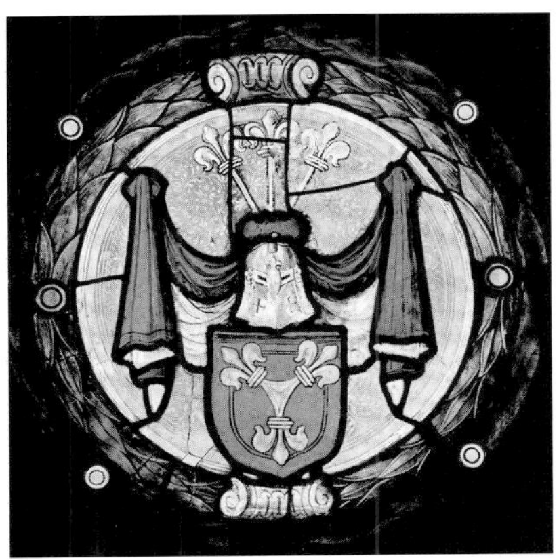

Abb. 221. Reste einer Heiligen Sippe unbekannter Provenienz. Chor s V, 3–5c–e. Nürnberg, um 1500 (Werkstatt Veit Hirsvogel). Kat. S. 265–269.

Abb. 222. Hl. Joachim (Detail aus Abb. 221).

Abb. 223. Salomas (Detail aus Abb. 221).

Abb. 224. Hl. Anna (Detail aus Abb. 221).

Abb. 225. Hl. Laurentius (ehem. Bestandteil der Peßler-Stiftung.
Chor S VI, 1c). Chor s V, 3b. Nürnberg, 4. V. 15. Jh. – Kat. S. 314.

Abb. 226. Paumgartner-Fenster. Chor nord VI, 6–8a–e, 1AB, 1BC und 1CD. Nürnberg, um 1456/57 (Werkstatt Hans Pleydenwurff).
Kat. S. 270–282.

Abb. 227, 228. Papst Sixtus II. wird gefangen genommen / Verhör des Papstes durch Kaiser Decius. Chor n VI, 6a, 6b. – Kat. S. 275f.

Abb. 229, 230. Laurentius wird in den Kerker gebracht(?) / Papst Sixtus wird abgeführt. Chor n VI, 6c, 6d. – Kat. S. 276f.
Nürnberg, um 1456/57 (Werkstatt Hans Pleydenwurff).

Abb. 231. Architekturprospekt mit Harfe spielendem Engel. Chor n VI, 7/8a/b. Nürnberg, um 1456/57 (Werkstatt Hans Pleydenwurff).
Kat. S. 277–279.

Abb. 232. Architekturprospekt mit Laute spielendem Engel. Chor n VI, 7/8c/d. Nürnberg, um 1456/57 (Werkstatt Hans Pleydenwurff). Kat. S. 279f.

Abb. 233. Thronende Maria mit Jesuskind, begleitet von adorierenden Engeln. Chor n VI, 1AB, 1BC und 1CD. Nürnberg, um 1456/57
(Werkstatt Hans Pleydenwurff). – Kat. S. 280.

Abb. 234, 235. Stifterbild Dr. Lorenz Tucher / Wappen Hans VI. Tucher. Chor s VI, 1a und 1d. Zürich 1601 (Hans Jakob Sprüngli). – Kat. S. 289.

Abb. 236. Tucher-Fenster. Chor süd VI. Zürich 1601 (Hans Jakob Sprüngli). – Kat. S. 283–291.

Abb. 237. Architekturrahmung. Chor s VI, 3–5a.
Zürich 1601 (Hans Jakob Sprüngli). – Kat. S. 289.

Abb. 238. Fama. Chor s VI, 6/7e.
Zürich 1601 (Hans Jakob Sprüngli).
Kat. S. 289.

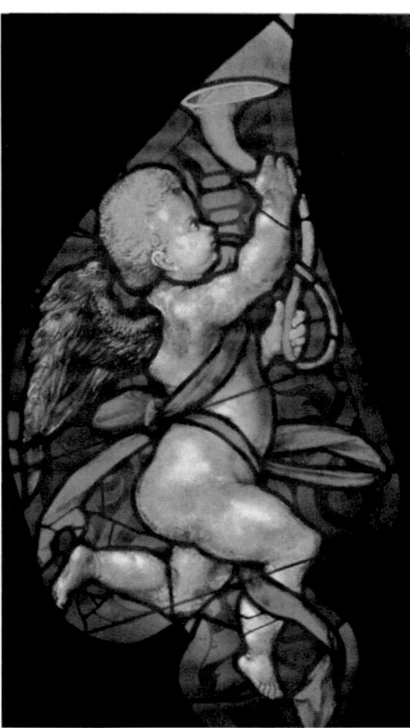

Abb. 239, 240. Putti mit Fanfaren
im Maßwerk zuseiten des Tucher-
Wappens. Chor s VI, 1DE, 1BC.
Zürich 1601 (Hans Jakob Sprüngli).
Kat. S. 289.

Abb. 241. Ehemals Ratsfenster. Chor H I (Depot für Einzelscheiben unterschiedlicher Herkunft). – Kat. S. 292–295.

Abb. 242. Wappen Pirckheimer mit Beischilden. Nürnberg, um 1480. Chor H I, 2a. – Kat. S. 301f.

Abb. 243. Wappen Pirckheimer mit Beischilden. Nürnberg, um 1480. Chor H I, 2d. – Kat. S. 302.

Abb. 244. Wappen Topler mit Beischilden Haller und Truchenschmid. Chor H I, 1a. Nürnberg, um 1475/80. – Kat. S. 308

Abb. 245. Hl. Laurentius mit Wappen Haller und Hallentauer. Chor H I, 1b. Nürnberg, um 1480. Kat. S. 304.

Abb. 246, 247. Begegnung an der Goldenen Pforte. Chor H I, 3b/c. Nürnberg, um 1505/06. – Kat. S. 293.

Abb. 248. Hl. Nikolaus. Chor H I, 1c. Nürnberg, um 1475/80. – Kat. S. 308.

Abb. 249. Wappen Koeler mit Beischild Stromer. Chor H I, 1d. Nürnberg, um 1475/80. – Kat. S. 316f.

Abb. 250. Wappen Pirckheimer und Praun.
Chor H I, 5b. – Kat. S. 398f.

Abb. 251. Wappen Winter und Ayrer.
Chor H I, 5c. – Kat. S. 392, 394.

Abb. 252. Wappen Harsdörffer mit Beischild Nützel.
Chor H I, 3a. – Kat. S. 391.

Abb. 253. Wappen Gugel.
Chor H I, 3d. – S. 316.

Abb. 254. Allianzwappen Straub/
Pirckheimer. Chor N II, 2a. – Kat. S. 296.

Abb. 255. Allianzwappen Imhoff/
Pirckheimer. Chor N II, 2b. – Kat. S. 296.

Abb. 256. Allianzwappen Imhoff/
Harsdörffer. Chor N II, 2c. – Kat. S. 296.

Abb. 257. Allianzwappen Linck/Straub.
Chor N II, 2d. – Kat. S. 296.

Abb. 258. Allianzwappen Fürer/Ebner-
Pömer. Chor S II, 2a. – S. 301.

Nürnberg, 2. Hälfte 16. Jahrhundert.

Abb. 259. Allianzwappen Löffelholz/Tetzel-
Heugel. Chor S II, 2d. – S. 301.

Abb. 260. Rundwappen Haller. Chor S II, 2c.
Nürnberg, 1511. – Kat. S. 300.

Abb. 261. Rundwappen Landauer. Chor S II, 2b.
Nürnberg, 1511. – Kat. S. 300.

Abb. 262. Kniender Stifter Wilhelm Haller. Chor N III, 2a. Nürnberg, um 1495/1500. – Kat. S. 299.

Abb. 263. Kniender Stifter Wilhelm Haller (Detail aus Abb. 262).

Abb. 264. Kniende Stifterin Margarete Groland.
Chor N III, 2d. Nürnberg, um 1495/1500. – Kat. S. 300.

Abb. 265. Wappen Haller. Chor N III, 2b. Nürnberg,
um 1495/1500. – Kat. S. 299.

Abb. 266. Wappen Groland. Chor N III, 2c.
Nürnberg, um 1495/1500. – Kat. S. 299f.

Abb. 267. Allianzwappen Volckamer/Mendel. Chor S III, 2b. Straßburger Werkstattgemeinschaft, um 1480/81. – Kat. S. 305.

Abb. 268. Wappen Rieter. Chor N IV, 2b.
Nürnberg, 1476. – Kat. S. 306.

Abb. 269. Wappen Volckamer. Chor S III, 2c.
Nürnberg, um 1480. – Kat. S. 307.

Abb. 270. Wappen Koeler. Chor S IV, 2b. – S. 307.

Abb. 271. Wappen Groland. Chor S IV, 2c. – S. 307.

17. Jahrhundert.

Abb. 272. Kniende Stifterin Brigitta geb. Poemer.
Chor N V, 2a. Nürnberg, 4. Viertel 15. Jh. – Kat. S. 312f.

Abb. 273. Kniende Stifterin Clara geb. Dintner.
Chor N V, 2b. Nürnberg, 4. Viertel 15. Jh. – Kat. S. 313.

Abb. 274. Wappen Pfinzing mit Beischild
Harsdörffer. Sakristei Nr. 6. 18. Jh.
Kat. S. 395.

Abb. 275. Rundscheiben mit Umschrift.
Sakristei Nr. 7. Um 1500. – Kat. S. 395.

Abb. 276. Wappengeviert
Nützel(Stromer)/Imhoff. Sakristei
Nr. 1. Um 1400. – Kat. S. 395.

Abb. 277. Kniender Stifter Siegmund Pessler.
Chor N V, 2e. Nürnberg, 4. Viertel 15. Jh. – Kat. S. 313.

Abb. 278. Wappen Schürstab. Chor S V, 2d. Nürnberg, um 1500.
Kat. S. 339f.

Abb. 279. Rundwappen Pirckheimer.
Sakristei Nr. 3. 16. Jh. – Kat. S. 395.

Abb. 280. Rundwappen Harsdörffer.
Sakristei Nr. 4. 19. Jh. – Kat. S. 395.

Abb. 281. Taube des Heiligen Geistes.
Sakristei Nr. 2. Nürnberg, um 1518/22
(Hirsvogel-Werkstatt nach Entwurf von
Hans von Kulmbach). – Kat. S. 395.

Abb. 282. Rundscheibe mit Wappenallianz Muffel/
Schlüsselfelder. Lhs. n VIII, 3b. Nürnberg, 1515. – Kat. S. 328.

Abb. 283. Rundscheibe mit Wappenallianz Muffel/Ayrer.
Lhs. n VIII, 3e. Nürnberg, 1515. – Kat. S. 329.

Abb. 284. Wappen Muffel mit Beischild Stromer.
Lhs. n VIII, 3c. Nürnberg, um 1400/10. – Kat. S. 358f.

Abb. 285. Wappen Muffel mit Beischild Reich.
Lhs. n VIII, 3d. Nürnberg, um 1400/10. – Kat. S. 359f.

Abb. 286. Osterlamm aus einem
Schürstab-Wappen. Lhs. s VIII, 1e.
Um 1500. – Kat. S. 340.

Abb. 287. Rundwappen für Christoph
Glockengießer (ehem. St. Jakob).
Lhs. s VIII, 4b. 1632. – Kat. S. 440.

Abb. 288. Rundwappen Glockengießer
(ehem. St. Jakob).
Lhs. s VIII, 4e. 1613. – Kat. S. 441.

Abb. 289. Christus vor Herodes(?)
(ehem. St. Jakob). Lhs. s VIII, 4c.
Nürnberg, um 1505. – Kat. S. 440f.

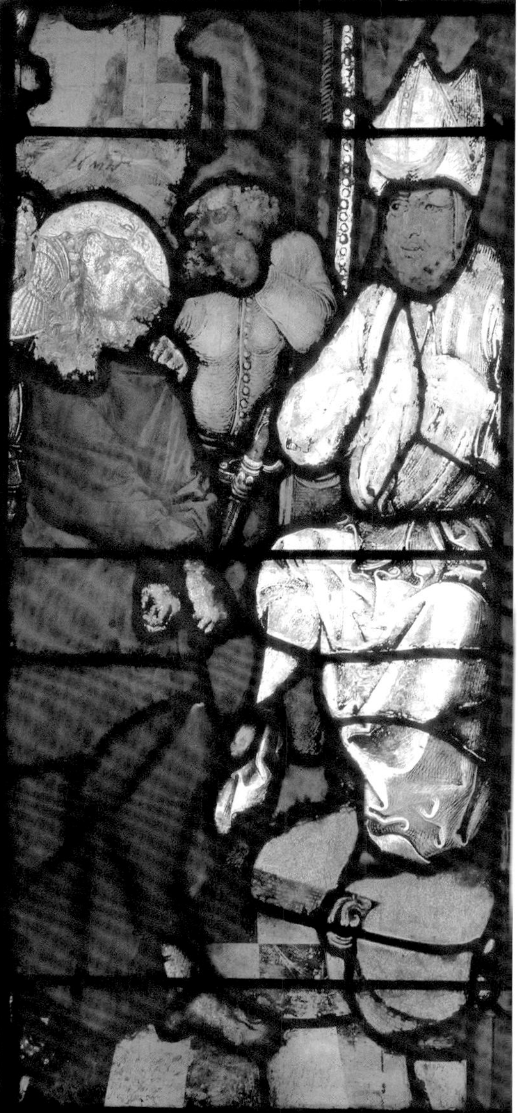

Abb. 290. Christus vor Kaiphas
(ehem. St. Jakob). Lhs. s VIII, 4d.
Nürnberg, um 1505. – Kat. S. 441.

Abb. 291. Rundwappen mit Allianz Muffel/Löffelholz-Tucher.
Lhs. n IX, 4b. Nürnberg, 1515. – Kat. S. 327.

Abb. 292. Rundwappen mit Allianz Löffelholz/Gugel.
Lhs. n IX, 4c. Nürnberg, 1. Viertel 17. Jh. – Kat. S. 376.

Abb. 293. Stifterbilder mit Wappen
Staudigel.
Lhs. s IX, 1a. – Kat. S. 332.

Abb. 294. Stifterpaar Staudigel/Eseler
mit Wappen.
Lhs. s IX, 1b. – Kat. S. 332.
Nürnberg, um 1390.

Abb. 295. Wappen Staudigel.
Lhs. s IX, 1c. – Kat. S. 333.

Abb. 296. Rundwappen mit Allianz Löffelholz/Giech.
Lhs. n IX, 4d. Nürnberg, 1. Viertel 17. Jh. – Kat. S. 376.

Abb. 297. Rundwappen mit Allianz Muffel/Laufamholz.
Lhs. n IX, 4e. Nürnberg, 1525. – Kat. S. 328.

Abb. 298. Wappen Nützel.
Lhs. s IX, 1d. – Kat. S. 333.

Abb. 299. Stifterpaar Peter Nützel und
Katharina geb. Schopper mit Wappen.
Lhs. s IX, 1e. – Kat. S. 333.
Nürnberg, um 1390.

Abb. 300. Stifterpaar Berthold Nützel und
Margarete geb. Grundherr mit Wappen.
Lhs. s IX, 1f. – Kat. S. 333f.

Abb. 301. Wappen Grundherr. Lhs. n X, 4c.
Nürnberg, um 1390/1400. – Kat. S. 324.

Abb. 302. Wappen Steinlinger mit Beischild Muffel.
Lhs. n X, 4d. Nürnberg, um 1400/10. – Kat. S. 360.

Abb. 303. Dreipassscheibe mit Hl. Sigismund und Wappen Fürer
und Holzschuher. Lhs. n XI, 2c. Nürnberg, um 1510/20. – Kat. S. 351.

Abb. 304. Dreipassscheibe mit Hl. Christophorus und Wappen
Fürer und Imhoff. Lhs. n XI, 2d. Nürnberg, um 1510/20. – Kat. S. 352.

Abb. 305. Langhausfenster süd X mit Rundwappen unterschiedlicher Provenienz (Pfinzing-Genealogie in den Mittellanzetten c und d,
ehemals St. Sebald, Pfinzing-Empore). – Kat. S. 341–344

Abb. 306. Christus segnet die Himmelkönigin Maria. Lhs. n XI, 1c/d. Nürnberg, um 1390/1400. – Kat. S. 347f.

Abb. 307. Rundwappen mit Allianz Schnöd/Nützel (oder Schnöd/Stromer) bzw. Schnöd/Ebner. Lhs. n XI, 2a/ b.
Nürnberg, um 1520. – Kat. S. 348.

Abb. 308. Rundwappen mit Allianz Schnöd/Ruhwein bzw. Schnöd/Staiber. Lhs. n XI, 2e/f.
Nürnberg, um 1520. – Kat. S. 348f.

Abb. 309. Langhausfenster süd XI. Ehemals Stromer-Fenster mit Wappenscheiben aus der Spitalkirche Heilig-Geist. – Kat. S. 352.

Abb. 310. Wappen Imhoff. Lhs. n XII (Imhoff-Empore), 3c/d. Nürnberg, 1571. – Kat. S. 356f.

Abb. 311. Wappen Imhoff mit Beischilden Groß bzw. Pfinzing und Schürstab. Lhs. n XII (Imhoff-Empore), 2c/d.
Nürnberg, um 1390/1400. – Kat. S. 355f.

Abb. 312. Kopfscheibe mit Allianzwappen für Wilhelm Imhoff.
Lhs. n XII (Imhoff-Empore), 3a. 1649. – Kat. S. 356.

Abb. 313. Kopfscheibe mit Allianzwappen für Johann Hieronymus
Imhoff. Lhs. n XII (Imhoff-Empore), 3f. 1649. – Kat. S. 357.

Abb. 314. Rundscheibe mit Allianz Imhoff/Pfinzing.
Lhs. n XII (Imhoff-Empore), 3b. 1642. – Kat. S. 356.

Abb. 315. Rundscheibe mit Allianzen Imhoff/Löffelholz, Imhoff/
Scheurl und Imhoff/Haller. Lhs. n XII, 3e. 1642. – Kat. S. 357.

Abb. 316. Allianzwappen Imhoff/Gienger. Lhs. n XII, 4a.
Um 1600. – Kat. S. 357.

Abb. 317. Allianzwappen Imhoff/Rain. Lhs. n XII, 4f.
Nürnberg, um 1400/10. – Kat. S. 357.

Abb. 318. Kniende Stifterinnen mit Wappen Holzschuher und Klieber. Lhs. s XII, 3b. – Kat. S. 349.

Abb. 319. Kniender Stifter Konrad Schnöd. Lhs. s XII, 3c. – Kat. S. 350.

Abb. 320. Kniender Stifter Schnöd. Lhs. s XII, 3d. Nürnberg, um 1390/1400. – Kat. S. 350.

Abb. 321. Kniender Stifter Schnöd. Lhs. s XII, 3e. Nürnberg, um 1390/1400. – Kat. S. 350.

Abb. 322. Kniende Stifterin geb. Holzschuher (Detail aus Abb. 318).

Abb. 323. Kniender Stifter Schnöd (Detail aus Abb. 320).

Abb. 324. Löffelholz-Fenster. Lhs. süd XIII. Entwurf Hans Baldung Grien, Ausführung Werkstatt Veit Hirsvogel, 1506. – Kat. S. 360–376.

Abb. 325. Hl. Johannes der Täufer (Detail aus Abb. 327).

Abb. 326. Hl. Katharina (Detail aus Abb. 328).

Abb. 327. Hl. Johannes der Täufer. Lhs. s XIII, 1a. – Kat. S. 369.

Abb. 328. Hl. Katharina. Lhs. s XIII, 1f. – Kat. S. 371f.

Entwurf Hans Baldung Grien, Ausführung Werkstatt Veit Hirsvogel, 1506.

Abb. 329. Wappen Löffelholz mit Beischild
Hassfurter. Lhs. s XIII, 1b. – Kat. S. 369f.

Abb. 330. Wappen Löffelholz mit Beischild Haid.
Lhs. s XIII, 1c. – Kat. S. 370.

Abb. 331. Wappen Löffelholz mit Beischild
Paumgartner. Lhs. s XIII, 1d. – Kat. S. 370f.

Abb. 332. Wappen Löffelholz mit Beischild Dintner.
Lhs. s XIII, 1e. – Kat. S. 371.

Abb. 333. Astwerkrahmung (Auschnitt aus Abb. 329).

Abb. 334. Helmzier (Auschnitt aus Abb. 330).

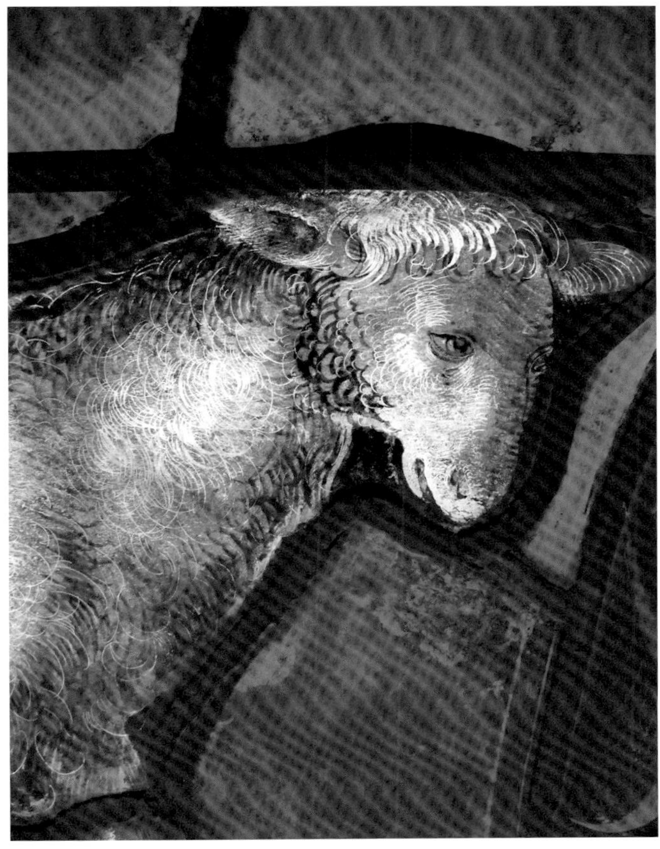

Abb. 335. Lamm (Auschnitt aus Abb. 329).

Abb. 336. Lamm (Auscnitt aus Abb. 332).

Abb. 337. Verkündigung an Maria.
Lhs. s XIII, 2a. Hans Baldung Grien/
Werkstatt Veit Hirsvogel,
1506. – Kat. S. 372f.

Abb. 338. Verkündigung an Maria.
Lhs. s XIII, 2b. Hans Baldung Grien/
Werkstatt Veit Hirsvogel, 1506.
– Kat. S. 372f.

Abb. 339. Geburt Christi. Lhs. s XIII, 2c.
Hans Baldung Grien/Werkstatt Veit Hirsvogel,
1506. – Kat. S. 373f.

Abb. 340. Geburt Christi. Lhs. s XIII, 2d.
Hans Baldung Grien/Werkstatt Veit Hirsvogel, 1506. – Kat. S. 373f.

Abb. 341. Anbetung der Könige. Lhs.
s XIII, 2e. Hans Baldung Grien/Werkstatt
Veit Hirsvogel, 1506. – Kat. S. 374f.

Abb. 342. Anbetung der Könige. Lhs. s XIII, 2f. Hans Baldung Grien/Werkstatt Veit Hirsvogel, 1506. – Kat. S. 374f.

Abb. 343, 344. Anbetung der Könige (Details aus Abb. 342).

Abb. 345. Anbetung der Könige (Detail aus Abb. 341).

Abb. 346. Geburt Christi (Detail aus Abb. 340).

Abb. 347. Rundwappen Nützel oder
Stromer. Lhs. n XIV, 1a. – Kat. S. 377.

Abb. 348. Rundwappen mit Allianz Behaim/
Pfinzing. Lhs. n XIV, 1b. – Kat. S. 377.
Nürnberg, 2. Hälfte 15. Jh. bzw. um 1600.

Abb. 349. Rundwappen mit Allianz
Löffelholz/Harsdörffer. Lhs. n XIV, 1c.
Kat. S. 377.

Abb. 350. Rundwappen mit Allianz Kress/
Haller v. Hallerstein. Lhs. n XIV, 1d.
Kat. S. 378.

Abb. 351. Rundwappen Hayd.
Lhs. n XIV, 1e. – Kat. S. 378.
Nürnberg, um 1600

Abb. 352. Rundwappen Volckamer.
Lhs. n XIV, 1f. – Kat. S. 378.

Abb. 353. Vierpass mit großem Nürnberger
Stadtwappen. Lhs. n XIV, 2b.
Kat. S. 378

Abb. 354. Vierpass mit Wappen Kaiser
Maximilians I. Lhs. n XIV, 2c. – Kat. S. 378.

Nürnberg, um 1510/20.

Abb. 355. Vierpass mit kleinem
Nürnberger Stadtwappen. Lhs. n XIV, 2d.
Kat. S. 378.

Abb. 356. Schmidmayer-Fenster. Lhs. süd XIV, 3/4a–f. Entwurf Albrecht Dürer, Ausführung Werkstatt Veit Hirsvogel, 1509. – Kat. S. 381–391.

Abb. 357. Wappen Schmidmayer mit
Beischild Frank. Lhs. s XIV, 3a.
Kat. S. 386.

Abb. 358. Wappen Marb mit Beischild
Schmidmayer. Lhs. s XIV, 3b.
Kat. S. 386.

Abb. 359. Wappen Schmidmayer mit Beischilden Lochner, Schönfelder und Perck-
meister. Lhs. s XIV, 3c. – Kat. S. 387.

Abb. 360. Wappen Schmidmayer mit
leerem Beischild. Lhs. s XIV, 3d.
Kat. S. 387.

Abb. 361. Wappen Schmidmayer mit
gestörtem Beischild (ehem. Letscher).
Lhs. s XIV, 3e. – Kat. S. 387.

Abb. 362. Wappen Schmidmayer mit
Beischilden Fütterer und Welser.
Lhs. s XIV, 3f. – Kat. S. 387f.

Abb. 363. Papst Sixtus vertraut
Laurentius das Kirchenvermögen an.
Lhs. s XIV, 4a.
Albrecht Dürer/Werkstatt Veit
Hirsvogel, 1509. – Kat. S. 388.

Abb. 364. Laurentius verteilt Almosen an die
Armen der Stadt Rom. Lhs. s XIV, 4b.
Albrecht Dürer/Werkstatt Veit Hirsvogel,
1509. – Kat. S. 389.

Abb. 365. Der Sturz des Götzenbildes. Lhs.
s XIV, 4c. Albrecht Dürer/Werkstatt Veit
Hirsvogel, 1509. – Kat. S. 389f.

Abb. 366. Verhör des Heiligen durch
Kaiser Valerian. Lhs. s XIV, 4d. Albrecht
Dürer/Werkstatt Veit Hirsvogel, 1509.
Kat. S. 390.

Abb. 367. Marter des Hl. Laurentius
auf dem glühenden Rost. Lhs. s XIV, 4e.
Albrecht Dürer/Werkstatt Veit Hirsvogel,
1509. – Kat. S. 390.

Abb. 368. Marter des Hl. Laurentius auf dem
glühenden Rost. Lhs. s XIV, zf. Albrecht
Dürer/Werkstatt Veit Hirsvogel, 1509.
Kat. S. 390.

Abb. 369. Papst Sixtus vertraut Laurentius das Kirchenvermögen an (Ausschnitt aus Abb. 363).

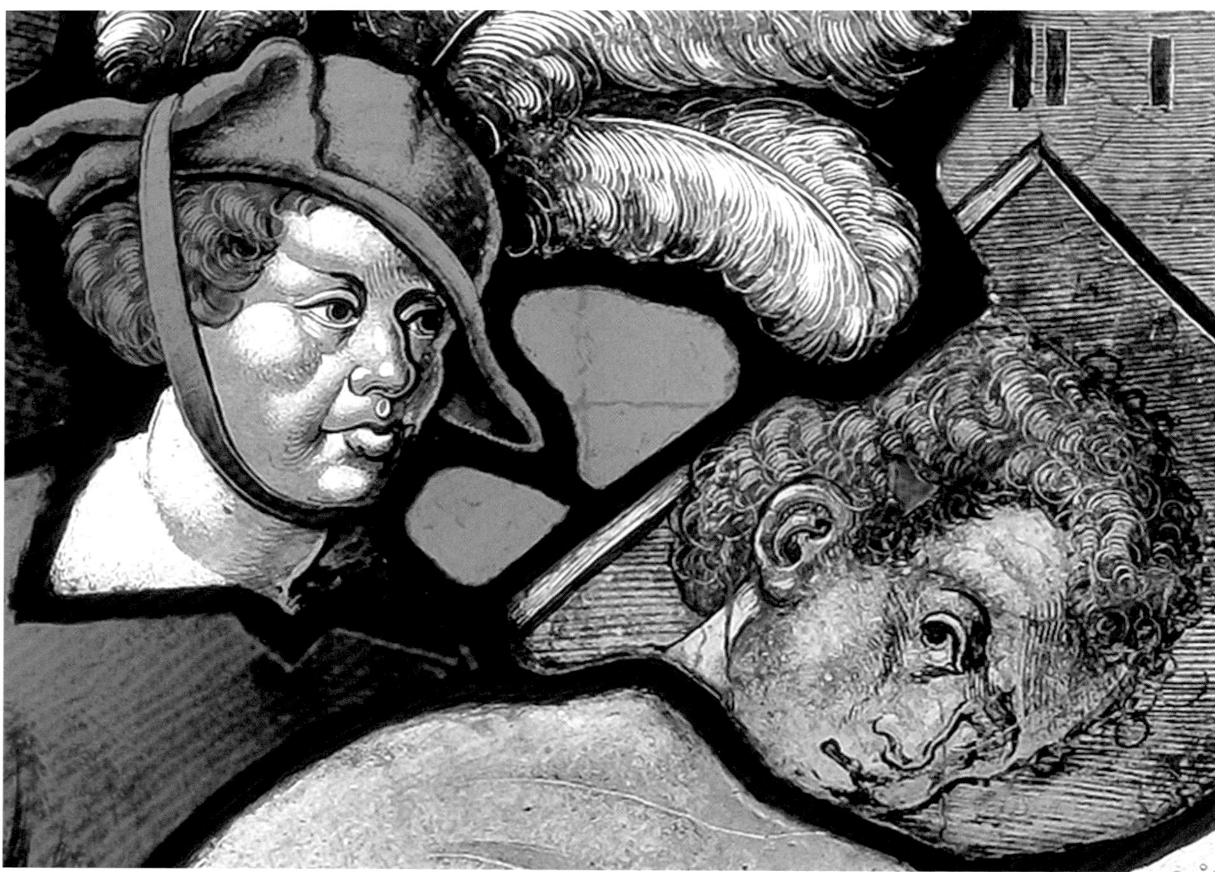

Abb. 370. Marter des Hl. Laurentius auf dem glühenden Rost (Ausschnitt aus Abb. 367).

Abb. 371. Westrose. Nürnberg(?), um 1360/70. – Kat. S. 91–105.

Abb. 372. Geburt Marias.
Coburg, Kunstsammlungen
der Veste. Nürnberg, um 1513
(Werkstatt Veit Hirsvogel).
Kat. S. 403f.

Abb. 373. Geburt Marias. Coburg, Kunstsammlungen der Veste. Nürnberg, um 1513 (Werkstatt Veit Hirsvogel). – Kat. S. 403f.

Abb. 374. Geburt Christi und
Anbetung der Hirten. Coburg,
Kunstsammlungen der Veste.
Nürnberg, um 1513 (Werkstatt Veit
Hirsvogel). – Kat. S. 404f.

Abb. 375 Geburt Christi und Anbetung der Hirten. Coburg, Kunstsammlungen der Veste. Nürnberg, um
1513 (Werkstatt Veit Hirsvogel).
Kat. S. 404f.

Abb. 376. Rundwappen Praun/Gamersfelder.
Chor I, 5a. Um 1600. – Kat. S. 418.

Abb. 377. Rundwappen Murr/Pfinzing.
Chor I, 5d. 1615. Kat. S. 418.

Abb. 378. Strahlenkranzmadonna. Chor I, 5b.
Nürnberg, Ende 15. Jh. – Kat. S. 418.

Abb. 379. Strahlenkranzmadonna. Chor I, 5c.
Nürnberg, 1513 (Hirsvogel-Werkstatt). – Kat. S. 418.

Abb. 380. Wappen Gugel/N.N./Engel. Chor I, 6a.
1. Hälfte 17. Jh. – Kat. S. 419.

Abb. 381. Wappen Büchner. Chor I, 6d.
1568. – Kat. S. 419.

Abb. 382. Hl. Elisabeth. Chor I, 6b. Nürnberg, um
1513 (Hirsvogel-Werkstatt). – Kat. S. 419.

Abb. 383. Wappen Maurer mit Beischild
Glockengießer. Chor I, 6c. Nürnberg,
Anfang 16. Jh. (Hirsvogel-Werkstatt). – Kat. S. 419.

Abb. 384. Wappen Tetzel. Chor I, 7a. Nürnberg, um 1513 (Hirsvogel-Werkstatt). – Kat. S. 419f.

Abb. 385. Allianzwappen Imhoff/Pfinzing. Chor I, 7c. Nürnberg, 1658. – Kat. S. 420.

Abb. 386. Wappen Tetzel. Chor I, 7d. Nürnberg, um 1513 (Hirsvogel-Werkstatt). Kat. S. 420.

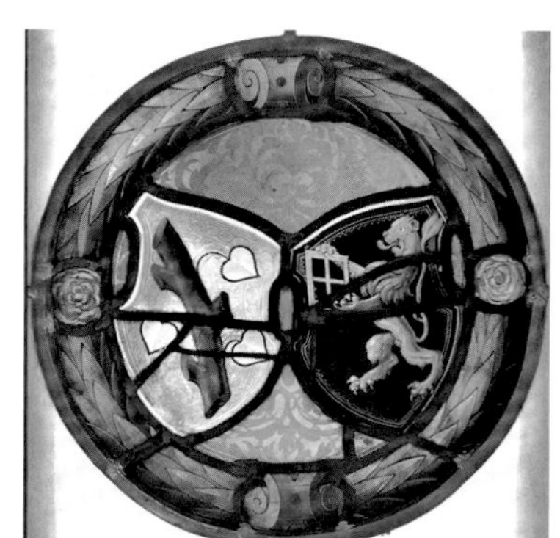

Abb. 387–392. Wappen Tetzel/Hatzolt, I, 8a, um 1600 / Wappen Murr, I, 8d, E. 16. Jh. / Wappen Murr/Tucher, I, 9a, 1648 / Wappen Bayr(?), I, 9b, um 1600 / Wappen Praun/Raming, I, 9d, um 1600 / Wappen Murr/Furtenbach, I, 10a, 1686. – Kat. S. 421.

Abb. 393. Gefangennahme Christi. Chor I, 7b. Nürnberg, vor 1508
(Hirsvogel-Werkstatt). – Kat. S. 420.

Abb. 394. Wappen Murr/Tetzel. Chor I, 10d.
Nürnberg, 1648. – Kat. S. 422.

Abb. 395. Wappen Volckamer. Chor I, 8b.
Nürnberg, Anfang 16. Jh. (Hirsvogel-Werkstatt).
Kat. S. 421.

Abb. 396. Wappen Pirckheimer. Chor I, 8c.
Nürnberg, um 1500 (Hirsvogel-Werkstatt).
Kat. S. 421.

Abb. 397. Wappen Staiber. Chor I, 9c.
Nürnberg, 1. Hälfte 16. Jh., Rahmung später.
Kat. S. 421.

Abb. 398, 399. Rundwappen Praun und Rundwappen mit Hausmarke. Chor I, 10b, 10c. .
Nürnberg, um 1510/20 (Hirsvogel-Werkstatt). – Kat. S. 421f.

Abb. 400–408. Wappen Schlüsselfelder/Landauer, n II, 3a, nach 1583 / Wappen Fürleger/Baldinger, n II, 3b, um 1600 / Wappen Fürleger mit
Beischilden N.N., n II, 3c, nach 1625 / Wappen Fürleger/Grundherr, n II, 2a, 1. H. 17. Jh. / Wappen Dillherr/von Werda/Held, n II, 2b, 1. H.
17. Jh. / Wappen Fürleger/N.N., n II, 2c, 1. H. 17. Jh. / Wappen Bernbeck/Hopfer(?), n II, 1a, 1570 / Wappen Nöttel/Bernbeck, n II, 1b, 1570 /
Wappen Bernbeck/N.N., n II, 1c, 1570. – Kat. S. 422f.

Abb. 409. Wappen Schwarz. Chor n II,
6a. Nürnberg, 1513. – Kat. S. 423f.

Abb. 410. Allianzwappen Praun/Gall. Chor n II, 6b.
Nürnberg, um 1510/20. – Kat. S. 424.

Abb. 411. Wappen Schwarz. Chor n II, 6c.
Nürnberg, 1513. – Kat. S. 424.

Abb. 412. Wappenallianz Paumgartner/
Oertel. Chor n II, 5a. Ende 16. Jh.
Kat. S. 282.

Abb. 413. Wappenallianz Paumgartner/
Dichtel. Chor n II, 5b. Ende 16. Jh.
Kat. S. 282.

Abb. 414. Wappenallianz Paumgartner/
Trautskirchner. Chor n II, 5c.
Ende 16. Jh. – Kat. S. 282.

Abb. 415. Wappenallianz Schlüsselfelder/
Stockamer. Chor n II, 4a. Ende 16. Jh.
Kat. S. 423.

Abb. 416. Wappenallianz Schlüsselfelder/
Imhoff. Chor n II, 4b. Ende 16. Jh.
Kat. S. 423.

Abb. 417. Wappenallianz Schlüsselfelder/
Tucher. Chor n II, 4c. Ende 16. Jh.
Kat. S. 423.

Abb. 418. Wappen Fürleger mit Beischild
Strobel. Chor n II, 8a. Nürnberg, 1. Viertel
16. Jh., mit Ergänzungen von 1570(?).
Kat. S. 426.

Abb. 419. Wappen Staiber mit Beischild
Kolb. Chor n II, 8b. Nürnberg, um 1500
(Hirsvogel-Werkstatt).
Kat. S. 426f.

Abb. 420. Wappen Fürleger mit Beischild
Müllner zu Kynsberg. Chor n II, 8c.
Nürnberg, 1. Viertel 16. Jh.
Kat. S. 427.

Abb. 421. Wappen Fürer. Chor n II, 7a.
Nürnberg, 1513 (Hirsvogel-Werkstatt).
Kat. S. 424.

Abb. 422. Hll. Barbara und Konrad.
Chor n II, 7b. Nürnberg, um 1495
(Hirsvogel-Werkstatt).
Kat. S. 425.

Abb. 423. Wappen Holzschuher.
Chor n II, 7c. Nürnberg, 1513
(Hirsvogel-Werkstatt).
Kat. S. 425.

Abb. 424. Wappen Tetzel. Chor n II, 2B. 1. Viertel 16. Jh. – Kat. S. 428

Abb. 425–427. Wappendreiheit der Stadt Nürnberg. Chor n II, 10a–c. 17. Jh. – Kat. S. 428.

Abb. 428. Wappen Schlüsselfelder. Chor n II, 9a. Nürnberg, um 1520 (Hirsvogel-Werkstatt). – Kat. S. 427.

Abb. 430. Wappen Schlüsselfelder. Chor n II, 9c. Nürnberg, um 1520 (Hirsvogel-Werkstatt). – Kat. S. 428.

Abb. 429. Auferstehung Christi. Chor n II, 9b. Ende 16. Jh. – Kat. S. 427.

Abb. 431. Hl. Antonius Abbas. Chor
s II, 3a. Nürnberg, um 1500 (Hirsvogel-
Werkstatt). – Kat. S. 429f.

Abb. 432. Verkündigung an Maria. Chor s II, 3b/c. Nürnberg, um 1490/1500
(Hirsvogel-Werkstatt). – Kat. S. 430.

Abb. 433. Wappen Schwarz mit Beischild
N.N. Chor s II, 2a. Nürnberg, 1513
(Hirsvogel-Werkstatt). – Kat. S. 428.

Abb. 434. Wappen Kiefhaber mit Beischild
Krell. Chor s II, 2b. Nürnberg, um 1500/05
(Hirsvogel-Werkstatt). – Kat. S. 428f.

Abb. 435. Wappen Schwarz mit Beischild
Maurer. Chor s II, 2c. Nürnberg, 1513
(Hirsvogel-Werkstatt). – Kat. S. 429.

Abb. 436. Hl. Jakobus der Ältere. Chor s II, 4a. Nürnberg, um 1497–1502 (Hirsvogel-Werkstatt). – Kat. S. 430f.

Abb. 437. Hl. Jakobus der Ältere (Detail aus Abb. 436).

Abb. 438. Hl. Jakobus der Ältere (Detail aus Abb. 440).

Abb. 439. Auferstehung Christi. Chor s II, 4b. Nürnberg, um 1507 (Hirsvogel-Werkstatt). – Kat. S. 431f.

Abb. 440. Hl. Jakobus der Ältere. Chor s II, 4c. Nürnberg, 1497 (Hirsvogel-Werkstatt). – Kat. S. 432.

Abb. 441. Hll. Sebald und Wolfgang. Chor s II, 5a. Nürnberg, um 1500/05 (Hirsvogel-Werkstatt`. – Kat. S. 432.

Abb. 442. Taufe Christi. Chor s II, 5b. Nürnberg, um 1495/1500 (Hirsvogel-Werkstatt). – Kat. S. 432f.

Abb. 443. Taufe Christi (Ausschnitt aus Abb. 442).

Abb. 444. Hl. Sebald (Ausschnitt aus Abb. 441).

Abb. 445. Taufe Christi (Ausschnitt aus Abb. 442).

Abb. 446. Hl. Antonius Abbas (Ausschnitt aus Abb. 432).

Abb. 447. Hl. Laurentius (Ausschnitt aus Abb. 449).

Abb. 448. Wilder Mann (Ausschnitt aus Abb. 433).

Abb. 449. Hll. Laurentius und Hieronymus. Chor s II, 5c.
Nürnberg, um 1495/1500 (Hirsvogel-Werkstatt). – Kat. S. 433.

Abb. 450. Hl. Klara. Chor s II, 6a. Nürnberg, um 1513(?)
(Hirsvogel-Werkstatt). – Kat. S. 434.

Abb. 451. Hl. Anna Selbdritt (Ausschnitt aus Abb. 453).

Abb. 452. Hl. Matthias (Ausschnitt aus Abb. 454).

Abb. 453. Hl. Anna Selbdritt. Chor s II, 6b. Nürnberg, um
1495/1500 (Hirsvogel-Werkstatt). – Kat. S. 434.

Abb. 454. Hl. Matthias. Chor s II, 6c. Nürnberg, um
1497–1502 (Hirsvogel-Werkstatt). – Kat. S. 434f.

Abb. 455. Wurzel Jesse. Chor s II, 7–10a–c. Nürnberg, um 1500 (Hirsvogel-Werkstatt). – Kat. S. 435–437.

Abb. 456. Stammvater Josaphat aus der Wurzel Jesse
(Ausschnitt aus Abb. 455).

Abb. 457. Stammvater Manasse aus der Wurzel Jesse
(Ausschnitt aus Abb. 459).

Abb. 458. Stammvater Jesse aus der Wurzel Jesse
(Ausschnitt aus Abb. 455).

Abb. 459. Manasse und Josias aus der Wurzel Jesse
(Ausschnitt aus Abb. 455).

Abb. 460. Stammvater Ezechias aus der Wurzel Jesse
(Ausschnitt aus Abb. 462).

Abb. 461. König David aus der Wurzel Jesse
(Ausschnitt aus Abb. 463).

Abb. 462. (S)inon, Achas und Ezechias aus der Wurzel
Jesse (Ausschnitt aus Abb. 455).

Abb. 463. Asa, David und Salomon aus der Wurzel Jesse
(Ausschnitt aus Abb. 455).

Abb. 464. Thronende Maria mit dem Jesusknaben aus der Wurzel Jesse (Ausschnitt aus Abb. 455).

Abb. 465. Rundwappen Kress/Viatis. Chor s II, 11a.
1650. – Kat. S. 437.

Abb. 466. Rundwappen Staiber. Chor s II, 11b, links.
Nürnberg, um 1500. – Kat. S. 437.

Abb. 467. König Salomon aus der Wurzel Jesse
(Ausschnitt aus Abb. 455).

Abb. 468. Architekturbekrönung. Chor s II, 10a.
(Ausschnitt aus Abb. 455).

Abb. 469. Rundwappen Kolb. Chor s II, 11b, rechts.
Nürnberg, um 1500. – Kat. S. 437.

Abb. 470. Rundwappen Kress/Viatis. Chor s II, 11c.
1650. – Kat. S. 437.

Abb. 471. Architekturbekrönung. Chor s II, 10b.
(Ausschnitt aus Abb. 455).

Abb. 472. Architekturbekrönung. Chor s II, 10c.
(Ausschnitt aus Abb. 455).

Abb. 473. Rundwappen Pültz.
Chor s III, 1a.
1596. – Kat. S. 438.

Abb. 474. Rundwappen Dillherr mit
Beischilden Fürleger. Chor s III, 1b.
2. Drittel 17. Jahrhundert. – Kat. S. 438.

Abb. 475. Rundwappen Kneutzel.
Chor s III, 1c.
1596. – Kat. S. 438.

Abb. 476. Rundwappen Kiener (Künner).
Chor s III, 2a.
1594. – Kat. S. 438.

Abb. 477. Rundwappen Prünsterer(?).
Chor s III, 2b.
1570. – Kat. S. 438.

Abb. 478. Rundwappen Murr.
Chor s III, 3b.
Ende 16. Jahrhundert. – Kat. S. 438.

Abb. 479. Rundwappen mit Allianz
Fürleger/Gutteter. Chor s IV, 1a.
1586(?). – Kat. S. 439.

Abb. 480. Rundwappen mit Allianz
Fürleger/Fürnberger. Chor s IV, 1b.
1590. – Kat. S. 439.

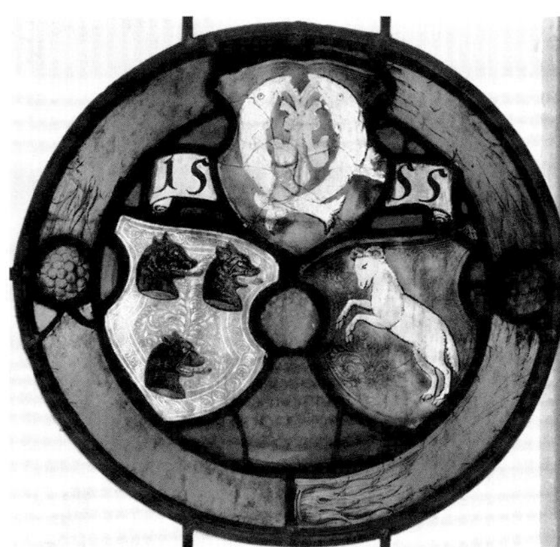

Abb. 481. Rundwappen mit Allianz
Fürleger/Bernbeck-N.N. Chor s VI, 1a.
1555. – Kat. S. 440.

Abb. 482. Rundwappen mit Allianz Praun/
von Reigersberg. Chor s V, 1a.
2. Drittel 16. Jahrhundert. – Kat. S. 439.

Abb. 483. Rundwappen mit Allianz Praun/
Pusch-N.N. Chor s V, 1b.
2. Drittel 16. Jahrhundert. – Kat. S. 439.

Abb. 484. Rundwappen mit Allianz Praun/
Schwarz-Ayrer. Chor s VI, 1b.
2. Drittel 16. Jahrhundert. – Kat. S. 440.

Abb. 485. Die Bekehrung von Faustina und Porphyrius durch die Hl. Katharina im Gefängnis (ehem. Praun'sches Fenster, Chor n IV).
Hamburg, Museum für Kunst und Gewerbe. Nürnberg, um 1515/16 (Hans von Kulmbach/Werkstatt Veit Hirsvogel). – Kat. S. 442f.

Abb. 486. Vierpassscheibe mit Wappen Fütterer.
GNM, MM 125.
Nürnberg, um 1495/1500 (Hirsvogel-Werkstatt). – Kat. S. 451f.

Abb. 487. Vierpassscheibe mit Wappen Rütz.
GNM, MM 126.
Nürnberg, um 1495/1500 (Hirsvogel-Werkstatt). – Kat. S. 452.

Abb. 488. Alphäus und Maria Kleophae aus der Heiligen Sippe.
BNM, Inv. Nr. G 1010.
Nürnberg, um 1500 (Hirsvogel-Werkstatt). – Kat. S. 452.

Abb. 489. Hll. Jakobus der Jüngere, Simon und Joseph Justus
aus der Heiligen Sippe. BNM, Inv. Nr. G 1009.
Nürnberg, um 1500 (Hirsvogel-Werkstatt). – Kat. S. 453.

Abb. 490. Rundscheibe mit Hl. Sigismund und
den Wappen Oertel und Grabner. Berchtesgaden,
Schloss. Nürnberg, 1533. – Kat. S. 473f.

Abb. 491. Rundscheibe mit Hl. Agatha und den
Wappen Löffelholz und Oertel. Berchtesgaden,
Schloss. Nürnberg, 1533. – Kat. S. 474.

Abb. 492. Umschrift eines verlorenen Rundbildes
für Sebald Pfinzing. Berchtesgaden, Schloss.
Nürnberg, 1533. – Kat. S. 475.

Abb. 493. Gebet am Ölberg. Krakau, Collegium Maius,
Nr. 2. Nürnberg, um 1475/80. – Kat. S. 482.

Abb. 494. Judaskuss. Krakau, Collegium Maius, Nr. 3.
Nürnberg, um 1475/80. – Kat. S. 482.

Abb. 495. Tod der Hl. Klara (Ehemals Nürnberg, St. Klara, Kreuzgang).
Krakau, Collegium Maius, Nr. 1. Nürnberg, um 1475/80. – Kat. S. 480f.

Abb. 496. Tod Marias (Ausschnitt aus Abb. 508.

Abb. 497. Grablegung (Ausschnitt aus Abb. 504).

Abb. 498. Vorbereitung zur Kreuzanheftung
(Ausschnitt aus Abb. 503).

Abb. 499. Verhör durch Pilatus (Ausschnitt aus
Abb. 500).

Abb. 500–502. Verhör durch Pilatus, Dornenkrönung Christi, Kreuztragung (Ehemals Nürnberg, St. Klara, Kreuzgang). Krakau, Collegium Maius, Nr. 4–6. Nürnberg, um 1475/80. – Kat. S. 482–484.

Abb. 503–505. Vorbereitung zur Kreuzanheftung, Grablegung, Noli me tangere (Ehemals Nürnberg, St. Klara, Kreuzgang). Krakau, Collegium Maius, Nr. 7–9. Nürnberg, um 1475/80. – Kat. S. 484f.

Abb. 506–508. Himmelfahrt Christi, Ausgießung des Heiligen Geistes, Tod Marias (Ehemals Nürnberg, St. Klara, Kreuzgang). Krakau, Collegium Maius, Nr. 10–12. Nürnberg, um 1475/80. – Kat. S. 485–487.

Abb. 509. Waldstromer-Fenster. Chor I, 1–3a–c. Nürnberg, um 1385/90. – Kat. S. 502–511.

Abb. 510. Waldstromer-Fenster. Chor I, 4–6a–c. Nürnberg, um 1385/90. – Kat. S. 502–511.

Abb. 511. Groß-Fenster. Chor nord II, 1–3a–c. Nürnberg, um 1385/90. – Kat. S. 512–519.

Abb. 512. Groß-Fenster. Chor nord II, 4–6a–c. Nürnberg, um 1385/90. – Kat. S. 512–519.

Abb. 513. Stromer-Fenster. Chor süd II, 1–3a–c. Nürnberg, um 1385/90. – Kat. S. 519–525.

Abb. 514. Stromer-Fenster. Chor süd II, 4–6a–c. Nürnberg, um 1385/90. – Kat. S. 519–525.

Abb. 515. Rieter-Fenster. Chor nord III, 1–3a–c. Nürnberg, um 1385/90. – Kat. S. 526–535.

Abb. 516. Rieter-Fenster. Chor nord III, 4–6a–c. Nürnberg, um 1385/92. – Kat. S. 526–535.

Abb. 517. Behaim-Fenster. Chor süd III, 1–3a–c. Nürnberg, um 1385/90 bzw. um 1420 und 17. Jh. – Kat. S. 536–543.

Abb. 518. Behaim-Fenster. Chor süd III, 4–6a–c. Nürnberg, um 1385/90. – Kat. S. 536–543.

Abb. 519. Architekturbekrönungen. Chor süd IV, 6a–c. Nürnberg, um 1420. – Kat. S. 544, 574, 576f.

Abb. 520. Depotfenster. Chor süd IV, 2a–c. Nürnberg, um 1420 bzw. 1614. – Kat. S. 544, 573f.

Abb. 521. Depotfenster. Chor süd IV, 1a–c. Nürnberg, um 1420. – Kat. S. 573, 578.

Abb. 522. Ottnandt-Fenster. Chor süd V, 4–6a–c. Nürnberg, um 1385/90. – Kat. S. 545–550.

Abb. 523. Gebet am Ölberg (Ausschnitt aus Abb. 514).

Abb. 524. Ottnandt-Fenster. Chor süd V, 2–3a–c. Nürnberg, um 1385/90. – Kat. S. 545–550.

Abb. 525. Arche Noah (Ausschnitt aus Abb. 510).

Abb. 526. Übergabe der Zehn Gebote (Ausschnitt aus Abb. 510).

Abb. 527. Apostelkollegium als Beisitzer beim Jüngsten Gericht (Ausschnitt aus Abb. 522).

Abb. 528. Schürstab-Fenster. Lhs. nord VI, 1–3a–c. Nürnberg, um 1410. – Kat. S. 552–560.

Abb. 529. Schürstab-Fenster. Lhs. nord VI, 4–6a–c. Nürnberg, um 1410. – Kat. S. 552–560.

Abb. 530. Predigt des Apostels Matthias. Lhs. nord VI, 4b. Nürnberg, um 1410. – Kat. S. 557f.

Abb. 531. Apostel Petrus und Kardinal in Verehrung vor dem Vera Icon. Lhs. nord VI, 5a. Nürnberg, um 1410. – Kat. S. 559.

Abb. 532. Predigt des Apostels Matthias (Ausschnitt aus Abb. 529).

Abb. 533. Apostel (Ausschnitt aus Abb. 529).

Abb. 534. Apostel Paulus (Ausschnitt aus Abb. 529).

Abb. 535. Hl. Maria Magdalena (Ausschnitt aus Abb. 529).

Abb. 536. Marter der 11.000 Jungfrauen (Ausschnitt aus Abb. 528).

Abb. 537. Marthafenster. Lhs. süd VI, 1–3a–c. Nürnberg, um 1410, mit Fremdbestand um 1420. – Kat. S. 560–572.

Abb. 538. Marthafenster. Lhs. süd VI, 4–6a–c. Nürnberg, um 1410, mit Fremdbestand um 1420. – Kat. S. 560–572.

Abb. 539. Auferweckung des Lazarus. Lhs. süd VI, 6a. Nürnberg, um 1410. – Kat. S. 565.

Abb. 540. Predigt der Hl. Martha. Lhs. süd VI, 5a. Nürnberg, um 1410. – Kat. S. 565.

Abb. 541. Martha besiegt den Drachen von Tarascon. Lhs. süd VI, 4a. Nürnberg, um 1410. – Kat. S. 567.

Abb. 542. Tod der Hl. Martha. Lhs. süd VI, 3a. Nürnberg, um 1410. – Kat. S. 568f.

Abb. 543. Hl. Martha (Ausschnitt aus Abb. 538).

Abb. 544. Apostel (Ausschnitt aus Abb. 538).

Abb. 545. Hl. Maria Magdalena (Ausschnitt aus Abb. 542).

Abb. 546. Hl. Leonhard (Ausschnitt aus Abb. 537).

Abb. 547. Hl. Barbara. Lhs. süd VI, 1a. Nürnberg, um 1420.
Kat. S. 574f.

Abb. 548. Hl. Klara. Lhs. süd VI, 1a. Nürnberg, um 1420.
Kat. S. 575f.

Abb. 549. Verkündigung an Maria. Nürnberg, Leihgabe der Tucher'schen Kulturstiftung im Museum Tucherschloss und
Hirsvogel-Saal / Museen der Stadt Nürnberg. Nürnberg, um 1504–07. – Kat. S. 586f.

Abb. 550, 551. Passfelder mit Kranichen. Wilton (Wiltshire), Pfarrkirche. Nürnberg, um 1504–07. – Kat. S. 588.

Abb. 552, 553. Hll. Monika und Augustinus(?). Wilton (Wiltshire), Pfarrkirche. Nürnberg, um 1504–07. – Kat. S. 587f.

Abb. 554. Maßwerk mit Christuskopf, Eule und Astwerk. Glendale (California), Forest Lawn Memorial Park.
Nürnberg, um 1504–07. – Kat. S. 590.

Abb. 555, 556. Hl. Andreas / Hl. Sixtus. Glendale (California), Forest Lawn Memorial Park. Nürnberg, um 1504–07. – Kat. S. 589f.

Abb. 557, 558. Astwerk mit Wappenallianz Tucher/Imhoff. Fürstlich Drehna, Schloss / Hl. Maria Magdalena.
Normanton (West Yorkshire), Pfarrkirche. Nürnberg, um 1504–07. – Kat. S. 589, 592.

Abb. 559, 560. Hl. Sebastian / Strahlenkranzmadonna. Fürstlich Drehna, Schloss. Nürnberg, um 1480/90. – Kat. S. 590f.

Abb. 561. Anbetung der Könige. GNM, Inv. Nr. MM 115. Nürnberg, um 1490. – Kat. S. 592.

Abb. 562. Der Tod zu Pferd. GNM, Inv. Nr. MM 155. Nürnberg,
1502 (Hirsvogel-Werkstatt nach Entwurf von
Albrecht Dürer). – Kat. S. 594–597.

Abb. 563. Sixtus Tucher am offenen Grab. GNM,
Inv. Nr. MM 156. Nürnberg, 1502 (Hirsvogel-Werkstatt
nach Entwurf von Albrecht Dürer). – Kat. S. 594–597.

REGISTER

IKONOGRAPHISCHES UND SACHVERZEICHNIS

PERSONENVERZEICHNIS

Glaser, Glasmaler, Maler, Graphiker, Bildhauer und Baumeister sind durch *kursive* Schrift hervorgehoben.

ORTSVERZEICHNIS

Die **halbfett** gesetzten Zahlen verweisen
auf Haupterwähnungen im Katalog.
Die Angabe »ehem.« (ehemalig,
ehemals) bedeutet bei Klöstern, Stiften,
etc., dass diese ihre ursprüngliche
Funktion verloren haben, bei einzelnen
Denkmälern, dass sie sich nicht mehr
am genannten Ort befinden; in diesem
Fall wird auf den heutigen Standort
verwiesen.

BILDNACHWEIS

STAND DER VERÖFFENTLICHUNGEN

Das Corpus Vitrearum / Corpus Vitrearum Medii Aevi erscheint unter Mitwirkung des Internationalen Kunsthistorikerkomitees (CIHA) unter dem Patronat der Union Académique Internationale (UAI). Stand der Veröffentlichungen: 05/2015.

BELGIEN
Vorgesehen: 9 Bände (ohne Reihe „Études")

Erschienen:
I.   Les vitraux médiévaux conservés en Belgique, 1200-1500, von Jean HELBIG, Brüssel 1961
II.   Les vitraux de la première moitié du XVIe siècle conservés en Belgique, Anvers et Flandres, von Jean HELBIG, Brüssel 1968
III. Les vitraux de la première moitié du XVIe siècle conservés en Belgique, Brabant et Limbourg, von Jean HELBIG und Yvette VANDEN BEMDEN, Gent/Ledeberg 1974
IV.   Les vitraux de la première moitié du XVIe siècle conservés en Belgique, Liège, Luxembourg et Namur, von Yvette VANDEN BEMDEN, Gent/Ledeberg 1981
V.   Les vitraux de la première moitié du XVIe siècle conservés en Belgique, Province de Hainaut. Fascicule I: La collégiale Sainte-Wandru de Mons, von Yvette VANDEN BEMDEN, Namur 2000
VI.   Les vitraux de la seconde moitié du XVIe siècle et de la première moitié du XVIIe siècle conservés en Belgique, Provinces du Brabant Wallon, de Hainaut, de Liège et de Namur, von Isabelle LECOCQ, Brüssel 2011

Herausgegeben mit Hilfe des Ministère de l'Éducation nationale et de la Culture (bis 1974), des Ministère de la Communauté française (1981), der Fondation universitaire de Belgique, der Universität von Namur und der Fondation Ceruna (2000), des Institut royal du Patrimoine artistique und den Courtin-Bouché-Fonds, verwaltet von der König-Baudouin-Stiftung (2011).

Reihe „Études"

Erschienen:
I.   Cartons de vitraux du XVIIe siècle. La cathédrale Saint-Michel, Bruxelles, von Yvette VANDEN BEMDEN, Chantal FONTAINE-HODIAMONT und Arnout BALIS, Brüssel 1994

Herausgegeben mit der Hilfe des Secrétariat d'État chargé des monuments et des sites de la région de Bruxelles-Capitale.

Reihe „Checklist"

Erschienen:
I.   Silver-Stained Roundels and Unipartite Panels before the French Revolution. Flanders, Vol. I: The Province of Antwerp, von C.J. BERSERIK und J.M.A. CAEN, Turnhout 2007
II.   Silver-Stained Roundels and Unipartite Panels before the French Revolution. Flanders, Vol. II: The Provinces of East and West Flanders, von C.J. BERSERIK und J.M.A. CAEN, Turnhout 2011
III. Silver-Stained Roundels and Unipartite Panels before the French Revolution. Flanders, Vol. III: The Provinces of Flemish Brabant and Limburg, von C.J. BERSERIK und J.M.A. CAEN, Brüssel 2014

Herausgegeben mit der Hilfe von Brepols Publishers (Band I und II), den Courtin-Bouché-Fonds verwaltet von der König-Baudouin-Stiftung, der Universität Antwerpen und der Internationalen Union der Akademien (Band III).

Reihe „Occasional papers"

Erschienen:
I.   Grisaille, jaune d'argent, sanguine, émail et peinture à froid. Technique et conservation. Forum international pour la Conservation et la Restauration des vitraux, Liège 1996. Dossier de la Commission royale des Monuments, Sites et Fouilles, 3, Liège 1996
II.   Représentations architecturales dans les vitraux. XXIe Colloque international du Corpus Vitrearum, Brüssel 2002. Dossier de la Commission royale des Monuments, Sites et Fouilles, 9, Liège 2002
III. Techniques du vitrail au XIXe siècle. Forum international pour la conservation et la restauration des vitraux, Namur 2007. Les Dossiers de l'IPW, 3, Namur 2007

DEUTSCHLAND
Vorgesehen: 22 Bände in 40 Teilbänden (ohne Studien)

Erschienen:
I,1.   Die Glasmalereien in Schwaben von 1200-1350, von Hans WENTZEL, Berlin 1958 (vergriffen)
I,2.   Die mittelalterlichen Glasmalereien in Schwaben von 1350-1530 (ohne Ulm), von Rüdiger BECKSMANN unter Mitwirkung von Fritz HERZ, Berlin 1986
I,3.   Die mittelalterlichen Glasmalereien in Ulm, von Hartmut SCHOLZ, Berlin 1994
II,1.   Die mittelalterlichen Glasmalereien in Baden und der Pfalz (ohne Freiburg i. Br.), von Rüdiger BECKSMANN, Berlin 1979
II,2.   Die mittelalterlichen Glasmalereien in Freiburg im Breisgau, von Rüdiger BECKSMANN, Berlin 2010 (2 Bände)
III,1. Die mittelalterlichen Glasmalereien in Oppenheim, Rhein- und Südhessen, von Uwe GAST unter Mitwirkung von Ivo RAUCH, Berlin 2011
III,2. Die mittelalterlichen Glasmalereien in Frankfurt und im Rhein-Main-Gebiet, von Daniel HESS, Berlin 1999
III,3. Die mittelalterlichen Glasmalereien in Marburg und Nordhessen, von Daniel PARELLO unter Verwendung von Vorarbeiten von Daniel HESS, Berlin 2008
IV,1.   Die mittelalterlichen Glasmalereien des Kölner Domes, von Herbert RODE, Berlin 1974

VII,1. Die mittelalterlichen Glasmalereien in Niedersachsen (ohne Lüneburg/Heideklöster), von Elena KOSINA unter Verwendung der Vorarbeiten von Ulf-Dietrich KORN, Berlin 2017

VII,2. Die mittelalterlichen Glasmalereien in Lüneburg und den Heideklöstern, von Rüdiger BECKSMANN und Ulf-Dietrich KORN unter Mitwirkung von Fritz HERZ, Berlin 1992

X,1. Die mittelalterlichen Glasmalereien in Mittelfranken und Nürnberg (*extra muros*), von Hartmut SCHOLZ, Berlin 2002 (2 Bände)

X,2. Die mittelalterlichen Glasmalereien in Nürnberg: Sebalder Stadtseite, von Hartmut SCHOLZ, Berlin 2013

X,3. Die mittelalterlichen Glasmalereien in Nürnberg, Lorenzer Stadtseite, von Hartmut SCHOLZ, Berlin 2019 (2 Bände)

XIII,1. Die mittelalterlichen Glasmalereien im Regensburger Dom, von Gabriela FRITZSCHE unter Mitwirkung von Fritz HERZ, Berlin 1987 (2 Bände)

XIII,2. Die mittelalterlichen Glasmalereien in Regensburg und der Oberpfalz (ohne Regensburger Dom), von Daniel PARELLO, Berlin 2015

XV,1. Die mittelalterliche Glasmalerei in den Ordenskirchen und im Angermuseum zu Erfurt, von Erhard DRACHEN-BERG, Karl-Joachim MAERCKER und Christa SCHMIDT, Berlin 1976 (erschienen als DDR 1.1; vergriffen)

XV,2. Die mittelalterliche Glasmalerei im Erfurter Dom, von Erhard DRACHENBERG, Textband Berlin 1980, Abbildungsband Berlin 1983 (erschienen als DDR 1.2; vergriffen)

XVI. Die mittelalterlichen Glasmalereien in Mühlhausen/Thüringen, von Christa RICHTER, Berlin 1993

XVII. Die mittelalterlichen Glasmalereien im Halberstädter Dom, von Eva FITZ, Berlin 2003

XVIII,1. Die mittelalterliche Glasmalerei im Stendaler Dom, von Karl-Joachim MAERCKER, Berlin 1988 (erschienen als DDR 5.1)

XVIII,2. Die mittelalterliche Glasmalerei in der Stendaler Jakobikirche, von Karl-Joachim MAERCKER, Berlin 1995

XIX,1. Die mittelalterlichen Glasmalereien in der Werbener Johanniskirche, von Monika BÖNING mit einem Regestenteil von Ulrich HINZ, Berlin 2007

XIX,2. Die mittelalterlichen Glasmalereien in der ehemaligen Zisterzienserinnenkirche Kloster Neuendorf, von Monika BÖNING mit einem Regestenteil von Ulrich HINZ, Berlin 2009

XIX,3. Die mittelalterlichen Glasmalereien in Salzwedel, Pfarrkirche St. Marien, Pfarrkirche St. Katharinen, Johann-Friedrich-Danneil-Museum, von Monika BÖNING, Berlin 2013

XIX,4. Die mittelalterlichen Glasmalereien in Havelberg, von Monika BÖNING, Berlin/Boston 2018

XX,1. Die mittelalterlichen Glasmalereien in Thüringen (ohne Erfurt und Mühlhausen), von Cornelia AMAN, Ute BEDNARZ, Markus Leo MOCK, Martina VOIGT und Jenny WISCHNEWSKY unter Mitwirkung von Uwe GAST, Berlin/Boston 2016

XXII. Die mittelalterlichen Glasmalereien in Berlin und Brandenburg, von Ute BEDNARZ, Eva FITZ, Frank MARTIN, Markus Leo MOCK, Götz J. PFEIFFER und Martina VOIGT, mit einer kunstgeschichtlichen Einleitung von Peter KNÜVENER, Berlin 2010 (2 Bände)

In Vorbereitung:

V,1. Die mittelalterlichen Glasmalereien in Rheinland-Pfalz und im Saarland, von Elena KOSINA unter Mitwirkung der Arbeitsstelle Potsdam

IX. Die mittelalterlichen Glasmalereien in Unter- und Oberfranken, von Uwe GAST unter Mitwirkung von Markus Leo MOCK

XII. Die mittelalterlichen Glasmalereien in Augsburg und Bayerisch-Schwaben, von Daniel PARELLO

XIX,5. Die mittelalterlichen Glasmalereien in Sachsen-Anhalt Süd (ohne Halberstadt und Naumburg), von Cornelia AMAN, Ute BEDNARZ, Maria DEITERS, Markus Leo MOCK und Martina VOIGT

XIX,6. Die mittelalterlichen Glasmalereien im Naumburger Dom, von Maria DEITERS, unter Mitarbeit von Cornelia AMAN und Martina VOIGT

XX,2. Die mittelalterlichen Glasmalereien in Sachsen, von Ute BEDNARZ, Markus Leo MOCK und Martina VOIGT

Herausgegeben vom Deutschen Verein für Kunstwissenschaft, Berlin (bis 1974), von der Akademie der Wissenschaften und der Literatur Mainz und dem Deutschen Verein für Kunstwissenschaft, Berlin (seit 1979) / bzw. vom Institut für Denkmalpflege der DDR, Berlin (bis 1986), danach wechselnd und seit 2003 von der Berlin-Brandenburgischen Akademie der Wissenschaften.

Reihe „Studien"

Erschienen:

I. Entwurf und Ausführung. Werkstattpraxis in der Glasmalerei der Dürerzeit, von Hartmut SCHOLZ, Berlin 1991

II. Erfurt, Köln, Oppenheim. Quellen und Studien zur Restaurierungsgeschichte mittelalterlicher Farbverglasungen, von Falko BORNSCHEIN, Ulrike BRINKMANN und Ivo RAUCH, mit einer Einführung von Rüdiger BECKSMANN, Berlin 1996

III. »Fenestrae non historiatae«. Ornamentale Glasmalerei der Hochgotik in den Regionen am Rhein (1250–1350), von Michael BURGER, Berlin 2018

Herausgegeben im Auftrag des Deutschen Vereins für Kunstwissenschaft und des Nationalkomitees des Corpus Vitrearum Medii Aevi Deutschland bzw. der Akademie der Wissenschaften und der Literatur Mainz.

FRANKREICH
Vorgesehen: Zahl der Bände nicht festgelegt

Erschienen:

I,1. Les vitraux de Notre-Dame et de la Sainte-Chapelle de Paris, von Marcel AUBERT, Louis GRODECKI, Jean LAFOND und Jean VERRIER, Paris 1959

II. Les vitraux du chœur de la cathédrale de Troyes, von Elizabeth C. PASTAN und Sylvie BALCON, Paris 2006

III. Les vitraux de la cathédrale d'Angers, von Karine BOULANGER, PARIS 2010

IV,2. Les vitraux de l'église Saint-Ouen de Rouen, tome I, von Jean LAFOND unter Mitarbeit von Françoise PERROT und Paul POPESCO, Paris 1970

VIII,1. Les vitraux de Saint-Nicolas-de-Port, von Michel HÉROLD, Paris 1993

IX,1. Les vitraux de la cathédrale Notre-Dame de Strasbourg, von Victor BEYER, Christiane WILD-BLOCK und Fridtjof ZSCHOKKE unter Mitarbeit von Claudine LAUTIER, Paris 1986

IX,2. Les vitraux de l'ancienne église des Dominicains de Strasbourg, von Victor BEYER, Straßburg 2007

In Vorbereitung:

Les vitraux des chapelles latérales de la cathédrale de Bourges, von Brigitte KURMANN-SCHWARZ

Les verrières basses de la cathédrale de Chartres, von Claudine LAUTIER

Les vitraux du XIIIᵉ siècle de la cathédrale de Bourges, von Karine BOULANGER

Reihe „Recensement des vitraux anciens de la France"

Erschienen:

I. Les vitraux de Paris, de la région parisienne, de la Picardie et du Nord-Pas-de-Calais, herausgegeben von Louis GRODECKI, Françoise PERROT und Jean TARALON, Paris 1978

II. Les vitraux du Centre et des Pays de la Loire, Paris 1978

III. Les vitraux de Bourgogne, Franche-Comté et Rhône-Alpes, Paris 1986

IV. Les vitraux de Champagne-Ardenne, Paris 1992

V. Les vitraux de Lorraine et d'Alsace, von Michel HÉROLD und Françoise GATOUILLAT, Paris 1994

VI. Les vitraux de Haute-Normandie, von Martine CALLIAS BEY, Véronique CHAUSSÉ, Françoise GATOUILLAT und Michel HÉROLD, Paris 2001

VII. Les vitraux de Bretagne, von Françoise GATOUILLAT und Michel HÉROLD, Rennes 2005

VIII. Les vitraux de Basse-Normandie, von Martine CALLIAS BEY und Véronique DAVID, Rennes 2006

IX. Les vitraux d'Auvergne et du Limousin, von Françoise GATOUILLAT und Michel HÉROLD unter Mitarbeit von Karine BOULANGER und Jean-François LUNEAU, Rennes 2011

In Vorbereitung:

X. Les vitraux de Poitou-Charentes et d'Aquitaine, von Karine BOULANGER unter Mitarbeit von Anne BERNADET

XI. Les vitraux du Midi de la France (Languedoc-Roussillon, Midi-Pyrénées et Provence-Alpes-Côte d'Azur, von Michel HÉROLD, Jean-Pierre BLIN, Françoise GATOUILLAT und Véronique DAVID

Reihe „Études"

Erschienen:

I. Les vitraux de Saint-Denis. Étude sur le vitrail au XIIᵉ siècle, von Louis GRODECKI, Paris 1976

II. Les vitraux narratifs de la cathédrale de Chartres. Étude iconographique, von Colette MANHES-DEREMBLE unter Mitarbeit von Jean-Paul DEREMBLE, Paris 1993

III. Études sur les vitraux de Suger à Saint-Denis (XIIᵉ siècle), von Louis GRODECKI, Paris 1995

IV. La peinture à Paris sous le règne de François Iᵉʳ, von Guy-Michel LEPROUX, Paris 2001

V. «Pictor et veyrerius». Le vitrail en Provence occidentale, XIIᵉ-XVIIᵉ siècles, von Joëlle GUIDINI-RAYBAUD, Paris 2003

VI. Le vitrail à Troyes (1480-1560) : les chantiers et les hommes, von Danielle MINOIS, Paris 2005

VII. Le vitrail en Normandie entre Renaissance et Réforme (1517–1596), von Laurence RIVIALE, Rennes 2007

VIII. Antoine de Pise. L'art du vitrail vers 1400, herausgegeben von Claudine LAUTIER und Dany SANDRON, Paris 2008

IX. Le vitrail à Paris au XIXᵉ siècle. Entretenir, conserver, restaurer, von Élisabeth PILLET, Rennes 2010

X. Le vitrail à Rouen 1450-1530. »L'escu de voirre«, von Caroline BLONDEAU, Rennes 2014

In Vorbereitung:

Le vitrage médiéval de la cathédrale de Reims, von Sylvie BALCON

Art, artistes et commanditaires en Champagne du Nord (milieu du XVᵉ – fin du XVIᵉ siècle), von Maxence HERMANT

Maurice Denis et le vitrail, von Fabienne STAHL

GROSSBRITANNIEN

Vorgesehen: Zahl der Bände nicht festgelegt

Erschienen:

I. The County of Oxford. A Catalogue of Medieval Stained Glass, von Peter NEWTON unter Mitarbeit von Jill KERR, London 1979

II. The Windows of Christ Church Cathedral, Canterbury, von Madeline H. CAVINESS, London 1981

III,1. York Minster. A Catalogue of Medieval Stained Glass, fascicule 1: The West Windows of the Nave, von Thomas FRENCH und David O'CONNOR, Oxford 1987

IV. The Medieval Stained Glass of Wells Cathedral, von Tim AYERS, Oxford 2004 (2 Bände)

V. The Medieval Stained Glass of St Peter Mancroft, von David KING, Oxford 2006

VI. The Medieval Stained Glass of Merton College, Oxford, von Tim AYERS, Oxford 2013 (2 Bände)

Supplementary Volume I.: The Windows of King's College Chapel, Cambridge, von Hilary WAYMENT, London 1972

In Vorbereitung:

The Medieval Stained Glass of New College, Oxford, von Anna EAVIS

The Medieval Stained Glass of St Michael-le-belfrey, York, von Lisa REILLY und Mary SHEPARD

The Swiss Stained Glass of Wragby Church, von Uta BERGMANN, Joseph SPOONER et al.

The Medieval Stained Glass of Great Malvern Priory, von Heather GILDERDALE SCOTT

Reihe „Occasional Papers"

Erschienen:
I.The Deterioration and Conservation of Painted Glass: A Critical Bibliography and Three Research Papers, von Roy G. NEWTON, London 1974
II.The Deterioration and Conservation of Painted Glass: A Critical Bibliography, von Roy G. NEWTON, London 1982
III.The Medieval Painted Glass of Lincoln Cathedral, von Nigel MORGAN, London 1983

In Vorbereitung:
The Stained Glass of Herkenrode Abbey in England, von Isabelle LECOCQ und Yvette VANDEN BEMDEN
Windows and Wills: Glazing Bequests in Medieval England and Wales, von Richard MARKS
York Minster: The Twelfth-Century Glass, von David REID
The Miracle Windows of Canterbury Cathedral, von Rachel KOOPMANS

Reihe „Summary Catalogue"

1.A Catalogue of Netherlandish and North-European Roundels in Britain, von William COLE, Oxford 1993
2.York Minster, The Great East Window, von Thomas FRENCH, Oxford 1995, Paperback edition 2003
3.The Medieval Stained Glass of the County of Lincolnshire, von Penny HEBGIN-BARNES, Oxford 1996
4.The Medieval Stained Glass of Northamptonshire, von Richard MARKS, Oxford 1998
5.York Minster, The St William Window, von Thomas FRENCH, Oxford 1999
6.Medieval English Figurative Roundels, von Kerry AYRE, Oxford 2002
7.The Medieval Stained Glass of South Yorkshire, von Brian SPRAKES, Oxford 2003
8.The Medieval Stained Glass of Lancashire, von Penny HEBGIN-BARNES, Oxford 2009
9.The Medieval Stained Glass of Cheshire, von Penny HEBGIN-BARNES, Oxford 2010

In Vorbereitung:
The Medieval Stained Glass of York Minster: The Nave, Aisle Windows, von David O'CONNOR
The Medieval Stained Glass of Kent, von Nigel MORGAN
The Medieval Stained Glass of West Yorkshire, von Brian SPRAKES
The Medieval Stained Glass of Bedfordshire and Buckinghamshire, von Richard MARKS
The Medieval Stained Glass of Cumberland and Westmorland, von Vanessa BARRON
The Medieval Stained Glass of Norfolk, von David KING

Herausgegeben von The British Academy, London.

ITALIEN
Vorgesehen: Zahl der Bände nicht festgelegt

Erschienen:
I.Le vetrate dell'Umbria, von Giuseppe MARCHINI, Rom 1973
Herausgegeben vom Consiglio Nazionale delle Ricerche unter dem Patronat der Unione Accademie Nazionale.

II.Le vetrate del Duomo di Pisa, von Renée K. BURNAM, Pisa 2002
Herausgegeben in den Annali della Scuola Normale Superiore di Pisa, Classe di Lettere e Filosofia Serie IV / Quaderni 13, unter dem Patronat der Unione Accademie Nazionale

IV.Le vetrate del Duomo di Milano, von Caterina PIRINA, Mailand 1986

Herausgegeben von der Amministrazione Provinciale de Milano.

In Vorbereitung:
Le vetrate de Firenze, von Giuseppe MARCHINI (†)
Le vetrate della Lombardia, von Caterina PIRINA u.a.
Le vetrate del Duomo di Milano (secoli XVI/XVII), von Caterina PIRINA und Ernesto BRIVIO
Le vetrate della Certosa di Pavia, von Caterina PIRINA

KANADA
Vorgesehen: 3 Bände

Erschienen:
The Stained Glass of the Hosmer Collection, McGill University, von James BUGSLAG und Ariane ISLER-DE-JONGH, 2014

In Vorbereitung:
Stained Glass in Canadian Public and Private Collections: Quebec, von James BUGSLAG und Roland SANFAÇON unter Mitwirkung von Claire LABRECQUE

NIEDERLANDE
Erschienen:
I.The stained-glass windows in the Sint Janskerk at Gouda. The glazing of the clerestory of the choir and of the former monastic church of the Regulars, von Henny VAN HARTEN-BOERS und Zsuzsanna VAN RUYVEN-ZEMAN unter Mitarbeit von Christiane E. COEBERGH-SURIE und Herman JANSE, Amsterdam 1997
II.The stained-glass windows in the Sint Janskerk at Gouda. The work of Dirck and Wouter Crabeth, von Xander VAN ECK, Christiane E. COEBERGH-SURIE und Andrea C. GASTEN, Amsterdam 2002
III.The stained-glass windows in the Sint Janskerk at Gouda, 1556-1604, von Zsuzsanna VAN RUYVEN-ZEMAN, Amsterdam 2000
IV.Stained Glass in the Netherlands before 1795. Part I: The North, Part II: The South, von Zsuzsanna VAN RUYVEN-ZEMAN, Amsterdam 2011 (2 Bände)

Herausgegeben von der Koninklijke Nederlandse Akademie van Wetenschappen, Amsterdam; Band IV in Kooperation mit Amsterdam University Press.

Reihe „Checklist"

In Planung:
I.   Silver-Stained Roundels and Unipartite Panels before the French Revolution. The Netherlands, Vol. I, von C.J. BERSERIK und J.M.A. CAEN
II.   Silver-Stained Roundels and Unipartite Panels before the French Revolution. The Netherlands, Vol. II, von C.J. BERSERIK und J.M.A. CAEN

ÖSTERREICH
Vorgesehen: 8 Bände

Erschienen:
I.   Die mittelalterlichen Glasgemälde in Wien, von Eva FRODL-KRAFT, Graz/Wien/Köln 1962
II.   Die mittelalterlichen Glasgemälde in Niederösterreich, 1. Teil: Albrechtsberg – Klosterneuburg, von Eva FRODL-KRAFT, Wien/Köln/Graz 1972
III.   Die mittelalterlichen Glasgemälde in der Steiermark, 1. Teil: Graz und Straßengel, von Ernst BACHER, Wien/Köln/Graz 1979
IV.   Die mittelalterlichen Glasgemälde in Salzburg, Tirol und Vorarlberg, von Ernst BACHER, Günther BUCHINGER, Elisabeth OBERHAIDACHER-HERZIG und Christina WOLF, Wien/Köln/Weimar 2007
V.1   Die mittelalterlichen Glasgemälde in Niederösterreich, 2. Teil: Krenstetten bis Zwettl (ohne Sammlungen), von Günther BUCHINGER, Elisabeth OBERHAIDACHER-HERZIG und Christina WAIS-WOLF, unter Verwendung von Vorarbeiten von Eva FRODL-KRAFT (†), Wien/Köln/Weimar 2015
V.2   Die mittelalterlichen Glasgemälde in Niederösterreich, 3. Teil: Sammlungsbestände (ohne Stiftssammlungen), von Günther BUCHINGER, Elisabeth OBERHAIDACHER-HERZIG und Christina WAIS-WOLF, unter Verwendung von Vorarbeiten von Eva FRODL-KRAFT, Wien/Köln/Weimar 2017

In Vorbereitung:
VI   Die mittelalterlichen Glasgemälde in der Steiermark, 2. Teil: Admont bis Vorau, von Ernst BACHER (†), Günther BUCHINGER, Elisabeth OBERHAIDACHER-HERZIG und Christina WOLF
VII.   Die mittelalterlichen Glasgemälde in Oberösterreich
VIII.   Die mittelalterlichen Glasgemälde in Kärnten

Herausgegeben vom Bundesdenkmalamt und der Österreichischen Akademie der Wissenschaften.

POLEN
Erschienen:
        Die mittelalterlichen Glasmalereien in der Marienkirche in Krakow, von Dobrosława HORZELA, Helena MAŁKIEWICZOWNA (†), Lech KALINOWSKI (†), mit einer Einleitung von Marek WALCZAK, Kraków 2018

Reihe „1800-1945"

Erschienen:
I.   Korpus witraży z lat 1800-1945 w kościołach rzymsko-katolickich metropolii krakowskiej i przemyskiej. Archidiecezja krakowska. Dekanaty krakowskie, von Danuta CZAPCZYŃSKA-KLESZCZYŃSKA, Tomasz SZYBISTY, unter Mitwirkung von Paweł KARASZKIEWICZ und Anna ZEŃCZAK, Kraków 2014
II.   Korpus witray z lat 1800-1945 w kościołach rzymskokatolickich metropolii krakowskiej i przemyskiej. Archidiecezja krakowska. Dekanaty pozakrakowskie, von Tomasz SZYBISTY, unter Mitwirkung von Danuta CZAPCZYŃSKA-KLESZCZYŃSKA, Kraków 2015
III.   Korpus witraży z lat 1800-1945 w kościołach rzymskokatolickich metropolii krakowskiej i przemyskiej. Diecezja bielsko-żywiecka, von Irena KONTNY, Tomasz SZYBISTY, Kraków 2015
IV.   Korpus witraży z lat 1800-1945 w kościołach rzymskokatolickich metropolii krakowskiej i przemyskiej. Diecezja tarowska, von Andrzej LASKOWSKI, ergänzt von Wojciech, BALUS, Tomasz SZYBISTY, Kraków 2017 (2 Bände)
V.   Korpus witraży z lat 1800-1945 w kościołach rzymskokatolickich metropolii krakowskiej i przemyskiej. Diecezja kielecka, von Tomasz SZYBISTY, Kraków 2017

Herausgegeben von der Uniwersytet Jagielloński Kraków im Rahmen des vom Minister Nauki i Szkolnictwa Wyższego finanzierten Programms »Narodowy Program Rozwoju Humanistyki«.

PORTUGAL
Vorgesehen und erschienen: 1 Band

        O vitral em Portugal, Séculos XV-XVI, von Carlos Vitorino DA SILVA BARROS, Lissabon 1983

Herausgegeben unter dem Patronat des Commissariado para a XVII Exposicao Europeia de Arte, Ciência e Cultura do Conselho da Europa von dem Banco Espirito Santo e Comercial de Lisboa.

SCHWEIZ
Vorgesehen: 5 Bände (ohne Reihe „Neuzeit")

Erschienen:
I.   Die Glasmalereien in der Schweiz vom 12. bis zum Beginn des 14. Jahrhunderts, von Ellen J. BEER, Basel 1956 (vergriffen)
II.   Die Glasmalereien der ehemaligen Klosterkirche Königsfelden, von Brigitte KURMANN-SCHWARZ, Bern 2008
III.   Die Glasmalereien der Schweiz aus dem 14. und 15. Jahrhundert, ohne Königsfelden und Berner Münsterchor, von Ellen J. BEER, Basel 1965 (vergriffen)
IV.   Die Glasmalereien des 15. bis 18. Jahrhunderts im Berner Münster, von Brigitte KURMANN-SCHWARZ, Bern 1998

Herausgegeben von der Schweizerischen Akademie für Geistes- und Sozialwissenschaften.

Reihe „Neuzeit"

I. Glasmalerei in Kloster Wettingen, von Peter HOEGGER, Buchs 2002 (erschienen als: Glasmalerei im Kanton Aargau Bd. 2)
II. Glasmalerei im Kreuzgang von Muri, von ROLF HASLER, Buchs 2002 (erschienen als: Glasmalerei im Kanton Aargau Bd. 3)
III. Glasmalerei in den Kirchen und Rathäusern des Kantons Aargau, von Rolf HASLER, Buchs 2002 (erschienen als: Glasmalerei im Kanton Aargau Bd. 4)

Herausgegeben vom Kanton Aargau in Zusammenarbeit mit dem Schweizerischen Zentrum für Forschung und Information zur Glasmalerei, Romont.

IV. Die Zuger Glasmalerei des 16.-18. Jahrhunderts, von Uta BERGMANN, Bern 2004

Herausgegeben vom Kanton Zug und dem Schweizerischen Zentrum für Forschung und Information zur Glasmalerei, Romont; Mitherausgeberin: Gesellschaft für Schweizerische Kunstgeschichte.

V. Die Schaffhauser Glasmalerei des 16. bis 18. Jahrhunderts, von Rolf HASLER, Bern 2010
VI. Die Freiburger Glasmalerei des 16. bis 18. Jh, von Uta BERGMANN, Bern 2014 (2 Bände)
VII. Die Glasmalereien des Kantons Bern des 16. bis 18. Jahrhunderts, von Rolf HASLER, Sarah KELLER, Uta BERGMANN und Patricia SULSER. Online publiziert unter https://vitrosearch.ch, Bern 2017

Herausgegeben vom Vitrocentre Romont und von der Kommission für das Corpus Vitrearum der Schweizerischen Akademie der Geistes- und Sozialwissenschaften.

SKANDINAVIEN
Vorgesehen und erschienen: 1 Band

Die Glasmalereien des Mittelalters in Skandinavien, von Aaron ANDERSSON, Sigrid CHRISTIE, Carl A. NORDMAN und Aage ROUSSEL, Stockholm 1964

Herausgegeben von Kungl. Vitterhets Historie och Antikvitets Akademien.

SPANIEN
Vorgesehen: Zahl der Bände nicht festgelegt

Erschienen:
I. Las vidrieras de la catedral de Sevilla, von Victor NIETO ALCAIDE, Madrid 1969

Herausgegeben vom Laboratorio de Arte de la Universidad de Sevilla und dem Instituto Diego Velasquez del Consejo Superior de Investigaciones Científicas, Madrid.

II. Las vidrieras de la catedral de Granada, von Victor NIETO ALCAIDE unter Mitarbeit von Carlos MUÑOZ DE PABLOS, Granada 1973

Herausgegeben von der Universidad Granada, Departamento de Historia del Arte, Granada.

In Vorbereitung:
III. Las vidrieras de Castilla-Léon, von Victor NIETO ALCAIDE und Carlos MUÑOZ DE PABLOS
IV. Las vidrieras de la catedral de Léon, von Victor NIETO ALCAIDE und Carlos MUÑOZ DE PABLOS

Erschienen:
VI. Katalonien I
Els vitralls medievals de l'esglesia de Santa Maria del Mar a Barcelona, von Joan AINAUD I DE LASARTE, Joan VILA-GRAU und M. Assumpta ESCUDERO I RIBOT, Barcelona 1985
VII. Katalonien II
Els vitralls de la catedral de Girona, von Joan AINAUD I DE LASARTE, Joan VILA-GRAU, M. Assumpta ESCUDERO I RIBOT, Antoni VILA I DELCLÒS, Jaume MARQUÈS, Gabriel ROURA und Josep M. MARQUÈS, Barcelona 1987
VIII. Katalonien III
Els vitralls del monestir de Santes Creus i de la catedral de Tarragona, von Joan AINAUD I DE LASARTE, Joan VILA-GRAU, Ma. Joanna VIRGILI, Isabel COMPANYS und Antoni VILA I DELCLÒS, Barcelona 1992
IX. Katalonien IV
Els vitralls de la catedral de Barcelona i del monestir de Pedralbes, von Joan AINAUD I DE LASARTE (†), Anscari Manuel MUNDO, Joan VILA-GRAU, M. Assumpta ESCUDERO I RIBOT, Sílvia CAÑELLAS und Antoni VILA I DELCLÒS, Barcelona 1997
X. Katalonien V (2 Bände, 5.1 und 5.2)
5.1. Els vitralls de la catedral de la Seu d'Urgell i de la collegiata de Santa Maria de Cerveral, von Anscari Manuel MUNDO (†), Xavier BARRAL, Joan VILA-GRAU, Antoni VILA I DELCLÒS, Sílvia CAÑELLAS, Carme DOMÍNGUES, Esther BALASCH, Rosa ALCOY und Josep M. LLOBET, Barcelona 2014
XI. 5.2. Estudis entorn del vitrall a Catalunya, von Anscari Manuel MUNDO (†), Xavier BARRAL, Joan VILA-GRAU, Antoni VILA I DELCLÒS, Sílvia CAÑELLAS, Carme DOMÍNGUES, Esther BALASCH, Rosa ALCOY und Josep M. LLOBET, Barcelona 2014

Herausgegeben vom Institut d'Estudis Catalans, Barcelona.

TSCHECHIEN/SLOWAKEI
Vorgesehen und erschienen: 1 Band

Mittelalterliche Glasmalerei in der Tschechoslowakei, von František MATOUŠ, Prag 1975

Herausgegeben von der Tschechoslowakischen Akademie der Wissenschaften, Prag.

USA
Vorgesehen: 14 Bände (ohne Checklists und Occasional Papers)

Erschienen:
I.   English and French Medieval Stained Glass in the Collection of the Metropolitan Museum of Art (New York), von Jane HAYWARD, überarbeitet und herausgegeben von Mary B. SHEPARD und Cynthia CLARK, London/Turnhout 2003 (2 Bände)
II/1.   Stained Glass from before 1700 in Upstate New York, von Meredith P. LILLICH und Linda PAPANICOLAOU, London/Turnhout 2004
VI/1.   Stained Glass before 1700 in The Philadelphia Museum of Art, von Renée K. BURNAM, London/Turnhout 2012
VIII.   Stained Glass before 1700 in the Collections of the Midwest States: Illinois, Indiana, Michigan, Ohio, von Virginia C. RAGUIN, Helen J. ZAKIN unter Mitarbeit von Elizabeth C. PASTAN, London/Turnhout 2001 (2 Bände)

Herausgegeben vom Nationalkomitee des Corpus Vitrearum der USA.

In Vorbereitung:
I/2.   German and Netherlandish Medieval Stained Glass in The Metropolitan Museum of Art, New York, von Timothy B. HUSBAND
III.   Stained Glass before 1700 in Connecticut and Rhode Island, von Madeline H. CAVINESS unter Mitwirkung von Ellen SHORTELL und Marilyn M. BEAVEN
V.   Stained Glass before 1700 in the Glencairn Museum, Bryn Athyn, Pennsylvania, von Michael W. COTHREN
VI/2.   Stained Glass before 1700 in the Princeton University Art Museum, von Mary B. SHEPARD
X.   Stained Glass from before 1700 in California, von Virginia C. RAGUIN

Die folgenden Bände sind in Planung:
I/3.   European Stained Glass from 1500–1700 in The Metropolitan Museum of Art, New York
II/2.   Stained Glass before 1700 in the New York City Metropolitan Area (excluding The Metropolitan Museum)

VII/1.   Stained Glass before 1700 in the Walters Art Gallery, von Evelyn STAUDINGER
VII/2.   Stained Glass before 1700 in the Atlantic Seaboard States, from Delaware to Florida

Reihe „Checklist"

Erschienen:
I.   Stained Glass before 1700 in American Collections: New England and New York State (Studies in the History of Art XV), von Madeline H. CAVINESS u.a., Washington 1985
II.   Stained Glass before 1700 in American Collections: Mid-Atlantic and South-Eastern Seabord States (Studies in the History of Art XXIII), von Madeline H. CAVINESS u.a., Washington 1987
III.   Stained Glass before 1700 in American Collections: Mid-Western and Western States (Studies in the History of Art XXVIII), von Madeline H. CAVINESS u.a., Washington 1989
IV.   Stained Glass before 1700 in American Collections: Silver-Stained Roundels and Unipartite Panels (Studies in the History of Art XXXIX), von Timothy B. HUSBAND, Washington 1991

Reihe „Occasional Papers"

Erschienen:
I.   Studies on Medieval Stained Glass: Selected Papers from the XIth International Colloquium of the Corpus Vitrearum, New York, 1-6 June 1982, herausgegeben von Madeline H. CAVINESS und Timothy B. HUSBAND, New York 1985
II.   The Art of Collaboration. Stained-Glass Conservation in the Twenty-First Century, herausgegeben von Mary SHEPARD, Lisa PILOSI und Sebastian STROBL, London/Turnhout 2010

Herausgegeben vom Nationalkomitee des Corpus Vitrearum der USA.

Schweiker

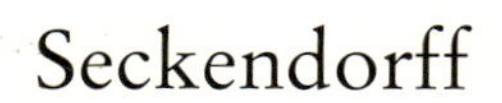

Seckendorff

Sigwein

Staiber

Staudigel

Steinlinger

Stockamer

Straub

Stromer

Teufel

Topler

Tracht

Trautskirchner

Tucher

Ulmer

Volckamer